МИР
ПАУКОВ

ПЛЕННИЦА

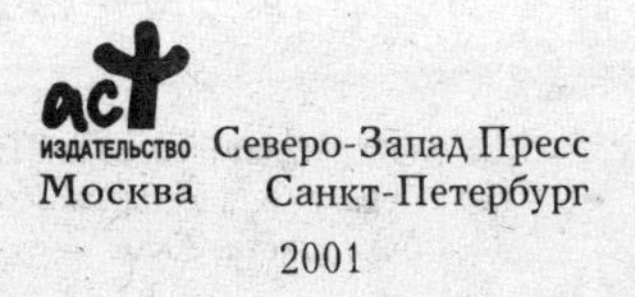

2001

УДК 820(73)
ББК 84(7США)
П 75

Серия основана в 2000 году

Серийное оформление Александра Кудрявцева

Печатается с разрешения автора
и его литературного агента Александра Корженевского.

Прикли Н.

П75 Пленница: Роман. — М.: ООО «Издательство АСТ»; СПб.: «Северо-Запад Пресс», 2001. — 416 с. — (Мир Пауков).

ISBN 5-17-004052-0 (ООО «Издательство АСТ»)
ISBN 5-93698-038-3 («Северо-Запад Пресс»)

Один из самых известных фантастических сериалов, начало которому положили произведения знаменитого британского писателя и мыслителя Колина Уилсона, получил свое продолжение в работах отечественных авторов.

Мир, где Земля полностью преображена после космической катастрофы.

Мир, где пауки обрели волю, разум и власть.

Мир, где обращенный в раба человек должен вступить в смертельную борьбу, чтобы вернуть себе свободу.

Мир пауков становится НАШИМ миром.

УДК 820(73)
ББК 84(7США)

ЧАСТЬ 1

ПРИВРАТНИЦА СМЕРТИ

По захваченному городу с истошными воплями метались перепуганные люди. В основном — женщины и дети. Они то забегали в темные бревенчатые дома, то выскакивали из них на пыльные улицы, то пытались забиться в какие-то щели, в подполы, на чердаки — то выпрыгивали из окон, разрывая пергаментную полупрозрачную пленку и мчались сломя голову прятаться в другое место, непрерывно, с отчаянным надрывом вопя.

Правитель тихо усмехнулся. Забавность ситуации заключалась в том, что как раз женщинам и детям не угрожало абсолютно ничего. Просто пауки-смертоносцы прочесывали захваченное селение в поисках спрятавшихся воинов, используя при этом свое излюбленное оружие против двуногих — импульсы страха.

Найл еще не забыл, как он сам, будучи пустынным дикарем, пытался противостоять подобным импульсам, приходящим с далеких воздушных шаров. Обычного человека в такой ситуации мог спасти только сок ортиса — мягкий наркотик, убаюкивающий душу и погружающий в спокойный сон.

У жителей города дурманящего сока не имелось — да и он вряд ли защитил бы от мощных импульсов, излучаемых практически в упор, да вдобавок не одиночным пауком, а почти двухтысячной армией.

Сам Посланник Богини в облаве участия не принимал. Он стоял на помосте над северными воротами, любуясь входом в ущелье, перекрытым плотной паутиной почти на двухсотметровую высоту, и с интересом прислушивался к происходящему позади. Прислушивался не ушами, а душой, разумом. Единое сознание братьев по плоти давно стало для него привычным, и Найл практически не замечал его, как человек не замечает в повседневности своего тела. Но стоит подуть холодному ветру, ударить песчаному смерчу — и тут же ощущаешь, как мерзнут руки или колют кожу ног тяжелые песчинки. Вот и сейчас, Посланник не видел, но ощущал, как объединенные общим сознанием люди и смертоносцы идут по улицам, заглядывают в двери и окна, брезгливо отворачиваются от бестолково бегающих жителей.

Случись подобное всего лишь год или два назад — половину детей и женщин уже разорвали бы в клочья и сожрали оголодавшие после дальнего перехода восьмилапые. Однако теперь это были не просто смертоносцы, а братья по плоти. Они помнили, что право соединить свою плоть с плотью братства — великая честь, и не собирались удостаивать этой чести жалких и никчемных обитателей покоренного поселка.

Впереди, на склонах ущелья, зашевелились оставленные на страже серые восьмилапые воины. Видимо, со стороны крепости кто-то все же рискнул выступить против внезапно обрушившегося врага. Правитель сосредоточился, устанавливая ментальный контакт. Перед ним возникла и стерлась картинка — усыпанное крупной галькой дно пропасти, трое арбалетчиков в толстых кожаных куртках и шлемах. Ерунда — из арбалета на такую высоту стрела не поднимется.

Смертоносцы в ущелье осознали мысль Посланника и успокоились, а Найл вспомнил про отряд шерифа, который торопится на выручку поселка. Беспокойство правителя воспринялось единым сознанием и заставило братьев по плоти поторопиться с облавой. Впрочем, никого из воинов северян найти все равно не удалось.

Хотя...

Посланник оглянулся, пытаясь разглядеть, что за суета возникла под крышей двухэтажного дома, богато отличавшегося от прочих стеклянным блеском окон и гладкими, словно из бетона, стенами.

— Ох, и намучаешься ты с ней,— внезапно произнесла неслышно подошедшая Магиня.

— С кем?

— Сейчас увидишь.

Посланник покосился на хозяйку Серых гор, но Мерлью предусмотрительно накинула на голову огромный капюшон своего неизменного бесформенного балахона, и разглядеть, как выглядит сейчас ее лицо, оказалось невозможно.

— Почему ты так думаешь?

— Ты забыл? — голос выдал усмешку, на правителя повеяло легким запахом можжевельника.— Я не думаю, я знаю.

— И что меня так замучит? — спросил Посланник.

— Это твоя жизнь, Найл,— капюшон балахона легко качнулся из стороны в сторону,— Я не собираюсь лишать тебя удовольствия от нее, предсказывая будущие события. Придет час, узнаешь.

— Ну, если всего лишь час,— пожал плечами правитель,— я потерплю.

— Год,— коротко уточнила Магиня.

— Ты ничего не путаешь, Мерлью? — забеспокоился Найл, услышав столь неприятный прогноз.— Чай, полторы тысячи лет живешь, для тебя годом больше, годом меньше...

— Нет, Посланник Богини, этот год я не спутаю ни с одним другим,— голос хозяйки Серых гор окреп. Теперь с правителем разговаривала уже не та девчушка, с которой он совсем недавно боролся в подземном городе Дира под улюлюканье сверстников, а властная повелительница, всепроницающему взору которой подвластно прошлое и будущее.— Этот год подарит тебе изрядно радостей и тревог, счастья и горя. Тебе предстоит пройти немало дорог и познать много тайн. Вот только меня, извини, весь этот год ты больше не увидишь... Именно потому, что этот год я не перепутаю ни с одним другим.

На ведущей к воротам улице показалось несколько женщин в длинных платьях, которых конвоировало пятеро пауков и двое парней под предводительством Юлук. Мимолетное соприкосновение сознаний, и Найл остро ощутил как болят натертые соски расплющенных грудей — трофейные доспехи для женщин явно не предназначались.

— Ты собираешься покинуть меня прямо сейчас? — правитель резко наклонился к Дарующей Дыхание, но мрак под капюшоном не выдал ему даже блеска глаз собеседницы.

— Э-э, нет! — Магиня вскинула руку и покачала у Посланника перед носом пальцем с остро наточенным и окрашенным в алый цвет ноготком.— В отряде шерифа почти триста воинов. Тебе не кажется, что половина оружия по праву принадлежит мне?

— Кажется,— повеселев, кивнул правитель,— без тебя этот город мне бы ни в жизнь не взять, прекраснейшая из женщин!

Пальчик, который только что маячил у него перед глазами, принадлежал если и не девушке, то уж во всяком случае и не старухе, а значит, все было не так плохо. Найл взялся за ограждение помоста, легко перемахнул через него и спрыгнул вниз.

— Вы не ушиблись, мой господин? — забеспокоилась Нефтис, охранявшая внизу подходы к воротам.

— Все в порядке.— Посланник подобрал выпавшее копье и двинулся навстречу женщинам. Телохранительница шагнула следом.

Первой, закинув руки за спину и гордо вздернув подбородок шествовала невероятно худосочная девица. Из-под длинного — ниже колен — подола платья выглядывали ножки-тростиночки, из рукавов тянулись ручки-травинки. Казалось, это щуплое существо должно сгинуть под первым же порывом ветра. Даже Найл, всегда считавшийся среди обитателей города пауков щуплым подростком, рядом с этой «красоткой» казался атлетом.

Впрочем, надо отдать ей должное, держать себя в руках девица умела: хотя в сознании ее царил страх на грани паники, внешне пленница смотрелась совершенно спокойной.

Двое женщин позади девицы выглядели куда естественнее — округлые, хотя и дряблые, плечи, розовые упитанные руки, нормальные ноги. Из-под платья выпирали нормальные формы беременных женщин. В сознании женщин царил страх, но страх не за себя, а за дочку князя, которую им не удалось уберечь.

— Ах вот оно что,— кивнул Найл, переводя взгляд на щуплую девицу.— Княжна. Какой приятный сюрприз!

Пленнице захотелось сказать какую-нибудь колкость, но на этот раз страх оказался сильнее, и она промолчала.

Последней вели старуху лет семидесяти, тощую, как княжна, но с пятнисто-желтой, покрытой оспинами кожей. Белые, редкие волосы, втянутые в рот губы, отвислые морщинистые щеки.

Впервые в своей жизни Найл видел настоящую, живую старуху. Да, конечно, иногда, в минуты самого плохого настроения Магиня тоже становилась древней, как мир, старицей — но то происходило совсем иначе. Старость хозяйки Серых гор казалась эфемерной, ненастоящей. Это были не годы, а тень веков. А здесь...

— Обнажите ее,— приказал правитель.

Женщины испуганно охнули, старуха попятилась. Юлук выдернула меч, быстрым движением засунула лезвие пленнице под воротник и резко опустила его вниз. Темная ткань с треском разошлась и тяжело упала на пыльную улицу. Старуха суетливо попыталась прикрыть наготу руками, хотя, собственно, скрывать было нечего: вместо грудей висели два блеклых кожаных лоскутка; ключицы, ребра, бедра выпирали наружу, мышцы на ногах отсутствовали начисто, и казалось непонятным, как это существо вообще может передвигаться. Все тело покрывали черные и коричневые пятна, раскиданные по коже цвета гниющей тины.

Найл попытался представить себе, что он сам будет так выглядеть всего лишь через пятьдесят-шестьдесят лет, и ему стало муторно.

Нет, смертоносцы совершенно правы — человек не должен доживать до такого состояния. Возможно, отправлять всех в Счастливый Край в сорок лет и жестоко, но допускать сильных и красивых людей до такого состояния...

Посланник поморщился, отвернулся.

— Прикажешь умертвить ее? — отозвался в сознании вопрос Дравига, и Найл ощутил, что столь уродливое двуногое восьмилапому соратнику противно даже лишать жизни.

— У нас есть кого убивать,— покачал головой правитель.— Армия шериф на подходе.

Найл вскинул глаза на Юлук:

— Возьми двух воинов, нескольких пауков, погрузи княжну и обеих беременных женщин на лодку, отвези к порогам. Там пересади на наши корабли и отправь в город. Тройлек давно ждет эту добычу.

— Они не беременные,— неожиданно поправила воительница,— они просто очень толстые.

Найл перевел взгляд на животы дородных пленниц и прыснул в кулак. Ближайшие воины тоже расхохотались, и только пауки остались невозмутимы — чувство юмора так и осталось недоступным для их сугубо логичного разума.

— В общем, забери всех троих и отправь в город. Наши корабли должны ждать у порогов, я отдал приказ еще до выхода в поход.

— Но у меня нет лодки, Посланник,— с некоторым замешательством напомнила Юлук.

— Скоро рыбаки начнут возвращаться с озера. Выберешь самый большой баркас и погрузишься на него.

— Но я не знаю, где пороги...

— Рыбаки должны знать. Если им дорога их жизнь и жизнь их семей, они сами укажут дорогу и отвезут в нужное место.— Посланник чуть выждал, давая девушке возможность задать еще вопросы и добавил.— Юлук, у тебя хватает и ума, и опыта. Ты справишься. Действуй сама.

— Что вы хотите сделать с няней! — закричала княжна, но правитель уже отвернулся и выбросил мысли о пленниках из головы. Настал час позаботиться об армии северян.

Впервые воины севера встретились с армией Смертоносца-Повелителя всего лишь два года назад, и примерно полторы тысячи двуногих бойцов при поддержке сотни боевых пауков наголову разгромили почти десятитысячную армию восьмилапых в песках у плато древней Крепости. Поражение дорого обошлось империи Смертоносца-Повелителя. Сам повелитель пауков добровольно прекратил свое существование, передав свою власть Найлу. Тысячи людей и смертоносцев отправились в изгнание и почти все сгинули в безжалостных просторах пустыни и хищных джунглях Дельты. Беглецов уцелело считанные десятки — но это были уже не сытые и ленивые, самодовольные хозяева жизни, не покорные безвольные рабы, а закаленные лишениями выносливые и хладнокровные бойцы.

Две тысячи пауков и сотня двуногих бойцов, из которых лишь три десятка имеют настоящее боевое оружие — против трехсот закаленных в бесконечных войнах северян. Соотношение сил казалось примерно таким же, как и два года назад, на этот раз пришельцам противостояли не безликие массы подданных Смертоносца-Повелителя, а братья по плоти: новый народ, возникший во время скитаний, соединенный единым сознанием. Народ, все представители которого — и двуногие, и восьмилапые — считали друг друга близкими родственниками.

Первый раунд схватки за Приозерье выиграли братья по плоти — в то время, как шериф вместе со своим отрядом ждал врага на узком перешейке между побережьем и горным отрогом, Магиня провела войско по дну озера прямо к городу и защищающей ущелье крепости.

Теперь северяне торопились назад, к своему родному селению, которое им предстояло уже не защищать, а штурмовать. Близилось генеральное сражение, которому и предстояло решить исход скоротечной войны за право обладания землями по эту сторону заснеженных вершин Северного Хайбада.

— Нефтис,— приказал правитель,— пусть люди подкрепят свои силы и догоняют нас, а я с Дравигом выступаю навстречу шерифу.

— Я иду с вами, мой господин,— категорически заявила женщина. В словах телохранительницы звучала такая решимость не отпускать правителя одного ни на мгновение, что Найл махнул рукой и спорить не стал.

— Навул,— увидел он парня, на лбу которого после кровавой схватки в казарме северян остался широкий шрам.— Выбери себе пять человек. Останетесь здесь. Остальные, как поедят, пусть догоняют смертоносцев. Дравиг оставит вам в помощь еще полсотни пауков. Закройте ворота, выставьте посты на стенах. Будьте осторожны: возможно, комунибудь из северян удастся пробраться сюда незамеченным.

— Я понял, Посланник,— подросток легко перекинул копье в левую руку и кивнул.— Скот на берегу мы отдадим восьмилапым, а сами найдем еду попроще, да?

Последняя фраза прозвучала не столько как приказ, сколько как вопрос, но Найл не стал отвечать — пусть привыкает командовать сам. На расстоянии полета стрелы от городских стен росла только высокая душистая трава, щедро раскрашенная алыми маками, голубыми колокольчиками, белым клевером, бирюзовыми люпинами, фиолетовыми ирисами, желтые лютиками. Выросшего в безжизненных песках пустыни Найла кольнуло завистью к северянам, любующимся каждый день подобным многоцветием.

Кое-где по травяным зарослям ползали забавные мохнатые и пузатые насекомые с короткими декоративными крылышками. Они неторопливо тыкались головой в каждый бутон, громко чмокали и ползли дальше, оставляя за собой полосу примятой травы. Время от времени насекомые останавливались, начинали беспокойно топтаться, после чего громко и басовито чихали, распространяя по сторонам целые облака налипшей на бока пыльцы.

Размером насекомые ненамного превышали ос. Точно, так же, как у полосатых убийц, из кончиков упитанных брюшек торчали длинные и острые, вызывающие вполне понятное почтение жала.

Еще в траве кормились мелкие — с руку размером — белые с зелеными пятнами гусеницы, и уж их-то восьмилапые не упустили, пожрав с такой скоростью, что движение колонн почти не замедлилось.

Чуть дальше от города начиналось редколесье: одиночно стоящие могучие дубы, клены с огромными разлапистыми листьями, высокие тополя — но не стройные и поджарые, как в городе Смертоносца-Повелителя, а с широкими обильными кронами. Вскоре впереди стала различима зубчатая стена соснового леса, но между ним и травяными лугами внезапно обнаружилось неожиданное препятствие: густая, как тростник, стена невысокого гибкого ольховника с частыми вкраплениями рябины и еще какого-то незнакомого правителю кустарника. Для пауков с их широко расставленными лапами — совершенно непроходимое препятствие.

Двухтысячная армия восьмилапых разбилась на две колонны: одна стала втягиваться в зеленый тоннель по утоптанной тропинке, уходящей в лес, другая двинулась по относительно широкой дороге, втиснувшейся между кустарником и отвесной горной стеной.

«Хорошее место для засады,— мелькнуло у Найла в голове.— Поставить в конце тропы пару арбалетчиков и расстреливать выходящих смертоносцев по одному...»

Дравиг заметно содрогнулся, ощутив мысли правителя. Движение армии немедленно остановилось, а несколько пауков, успевших подкрепить силы гусеницами, взметнулись вверх по каменной стене — туда, где ни одна стрела не достанет — и умчались вперед на разведку.

Вскоре движение возобновилось — в ближайших окрестностях обнаружить врага не удалось. А еще через несколько минут восьмилапые вошли под тенистый полог соснового леса. Непроходимые заросли остались позади и пауки быстро разбежались в разные стороны — охотиться.

Посланник стиснул зубы, но промолчал. Смертоносцы не ели уже несколько дней.

Впрочем, несколько дней голода для них — пустяк. Они способны обходиться без пищи месяцами.

Но вот многодневные переходы через пески и горы требовали много сил — а значит, и еды. Несмотря на близость врага Найл был вынужден разрешить своему войску рассыпаться в стороны в поисках пропитания.

Жители Приозерья, похоже, не очень жаловали вниманием окрестные леса, и дичи здесь водилось в достатке: крупные черные мухи, серые с темными полосами кузнечики, таящиеся в лесной подстилке слизняки, мелкие синие стрекозы. А еще — странные коричневые личинки размером с человека, медленно ползущие по соснам от корней к вершинам и начисто обгрызающие с деревьев кору. После личинок оставалась только крупнозернистая сухая пыль на земле, да устремленные ввысь, плачущие душистой янтарной смолой белые стройные стволы.

Правитель обратил внимание на темно-бордовые зернистые ягоды, рядком висящие на ветке низкого куста, сорвал одну и положил себе на язык.

— Ух ты, какая сладкая!

— Осторожней, мой господин,— предупредила Нефтис.— Они могут быть ядовитыми.

— Да ну,— не поверил Найл.— Они такие сладкие, что сами в рот просятся. Если куст не хочет, чтобы его ягоды кто-то съел, зачем делать их вкусными?

Правитель быстро обобрал всю ветку, переправив ягоды в рот. Нефтис, которая четвертый день маковой росинки не имела, тоже сломалась и присоединилась к пиршеству своего повелителя. Наслаждаясь дарами леса, они совсем потеряли счет времени, а потому вмешательство Дравига оказалось для правителя неожиданным.

— Мы обнаружили их, Посланник!

— Кого? — не сразу сообразил увлекшийся Найл.

— Армию северян.

Старый смертоносец переслал мысленную картинку, и правитель увидел длинную колонну усталых воинов, бредущих по дороге вдоль горного отрога. Долгий поход в погоню за пауками явно не добавил отряду шерифа бодрости.

— Они далеко?

— Полдня пути.

— То есть северяне появятся здесь только поздним вечером?

— Или ночью. А если встанут на привал, то утром.

— Как твои воины?

— Многие еще голодны,— признал Дравиг.

— Ну что ж,— решительно махнул рукой Найл.— Значит, будем встречать их здесь. Ставьте паутину поперек дороги и уводите ее в лес, постепенно заворачивая вдоль гор. Только не очень близко, чтобы северяне не сразу заметили. Пусть сперва зайдут поглубже в «мешок», а мы их тем временем еще и сзади огородим.

— Обычную паутину ставить или ловчую? — уточнил Дравиг.

Разница состояла в том, что «обычная» паутина была заметно толще и очень плохо растягивалась. Смертоносцы использовали ее для строительства гнезд, создания коконов, для спуска с высоты или переправы с одного высокого здания на другое. Ловчая нить казалась намного слабее — значительно меньше в диаметре, она легко растягивалась во много, много раз. У жертвы создавалось обманчивое впечатление будто нить можно легко порвать — но она тянулась и тянулась, все сильнее затрудняя движение. Стоило в этот миг добыче хоть немного повернуться из стороны в сторону — и она оказывалась опутана нитью вокруг всего тела. Чем больше жертва трепыхалась и сопротивлялась — тем сильнее запутывалась, иногда полностью превращаясь в кокон без всякого участия паука.

Смертоносцы ловчих сетей не применяли уже много сотен лет. Теперь они охотились, полагаясь на ментальную силу своего разума — выпугивая дичь из укрытий импульсами страха, а затем парализуя волей. Однако искусство сознания тонкой и липкой нити пауки отнюдь не утратили — это мастерство сохранялось в их могучих телах на уровне инстинкта, как любовь к воздушным полетам или стремление к продолжению рода.

— Ловчую сеть плетите,— решил правитель,— но погуще. И ставьте ее в несколько рядов. Северяне не должны разглядеть вас за паутиной.

Успевшие перекусить восьмилапые тут же принялись за работу, короткими ударами кончиков брюшек прилепляя чистые и блестящие нити к скале, от нее натягивая к ближайшей сосне, потом опять к скале или к другой сосне — как взбредет в голову ткущему ловушку смертоносцу.

Быстро стало ясно, что поперек дороги и вокруг будущей ловушки вырастает не несколько стен, как задумывал Найл, а одна широкая, метров в пятнадцать, из беспорядочно переплетенных паутин. Однако ясно было и то, что подобное препятствие совершенно непроходимо для любого бескрылого существа.

Число трудящихся пауков постепенно вырастало — все новые и новые «ткачи», успевшие поймать лесное насекомое и насытиться, возвращались в ряды армии. Стена быстро вырастала в высоту, становилась плотнее и плотнее, уходя от горного отрога в лес метров на триста, после чего поворачивая вдоль дороги и, постепенно истончаясь, уходя навстречу врагу чуть ли не на полтора километра.

— Главное, чтобы не заметили раньше времени,— прикусил губу правитель.— Если пойдут по дороге, то пока уткнуться в стену, пока сообразят, пока развернутся, мы им пути отхода отрежем... А если лесом на город двинутся — весь труд насмарку. Как считаешь, Дравиг?

Посланник повернулся к старому восьмилапому воину, ворс на хитиновом панцире которого успел выцвести от времени и стать совершенно седым.

— Они торопятся к городу,— резонно ответил смертоносец.— По дороге двигаться быстрее.

— Но они отлично знают окрестности,— со вздохом парировал Найл.— Шериф может выбрать и иной путь.

За минувшие месяцы Посланник успел убедиться, что важнейшим залогом победы является внезапность. Атака в неожиданном месте, в неожиданный момент. Если он догадался миновать засаду противника озером, то почему бы врагу тоже не организовать обход, не появиться там, откуда не ждут? Ведь шериф опытный воин и не может не понимать столь элементарных вещей!

— Поешьте, мой господин,— окликнула правителя Нефтис.

Оказывается, из города уже подошли люди. Ровная двойная колонна подданных Магини, сжимающих плетеные щиты и короткие копья с иззубренными костяными наконечниками, и нестройная толпа братьев, одетых в трофейные доспехи, с крепкими деревянными щитами, длинными копьями, кончики которых украшала отливающая на солнце сталь, с широкими мечами на боках.

Что ж, если северян удастся разгромить, обитатели озер окажутся вооружены никак не хуже братьев по плоти. Сколько он обещал хозяйке Серых гор? Половину захваченного оружия?

На миг Найл забеспокоился — уж не создаст ли он своими собственными руками у себя под боком сильного и опасного врага? Однако беспокойство быстро рассосалось. Ни при каких обстоятельствах Посланник не мог поверить, что подруга детства начнет с ним кровавую вражду. Пусть у нее будет сильная армия, пусть вырастают сильные, смелые и красивые подданные: вряд ли принцесса Мерлью станет опасным агрессором, но почти наверняка окажется хорошим союзником.

— Отдыхайте,— разрешил Посланник порозовевшим от обильного обеда людям, принял из рук телохранительницы пухлый прямоугольный пирог и немедленно запустил зубы в его мягкую податливую плоть.

Внутри оказалась мелко порубленная, остро пахнущая, чуть солоноватая белая рыбная мякоть, перемешанная с каким-то зерном. Из братьев никто ничего подобного готовить не умел, и Найл понял, что Навул обеспечил воинов пищей самым простым из способов: прошелся по домам и собрал все, что есть съестного. Наверняка, подобная ревизия не вызвала восторга у горожан — но Найл уже успел узнать от Тройлека, как обходятся с захваченными селениями сами северяне. По сравнению с ними — местные жители должны считать, что очень дешево отделались.

— Разведчиков заметили, Посланник! — предупреждение Дравига заставило Найла мгновенно забыть про еду.

Смертоносец выстрелил картинкой, и правитель глазами ушедших вперед восьмилапых увидел, как от отряда северян отделились и устремились вверх по склону четыре паука.

— Пусть не рискуют,— предупредил Найл.

— Разведчиков больше,— успокоил Посланника Богини старый смертоносец.

Среди обитателей паучьего города тоже изредка случались разногласия и даже стычки. Восьмилапые использовали в схватках свою силу воли, умение наносить парализующие или пугающие удары. Дравиг точно знал — если в поединке один на один победу приносить мастерство и воля, то при групповой сваре результат зависит только от численного превосходства. Десять разумов всегда обладают большей ментальной силой, чем четыре.

Боевые пауки северян приближались, отчаянно испуская импульсы страха.

— Глупо,— прокомментировал Дравиг.— Пауку паука никогда не испугать. Лучше бы прикрылись ВУРом. Из-под объединяющего разумы взаимоусиливающего резонанса невозможно наносить удары, зато этот волевой щит не пробьет никакая ментальная сила.

На телах северных пауков уже ясно различались защитные ромбики на спинах, сверкали отраженным солнцем глаза, мелькали мохнатые лапы. Под брюхом одного из них Найлу померещилось нечто странное. Дравиг, ощутив интерес правителя, сделал картинку в этом месте четче, крупнее, и оба командира почти одновременно воскликнули:

— Самострел!

Тут же тело Найла скрутила резкая боль в животе. Правитель, охнув от боли, осел на землю, и его тут же отпустило — смертоносец оборвал мысленный контакт.

— Что с вами, мой господин?! — кинулась к нему Нефтис, но Найл уже поднимался на ноги.

— Ну? — потребовал он ответа.

— Их больше нет, Посланник,— с чувством огромной вины, перемешанной со скорбью ответил Дравиг.

Да, северяне хорошо, очень хорошо умели воевать и были невероятно опасным противником. Они снова умело использовали во вред уроженцам пустыни их основной козырь — постоянный мысленный контакт. Благодаря этому контакту смертоносцы всегда действуют как единое целое, всегда знают с кем и что происходит, путь даже на расстоянии в несколько переходов, благодаря этому контакту они всегда готовы прийти на помощь друг другу или просто дать нужный совет. Однако, через этот самый контакт боль одного из пауков мгновенно передается всем остальным. Спрятанный под брюхом арбалет, один точный выстрел — и весь отряд разведчиков оказался на несколько секунд скручен общей раной. Вполне достаточно — боевые пауки несколькими парализующими ударами сбросили их под ноги закованной в латы двуногой пехоте.

— Больше никого не посылай,— предупредил Найл.— Будем ждать.

Гибель разведчиков заставила Посланника вспомнить еще про одну излюбленную северянами тактику — проникновение в мысли предводителя вражеских войск. Хотя князь вряд ли стал бы оставлять в глухом далеком гарнизоне хороших специалистов по чужим разумам, но сбрасывать эту опасность со счетов все же не следовало.

— Дравиг, Нефтис! — громко объявил правитель.— Всем отдыхать и набираться сил! Враг устал, он вымотан до предела и слаб. Отдыхайте, нам нечего бояться.

Впрочем, у людей, совершивших тяжелый переход по дну глубокого озера, захвативших Приозерье и только что впервые за много дней сытно поевших и так слипались глаза. Смертоносцы, не привыкшие обсуждать полученные приказы, тоже замерли кто где стоял, и перестали мыслить — в отличие от людей восьмилапые думали не постоянно, а только над возникающими перед ними проблемами. Вскоре над лагерем в лесу повисла тишина.

Найл достал пробирку с зельем Магини, блокирующим любые ментальные излучения и занес над ней руку — но в последний момент одумался. Если начнется бой, то ему придется командовать не только людьми, но и пауками, а смертоносцы воспринимают только мысленные команды. Правитель обязан был исчезнуть из ментального пространства, сделав это так, чтобы в любой момент суметь вернуться.

Посланник медленно убрал пробирку, поднял глаза к голубому небу. До сумерек оставалось не больше двух часов.

«Отряд шерифа еще очень далеко,— четко и ясно повторил Найл.— Скоро ночь, они остановятся, разобьют лагерь, и раньше утра им до нас не добраться. Можно спокойно отдыхать.»

Посланник Богини сел на землю, откинулся спиной на теплый, сладко пахнущий ствол сосны и закрыл глаза.

... Магиня... Смеющиеся глаза светлокожей девчонки по имени Мерлью, горячее дыхание и осторожное покусывание за ухо, навеки оставшиеся в памяти со времен детства и — серый бесформенный балахон. Она не пришла в лес, но прислала своих воинов. Чего-то боится? Или полностью ему доверяет?

Найл не стал задумываться над этим вопросом. Мысленно он отодвинулся от него, наблюдая как клубящийся сгусток проблемы шевелится в сознании и постепенно тает, не получая ментальной поддержки. Взамен пришло воспоминание об уродливой старухе, пережившей все возможные пределы, и сознание правителя едва не всколыхнулась от брезгливости

— но Найл смог удержать состояние отрешенности. Старуха исчезла, уступив место проплывающим над головой днищам рыбацких лодок. Они уже никак не могли вывести тренированный разум Посланника Богини из равновесия. Найл по-прежнему не принимал участия в происходящих в его собственном сознании процессах — и мысли становились все более и более мелкими и незаметными, пока, наконец, не исчезли совсем. Разум правителя стал чист и гладок, как озеро перед Парящей Башней ранним тихим утром. И тогда Посланник разлил свое сознание вокруг себя.

Ничем не сдерживаемое внутри земной оболочки, не скрученное вихрями мыслей или проблемами тела, не зажатое рамками привычек или необходимостью действий, сознание расширилось во все стороны на много, много километров, и Найл увидел окружающий мир таким, каким видят его привыкшие к ментальному восприятию смертоносцы.

Мертвенный мрак над головой, темные холодные скалы и серые силуэты деревьев. Теплые розовые искорки мелких глупых существ, ухитрившихся скрыться от голодных пауков, красные огоньки самих смертоносцев и алые точки от разумов людей. Даже отсюда, из предгорий было заметно зарево в стороне Дельты — там, где растет Великая Богиня. А вот со стороны вершин Северного Хайбада или вулканических озер, спрятавшихся среди Серых гор, тянулась темнота.

Мир ментального плана. Только побывав здесь, становилось понятно, почему пауки не делят предметы на живые и мертвые. Если человек привык считать себя, смертоносцев и жуков-бомбардиров существами разумными, прочих насекомых, рыб и животных глупыми, но обладающими сознанием, растения — живыми, но не имеющими сознания, а камни, песок, воду — мертвыми объектами, то пауки признавали имеющим разум все, что только существует под солнцем. Ведь оставить свой след в ментальном плане способен только разум. Если ушедшая в мир мысль ощутила присутствие камня — значит камень обязан обладать хотя бы крошечным сознанием.

Между холодным склоном горы и серыми зарослями леса вытянулась цепочка теплых огоньков. Не пылающих, а просто теплых — видно, действительно сильно устали. Сейчас Найл не боялся, что его могут услышать: ведь он не мыслил, он только воспринимал окружающую действительность — а потому правитель смело потянулся навстречу огонькам.

Они находились совсем рядом — без поддержки соединенного разума пауков Посланник мог расширять свое сознание от силы на день пути. Еще три-четыре часа, и отряд шерифа окажется совсем рядом. Сосредоточившись на огоньках разума, Найл даже смог понять, почему эти усталые воины так торопятся. Они рассчитывали на внезапность. Шериф надеялся, что захватившие город пришельцы никак не ожидают ночного нападения и будут плохо ориентироваться в незнакомом месте. Неожиданность и паника врага вполне смогут компенсировать усталость воинов.

На сосновый лес опускалась ночь.

Посланник ждал. Он растворился в пространстве вокруг отряда северян. Он стал землей, по которой они шли, стал скалой, возвышающейся над их головами, стал воздухом, которым они дышали. Он стал ими самими. Он ощущал боль их мышц, тяжесть доспехов, потертости натруженных ног, страх за оставшихся в городе жен и детей, и усталость, огромную усталость, такую, что хотелось как можно скорее увидеть врага, вступить в бой и даже не победить, а просто умереть, разом избавившись от столь невыносимых мук.

Все ближе и ближе подходила колонна воинов к тому месту, где безмятежно отдыхали братья по плоти, пока в ночной тиши Посланник Богини не открыл глаза и не произнес одного короткого слова:

— Пора.

Подхлестнутые мысленным приказом очнулись от забытья смертоносцы и устремились вперед, к каменному отрогу, лихорадочно завершая плетение паутинной стены вокруг попавшихся в капкан врагов.

— Дравиг! — окликнул старого воина Найл, и отдал приказ незанятым в строительстве паукам выдвинуться к дороге и нанести по ней удар парализующей волей.

И почти в тот же миг со стороны гор послышалась тихая ругань северян, попавшихся в темноте в паутину. Под парализующими ударами ругань мгновенно оборвалась. Послышались частые щелчки стрел, вонзающихся в древесные стволы, обрубающих сучки. Посыпались перезревшие шишки. Одна из посланных наугад стрел зацепила-таки смертоносца по панцирю, не столько причинив боль, сколько испугав молодого паука. Прокатившаяся по ментальным контактам волна ненадолго сбила общий боевой настрой, и отряду шерифа удалось отступить от препятствия. Арбалетная стрельба прекратилась — смертоносцы тут же устремились в погоню за отступающим врагом, старательно испуская лучи ужаса и ловя ответные импульсы страха. Кое-кто из северян поддался панике и начал стрелять в темноту — пауки предпочли отступить, издалека прислушиваясь к мыслям врагов.

Спустя полчаса северяне наткнулись на вторую стену из паутины, которую восьмилапые успели возвести за их спиной. Как ни странно, они ощутили не испуг, а облегчение: идти больше некуда. Можно лечь на землю и отдохнуть.

— Э-э, нет,— забеспокоился Посланник,— отдохнувший противник нам ни к чему. Дравиг, пошевели их!

Смертоносцы, забираясь в сосновые кроны, вновь стали подкрадываться к врагам и накатывать на них волны ужаса. В ответ то и дело начинали лететь стрелы — пауки шарахались назад, потом снова подкрадывались и опять излучали страх. Ночные маневры прекратились только в предрассветных сумерках, когда стало ясно, что силуэты восьмилапых на фоне неба вот-вот станут хорошо различимой целью.

Северяне забылись глубоким сном, больше похожим на потерю сознания, а Найл тем временем приказал поставить поперек отведенного противнику пространства новую стену, сокращая размер «загона» почти вдвое. Смертоносцы трудились на виду северян, на расстоянии примерно в полтора арбалетных выстрела, но воины шерифа настолько вымотались, что уже не имели сил подняться на ноги и отогнать братьев по плоти.

— Посланник,— подошла к правителю Кавина и подергала его за край туники.— Разреши мы перейдем через стену и повяжем их всех, пока спят?

— Нет,— покачал головой Найл.— Арбалетная стрела пробьет тебя насквозь, даже если ее выпустит очень усталый человек. Пусть лучше северяне попытаются переправиться через стену, а мы подождем здесь.

В том, что шериф способен прорваться сквозь паутину, Посланник был уверен абсолютно — слишком часто северяне воевали между собой в своих густых лесах, почти всегда в рядах их армий сражались пауки. Наверняка не один раз приходилось им штурмовать подобные заграждения. Вопрос состоял в том, сколько сил требовал подобный штурм. Что окажется проще — трем сотням воинов прорывать паутину, или двум тысячам смертоносцев ставить новые препятствия.

— Дравиг,— решил перестраховаться правитель,— поставь метрах в ста от первой стены еще одну, хорошо?

— Как прикажешь, Посланник.

— Нефтис! — закрутил Найл головой в поисках своей верной телохранительницы.

— Да, мой господин,— женщина была совсем неподалеку, сидела рядом с группой других братьев.

— Разбей озерных жителей на группы по три человека и расставь их вдоль стены метрах в ста от нее. Объясни, что они должны будут прикрывать пауков от стрел. Понятно?

— Да, мой господин.

— Попробуем устроить шерифу достойную встречу.

Первые мысли по планированию предстоящей схватки возникли у Найла на основе одного очень простого факта: в составе армии северян находились только арбалетчики.

Из знаний, которые вкачал ему в память компьютер Белой Башни, правитель знал, что у арбалета и лука нет особых преимуществ друг перед другом. Да, из арбалета легче попасть в цель и стреляет он заметно дальше лука. Зато лук в несколько раз легче, во много раз скорострельнее, а тренированный стрелок

2 Зак. 3231

поражает из него цель ничуть не хуже арбалетчика. В старину обязанности между видами оружия распределялись так: тяжелыми арбалетными болтами отстреливались защитники городов и крепостей, а профессиональные воины ходили в походы с легкими колчанами за плечами.

Князь Граничный мог отказаться от столь практичного и удобного вооружения только по одной причине: в бою лучники попадали под удар парализующей воли еще до того, как успевали сделать первые выстрелы, а потому в схватках с пауками оказывались совершенно бесполезны. Видимо, полет арбалетной стрелы тоже находится где-то на пределе возможного — значит, пауки вполне могут побороться с северными стрелками. Особенно, если тем придется стрелять из-за стены наугад.

Интересно, каким способом шериф попытается вырваться из ловушки?

Шевеление в стане врагов началось вскоре после полудня. Найл приказал всем немедленно занять исходные позиции: три десятка смертоносцев замерли неподалеку от стены под прикрытием плетеных щитов, остальные отступили за пределы досягаемости стрел. Серую массу пауков прикрывала редкая цепочка закованных в латы двуногих братьев по плоти. Сам Найл вместе с Нефтис и Дравигом выбрал позицию примерно посередине, рядом со старой дуплистой сосной, за которой в крайнем случае можно будет укрыться от обстрела.

По ту сторону стены послышались громкие равномерные стуки. Смертоносцы испустили первые импульсы страха, поймали отклики из-за стены и ударили парализующими лучами. Стуки смолкли. Прилетело несколько одиноких арбалетных стрел и бесшумно утонули в мягкой лесной подстилке, а через пару минут Найл заметил, как на сосну по ту сторону стены карабкается человек.

Арбалетчик! Собирается стрелять не наугад, а прицельно! Только этого не хватает.

— Внимание! — правитель вызвал на себя сознание всех тридцати передовых смертоносцев, ощутил как рывком расширяется сознание, и коротко выплеснул объединенную волю в смельчака, представив себе бессильно разжимающиеся пальцы.

— А-а-а! — фигурка отделилась от кроны и ухнула вниз.

Посланник увидел немного в стороне еще одного стрелка и повторил импульс в его направлении. Стрелок громко выкрикнул какое-то ругательство и тоже рухнул вниз. Правда, второй арбалетчик не успел забраться высоко и наверняка остался жив.

Найл выжал немного, ожидая появления новых верхолазов. Желающих больше не нашлось, и правитель ослабил волю, предоставляя смертоносцам самостоятельность. Продолжавшийся все это время стук снова затих.

— Чем они там стучат все время? — пожал плечами Посланник.— Не стену же рубят?

Внезапно сквозь кроны прошелестело целое облако стрел, звонко зацокав по крепким стволам. Спустя несколько минут тишину развеял еще один обстрел, и тут же болезненно вскрикнул кто-то из людей — шальная стрела пробила тонкий щит и вонзилась озерному жителю в плечо.

— Пусть в тыл отойдет! — крикнул правитель, имея в виду раненого.

Опять послышался шелест — одиночная стрела бессильно ткнулась в щит Нефтис, еще одна чиркнула Найла по шлему. Зато рядом с раненым на этот раз вскрикнуло сразу несколько людей.

— Да ведь они на звук бьют! — догадался Посланник и громко закричал: — Молчите!

Очередная волна стрел сделала его совет бесполезным. Все четверо воинов — паук и трое озерных жителей — лежали без движений, истыканные толстыми и короткими арбалетными болтами.

Послышался треск — несколько сосновых вершин качнулось и плавно рухнули на белые паутинные стены, подмяв их своим весом чуть ли не на полметра.

— Так вот оно что... — прошептал Найл, берясь за копье двумя руками.

Вновь прошелестели стрелы, но на этот раз найти себе жертву им не удалось.

— Улла! — по перекинутым через стену стволам бежали, устрашающе вопя и размахивая мечами, северяне.

Найл, не раздумывая, бросился к стене, держа направление на ближайший ствол. К вершине этого дерева добежало пятеро воинов — но тут выяснилось, что все происходит не совсем так, как они ожидали: северяне остановились среди густых ветвей, начали подпрыгивать, глядя вниз. Вершина возвышалась метрах в десяти над землей и упорно не желала опускаться. Воины переглянулись, и повернули обратно. Внезапно последний из них поскользнулся, завалился на сторону и застрял в ветвях. Второй оглянулся, протянул руку.

Посланник оценил расстояние, замахнулся и метнул копье. Острие ударило северянина в грудь, но доспеха пробить не смогло. Воин отпустил своего товарища, перехватил оружие и с силой швырнул обратно в Найла — тот еле успел увернуться. Тут же над ухом раздался резкий выдох. Бросок Нефтис оказался более удачным — копье насквозь прошило северянину бедро. Раненый взмахнул руками, теряя равновесие, ухнулся вниз и, вопя от боли, повис на легшем поперек стволов древке.

Нефтис вскинула щит — Найл тут же ощутил удар в плечо и увидел, как в щите и в руке женщины образовалась маленькая светлая дырочка. Отверстие тут же залило кровью, а телохранительница вскрикнула от боли. Щит опустился. Стоящий на стволе арбалетчик уже заваливался в толстую паутинную стену, изумленно выпучив глаза. Похоже, попал под парализующий удар.

Найл оглянулся и замахал руками на набегающую массу братьев по плоти — серых смертоносцев и сверкающих доспехами людей:

— Назад! Немедленно назад!

Атакующая живая лавина стала притормаживать, но остановиться сразу не смогла.

Послышался зловещий шелест.

Правитель зажмурился, сжавшись в ожидании чужой боли, и спустя мгновение стрелы ударили в живую плоть. Двухтысячная масса пауков в долю секунды из могучей армии превратилась в страдающую единой мукой безвольную плоть.

Найл выдернул меч и развернулся к стене, готовясь к новой схватке.

Повисший на копье северянин уже затих, не подавая признаков жизни — только залившая тело кровь еще продолжала капать на землю. Возле него уже крутилось несколько крупных черных мух. Второй воин продолжал крутиться в ветвях: толстый изогнутый сук вошел ему под панцирь у затылка и вышел позади плеча, не давая бедолаге ни спрыгнуть вниз, ни выбраться обратно на ствол.

Прошла минута, другая. Очередная атака не началась, залпов из арбалетов тоже больше не повторялось. Посланник оглянулся и начал медленно пятиться. Раненая Нефтис шла следом, стараясь прикрыть его своим телом от возможных выстрелов.

Пауки уже смогли справиться с болью — раненые «зашорили» сознание, обрывая мысленный контакт, здоровые стряхивали с себя чужие эмоции и торопливо отступали на безопасное от стрел расстояние.

Когда стену и людей разделила полоса в две сотни метров, Найл с облегчением перевел дыхание и сел на усыпанный хвоей пенек.

— Вы целы, мой господин? — забеспокоилась Нефтис.

— Да,— кивнул Найл.— А как твоя рука?

— Не знаю...

Левое предплечье было неестественно выгнуто, но кисть продолжала крепко сжимать ремень щита.

— Ну-ка, разожми пальцы... — правитель осторожно стянул у нее с руки щит, потом осторожно ощупал место неестественного изгиба.— Кажется, одна кость сломана.

Нефтис вытерпела всю процедуру, крепко стиснув зубы, а потом не к месту поинтересовалась:

— Скажите, мой господин, а зачем они на деревья полезли?

— Через стену перебраться хотели,— Найл жестом подозвал к себе одного из смертоносцев,— по стволу перебежать. Ты потерпишь пару дней, Нефтис? А то я сейчас не могу — вдруг опять атака начнется?..

— Не беспокойтесь, мой господин... — она болезненно прикусила губу, потом опять спросила: — Так почему тогда не перебежали?

— Позволь мне, Посланник,— откуда-то сбоку появилась Кавина. Она деловито отодвинула правителя в сторону, приняла из брюшка смертоносца немного паутины себе на ладонь и ловко замазала кровоточащую рану.

— Не рассчитали,— ответил-таки Найл на последний вопрос телохранительницы.— Заметь, счет паукам в их войске идет на десятки, а нас здесь тысячи. Они просто не ожидали что стена паутины окажется такой ширины. Надеялись или оборвать паутину тяжелым стволом, или перебежать по нему, а потом опрокинуть, как качели. А не получилось ни того, ни другого. Придется им теперь выбирать или деревья потолще, или подпиливать их ближе к стене, что бы вершина точно по эту сторону на землю опустилась.

— И что нам тогда делать?

— Отдыхать,— усмехнулся Найл.— Ты сегодня и так сделала все, что могла.

— Я никуда вас не отпущу, мой господин,— категорически заявила телохранительница и повернулась к Кавине: — Прилепи как-нибудь руку к панцирю, чтобы не мешала.

— А пока никуда не ухожу,— приостановил активность стражницы Найл, поднялся на свой пенек и стал внимательно разглядывать землю перед стеной.

Как ни странно, но почти никто из смертоносцев, которых прикрывали подданные Магини, не пострадал. Они продолжали оставаться на своих местах, а озерные жители, никогда не отличавшиеся излишней отвагой, продолжали закрывать их щитами. На стене лежало пять стволов. Возле крайнего — того самого, у которого сражался сам правитель — мелко трепыхалась стена. Очевидно, упавший в тенета арбалетчик еще продолжал сражаться за свою жизнь. Кроме того, мертвое тело висело на продетом сквозь бедро копье, а еще один неудачник продолжал крутиться на суку.

Под вторым стволом лежало два тела северян, под третьим и четвертым не осталось никого, а у последнего распластались два озерных жителя, северянин, да колыхания стены выдавали существование еще как минимум двух жертв. Получалось, отряд шерифа из трех сотен человек потерял около десятка воинов. Армия Найла лишилась пяти союзников и одного смертоносца. Шальные стрелы легко ранили еще девять братьев по плоти, семерых пауков и двух людей. Похоже, стычка не дала пока никаких преимуществ ни одной из сторон.

— Посланник,— прозвучал в сознании правителя призыв Дравига.— Мне кажется, боевые пауки северян хотят установить с нами контакт.

— Ответь им,— сразу заинтересовался Найл.

— Они предлагают тебе переговорить с шерифом,— спустя несколько мгновений сообщил старый смертоносец.

— Давай,— согласился Посланник, и почти сразу явственно услышал немного хрипловатый, усталый голос:

— Меня зовут шериф Поруз, я наместник Приозерья именем князя Граничного, Санского и Тошского, человека, повелителя Серебряного Озера, Северного Хайбада, Чистых Земель и Южных Песков. Кто вы, чужеземцы, посмевшие посягнуть на владения моего господина?

— Мое имя Найл,— ответил правитель,— еще меня называют Посланником Богини и Смертоносцем-Повелителем. Должен сказать, Южные Пески и Серебряное Озеро, которые ты по недоразумению вставил в титул своего князя, являются моей родиной.

— Я готов принять твои извинения, человек Найл,— игнорировал шериф последнюю реплику правителя,— и если ты немедленно сдашься на милость князя Граничного, то я готов гарантировать жизнь тебе и твоим воинам.

— Хорошо, я подумаю,— кивнул Найл и оборвал мысленный контакт.

«Итак, обе армии почти не понесли потерь,— задумался он, усаживаясь обратно на пень.— Что же заставило шерифа вступить в переговоры?»

— Извини, Посланник,— на этот раз Дравиг не ограничился мысленным вызовом, а самолично приблизился к правителю.— Шериф хочет знать, как долго ты собираешься думать?

— Ответь, что недолго,— кивнул Найл.— Недели две, максимум три.

— Прости, Посланник,— с некоторым опасением уточнил смертоносец,— ты действительно собираешься сдаться в плен?

— Ну,— рассмеялся Найл,— если после двух недель без пищи и воды кто-то из армии шерифа еще сможет повторить это предложение, то я действительно готов подумать.

Можно сколько угодно считать, будто пауки начисто лишены чувства юмора, однако Дравиг заметно оживился и, ведя мысленные переговоры, даже время от времени начинал шевелить хелицерами.

— Извини, Посланник,— опять обратился он к правителю.— Шериф предлагает не проливать лишней крови, а решить исход боя в схватке один на один. Если ты побеждаешь, он прикажет воинам отпустить всех нас назад в пустыню, а если проиграешь, то все мы станем его пленниками.

— Ответь, что сражаться один на один со столь знатным господином слишком большая честь для меня,— ухмыльнулся Найл.— Я готов покорно довериться судьбе, и подождать по эту сторону стены, чем кончится наше противостояние. Ждать хоть целый месяц...

— А теперь он предлагает не тянуть время, а поступить, как подобает настоящим воинам: выйти в чистое поле и сразиться сила на силу...

— Ну да,— кивнул Посланник,— сперва они дадут прицельный залп из арбалетов, а потом, когда смертоносцы свалятся от болевого шока, втопчут нас всех кованными сандалиями...

Правитель на миг запнулся, и радостно вскочил:

— Я понял! Я все понял! У них просто-напросто нет больше стрел! Они не могли носить в собой бесконечное количество! Сперва они всю ночь пускали стрелы наугад, отгоняя смертоносцев, потом, прикрывая штурм стены, опять стреляли наугад. Штурм не удался, а арбалетных болтов осталось по одному-два на стрелка. Хватит, чтобы дать залп в чистом поле, но никак не хватит, чтобы отогнать нас от стены перед новым штурмом! Вот и все!

Найл резко выдохнул, и сел обратно:

— Отвечай ему, Дравиг. Скажи, пусть точит стрелы. Пусть точит много стрел, ибо близится время повелителей ночи, время мрака и страхов. И тот, кому не хватит стрел на эту долгую ночь, проснется уже не в этом мире, а в далеком Счастливом Крае, в котором никто и никогда не станет делить земли на свои и чужие. Скажи ему, Дравиг, что сейчас не время говорить о чести воина, потому что воины бывают только живыми, а ночь длинна...

На этот раз пауза затянулась надолго. Прошло не меньше часа, прежде чем седой смертоносец передал от шерифа новое сообщение:

— Он спрашивает, захватил ли ты княжну Ямиссу, дочь князя Граничного?

— Да,— кивнул Найл.

— Он говорит, что готов сдаться на твою милость, если ты отпустишь всех остальных воинов с оружием в земли князя.

— Передай ему, Дравиг,— устало вздохнул Посланник,— пусть тот, кто желает остаться жить, снимает с себя все оружие и доспехи, и выходит к нам по крайнему стволу. Остальные могут ждать ночи.

И опять ответа пришлось ждать около часа.

— Шериф спрашивает, Посланник, даешь ли ты клятву в том, что всем воинам будет сохранена жизнь, а членам их семей честь и свобода?

— Что означает «честь и свобода»?

— Они просят, чтобы их жен и детей не продавали в рабство и не отдавали никому в услужение.

— Хорошо,— кивнул Найл.— Я обещаю жизнь воинам, а членам их семей честь и свободу.

— Они сдаются тебе, Посланник,— подвел итог переговоров паук.— Сейчас они разденут-ся и будут выходить по одному.

— Тогда расставь смертоносцев по окружности возле крайнего ствола и пусть пауки будут готовы немедленно нанести парализующий удар.— Правитель озабоченно покачал головой.— Что-то больно легко они отдались на нашу милость. Это при их-то кровавых нравах...

Поначалу Найл подозревал за шерифом некую хитрую ловушку, тайный план, с помощью которого северяне попытаются если не победить, то по крайней мере вырваться на волю и скрыться. Он стоял рядом со спущенной с крайнего дерева паутиной и тщательно прощупывал сознание каждого выходящего воина, которому пауки немедленно склеивали руки за спиной. Вскоре правитель понял, что никакого тайного плана нет.

Все пленники оказались опытными бойцами, прекрасно понимающими безнадежность своего положения — остаться без стрел против огромного количества восьмилапых врагов. Конечно, они могли с честью погибнуть — но при этом на милость победителя оставались их семьи, их дети, жены, матери. По обычаям северных народов их вполне могли продать куда-то в чужие земли, превратить в бессловесный скот или просто зарезать за ненадобностью. Договорившись о сдаче в плен, воины не столько спасали свои жизни, сколько обеспечивали безопасность своим близким.

Разумеется, побежденных могли и обмануть — но в подобных обстоятельствах вырванная у более сильного врага клятва приносила больше пользы, нежели бессмысленная смерть.

Немного успокоившись, Посланник оставил свой пост у белой стены и направился к Нефтис.

— Вот видишь, никуда я от тебя не ушел,— улыбнулся он, и указал на пораненную руку: — Не везет тебе со мной. В метро бедро разбила, в Серых горах ногу сломала, в Приозерье руку перебила. Не хочешь поселиться в тихом спокойном месте?

— Только вместе с вами, мой господин,— парировала телохранительница.

— Тогда ложись,— приказал правитель.

К счастью, Кавина не успела прилепить раненную руку к панцирю. Нефтис опустилась на мягкую лесную подстилку, отвела поврежденную конечность в сторону и отвернулась. Найл встал рядом на колени, положил ладони на еще чистую повязку и закрыл глаза, успокаивая дыхание. Спустя пятнадцать минут он устало откинулся на спину, и тяжело перевел дыхание.

— Все, можешь снимать. И найди, пожалуйста, мне чего-нибудь поесть.

— У меня остался кусок вареного мяса,— предложила внимательно наблюдавшая за процессом излечения Кавина.— Скажи, Посланник, а как ты это делаешь?

Стражница отодрала край наложенной на руку паутины и чулком стянула ее с руки. На месте недавней раны розовела глянцевая молодая кожа. Нефтис несколько раз сжала и разжала пальцы, и грустно причмокнула:

— Жалко, шрама не останется.

— Почему жалко? — удивился правитель.

— На память,— пожала плечами женщина.

— Посланник,— опять обратила на себя внимание Кавина.— Как ты это делаешь? Научи меня.

— Научить? — Найл удивленно приподнял брови.

— Да,— кивнула Кавина.— Помнишь, как ты в Комплексе Мага целый месяц раненых лечил? Здесь тоже пострадавших много. Исцелять вдвоем бы было намного легче и быстрее.

— Не знаю,— зачесал голову Найл.— Мне как-то в голову не приходило, что можно кого-то этому научить. Попробуем. Давай мясо.

Излечение раненых или больных происходило быстро, но отнимало огромное количество сил, и Найл испытывал зверский голод. Пожалуй, ему приходилось потреблять столько же пищи, сколько съел бы раненый за все то время, пока выздоравливал сам.

Расправившись с вареным мясом, Посланник вместе с Кавиной отправился в импровизированный лазарет, организованный братьями на небольшой полянке, окруженной раскидистым орешником.

Как с облегчением понял Найл, тяжело раненых не оказалось вовсе. Упавшие на излете стрелы хотя и пробили хитиновые покровы пауков, но войти глубоко в тело не смогли. Толстые древки арбалетных болтов торчали из спин, лап, из брюшек смертоносцев, причиняя боль, но сами пострадавшие не проявляли беспокойства и терпеливо грелись на солнышке. Среди них, привалившись спина к спине, сидели две девушки, одной из которых стрела вошла в мясистую часть бедра и, похоже, уперлась в кость; у другой древко торчало рядом с шеей, ухитрившись впиться точно в вырез панциря.

— Начнем с пауков,— сказал правитель,— с ними проще.

Тела смертоносцев заключены в жесткий наружный скелет, из которого выступают хелицеры, восемь подвижных лап и мягкое брюшко. Внутренние органы раз и навсегда закреплены на своих местах. Застрявшие внутри стрелы, причинив вред однажды, в дальнейшем не причиняли никакого беспокойства. Найл обычно их даже не выдергивал, чтобы не причинять лишнего вреда. С людьми все иначе. Их тела гибки, мышцы, кости, внутренние органы постоянно перемещаются относительно друг друга, и любой посторонний предмет постоянно причиняет боль. Из человеческого тела стрелы или наконечники копий приходится выдергивать или вырезать, причиняя лишние муки пострадавшему.

— Вот, смотри,— Посланник указал на спину ближнего паука, из самого центра которой выглядывала деревяшка размером с большой палец руки. Рана медленно сочилась синеватой слизью.— Я вылечу этого, а ты возьмись за соседнего.

Соседний смертоносец тоже имел рану в спине, только ближе к голове.

— Подойди к нему как можно ближе,— Найл протиснулся между лап к самому телу паука,— положи руки на рану. Теперь закрой глаза. Дыши. Правильно дышать — это самое главное. С каждым вдохом в нас приходит новая, чистая энергия. С каждым выдохом ее часть нас покидает. Почувствуй, как она входит в тебя, как сматывается чуть ниже груди в сверкающий серебряный клубок. Вдох — и еще немного нити намоталось в твоем животе. Выдох — клубок немного размотался. Вдох — он стал чуть-чуть побольше. Выдох — поменьше. Ты должна ощутить движение нити, только тогда ты сможешь подчинить ее себе, направить туда, куда пожелаешь. Заставь ее выходить не через ноздри, а через руки, позволь ей стекать через них, как прохладному ручейку. Пусть она тихонько струится в рану, заполняет ее, оживляет эту часть тела... Вот!

Посланник вскинул руки. Древко стрелы прочно вросло в ворсистый хитиновый панцирь, и только влажный след от слизи доказывал, что совсем недавно здесь была открытая рана.

— Торчащий кончик можно потом срезать. А можно оставить, как есть. Ну как?

— Не получилось,— вздохнула Кавина.

— Интересно, куда Нефтис пропала? — оглянулся Найл.— Есть хочется...

У следующего восьмилапого стрела торчала из верхнего сустава ноги. Здесь она могла ему помешать.

— Зашорь сознание,— приказал правитель, взялся за стрелу и сильным рывков выдернул ее. Смертоносец болезненно дернул лапой.— Уже все, все позади...

Закончив исцеление паука, Найл просто-напросто заснул от усталости прямо на траве, куда присел чуть-чуть отдохнуть. В себя его привел запах жаркого. Солнце уже почти касалось горных вершин на западе, подкрашивая в розовый цвет бока набежавших на небо облаков.

Кавина упрямо продолжала колдовать над раненым пауком — смертоносец покорно ждал результата. Посреди полянки пылал костер, рядом с ним сидела на корточках Нефтис и жарила над огнем крупную муху.

— Сейчас будет готово, мой господин,— предупредила она, заметив движение правителя.— Совсем немного. Северяне все вышли, Дравиг их вдоль стены посадил. Наши девушки ушли за теми смертоносцами, что вчера погибли. Обещали скоро вернуться.

Подкрепив свои силы мушиной грудкой, Найл довольно быстро избавил от мелких ран двух пауков, потом вернулся и доел не успевшее остыть, слегка подгоревшее над огнем брюшко, когда вдруг послышался истошный вопль Кавины:

— Получилось!!!

— Что? — едва не подавился Найл и кинулся к ней.

— Получилось! Я залечила ему рану! — указала девушка на вросшую в спину паука стрелу.— Я смогла!

— Молодец. Давай тогда попробуем вылечить двух последних.

— Угу,— Кавина мгновенно приобрела серьезность и даже прикусила губу.— Сейчас попробуем.

На этот раз произвести исцеление она смогла почти так же быстро как и правитель, вот только восторга на этот раз девушка не выражала, тяжело дыша и покачиваясь от усталости.

— Пару часов отдохнем,— предложил Найл, хорошо понимая ее состояние.— К тому же, лечить людей легче в темноте.

Они разделили пополам еще одну крупную черную муху, неторопливо поели, прилегли под охраной Нефтис на мягкий слой сухой листвы и выцветших сосновых иголок, и мгновенно утонули в глубоком сне. Найлу показалось, что прошло всего лишь несколько мгновений, как Кавина начала толкать его в бок:

— Посланник, Посланник, уже стемнело. Ребята костры единения разжигают. Мы не успеем.

— Успеем,— правитель стряхнул дремоту и решительно поднялся на ноги.— Пойдем.

Раненые девушки, увидев что пришла и их очередь, облегченно зашевелились, морщась от боли.

— Посмотри на них, Кавина. Что ты видишь?

— Ну, Тритию вижу. И Каллу.

— Не туда смотришь,— вздохнул правитель.— Понимаешь, тело человека, как и тело смертоносца, тоже заключено в панцирь. Только у паука этот панцирь хитиновый, а у нас — энергетический.

— То есть, у восьмилапых этого энергетического панциря нет вообще?

— Да.

— А почему?

— Ты никогда не замечала, Кавина,— покачал головой Найл,— что пауки потребляют примерно в пятьдесят раз меньше пищи, чем люди? Разумеется, когда мы находимся в походе и тратим одинаковое количество сил, то и еды нам нужно примерно одинаково. Но когда мы отдыхаем на стоянке, то двуногим воинам нужно есть каждый день, а восьмилапые могут безболезненно голодать почти целый год. Разница как раз в том, что люди постоянно поддерживают у себя этот самый энергетический щит, а смертоносцы обходятся без него. Теперь давай не отвлекаться, а заниматься учением.

— А зачем нужен этот энергетический панцирь?

— Честно говоря, не знаю,— пожал плечами Посланник.— Возможно раньше, когда люди много пользовались электричеством, теле- и радиоприемниками и передатчиками, телефонами, компьютерами этот энергетический кокон защищал их от вредных излучений. А может быть, для чего-то еще. Наверное, пока мы просто не сталкивались с теми опасностями, от которых он может нас спасти. Перестань отвлекаться. Сейчас для тебя главное не узнать, для чего нужен энергетический щит, а увидеть его. Вообще-то энергетический кокон вокруг человеческого тела виден всегда, но мы настолько привыкли не обращать на него внимания, что просто не замечаем. Постарайся переступить через привычное «незамечание» и увидеть ауру Каллы.

Кавина мужественно вперилась девушке в ногу и так напряглась, словно собиралась взглядом поднять подругу в воздух. Даже дышать от натуги перестала...

— Не получается!

— А тут сила не нужна,— покачал головой Найл.— Ты должна почувствовать ауру, только тогда ее можно различить.

— Но как?

— Попробуй руками. Это видеть нам удается только глазами, а чувствовать может любая клеточка тела.

Кавина растопырила пальцы и повернула ладони в сторону раненной.

— Нет,— тяжело вздохнул Найл.— Все это делается иначе. Для начала постарайся осознать энергетический клубок внутри себя, вспомни это ощущение. Теперь согрей ладони... Ну, потри их хорошенько друг о друга, чтобы стали горячими. А теперь пропусти немного энергии через обе руки, выпусти ее наружу между ладонями... Ты чувствуешь? Ты чувствуешь ее присутствие? Небольшой, мягкий энергетический шарик?

— Да,— прошептала девушка.

— Это она. Та самая энергия, которую не желают замечать твои глаза. Запомни свои ощущения. Теперь перейди к Калле, медленно опускай руки ей на живот, пока не ощутишь энергетический кокон. Попробуй.

Кавина вскинула руки на высоту чуть ли не в полметра над своей пострадавшей соратницей и стала их медленно опускать. Остановились ладони примерно в пяти сантиметрах над телом.

— Я чувствую,— Кавина облизнула почему-то пересохшие губы.

— Теперь следи за состоянием ауры и веди руками к ноге.

Руки девушки медленно двинулись вниз. Рядом с раной они остановились.

— Она пропадает! — испуганно повернула голову Кавина.

— Так и должно быть,— кивнул Найл.— Стрела ранила не только тело, но и разорвала энергетический щит. Когда лечишь человека, мало залить энергией рану. Ты должна восстановить ауру, заровнять ее, добиться оживления в ней энергетических потоков. Понятно? Сосредоточься, подумай. Не выдергивай стрелу, пока не будешь готова действовать. Итак, во имя Великой Богини, давай.

Кавина несколько минут не шевелилась, потом взялась за торчащее из ноги древко, с совершенно ненужной силой вырвала его, заставив раненую громко вскрикнуть, и вознесла ладони над раной, откинув голову назад, зажмурившись и крепко стиснув зубы.

Судя по тому, что кровь из раны не потекла, лечение началось успешно. Найл кивнул и повернулся к Тритии.

— Потерпи,— кивнул он, берясь за древко стрелы.— Сейчас будет немного больно, зато потом ты выздоровеешь.

К удивлению правителя, Кавина справилась со своей больной даже раньше, нежели он сам. Удачное излечение подруги наполнило ее такой радостью, что даже аура заметно пожелтела. Однако к тому моменту, когда Найл освободился, она уже успела справиться с детским восторгом по поводу своего мастерства и напустила серьезный, сосредоточенный вид:

— А вот скажи, Посланник,— демонстрируя наблюдательность, поинтересовалась она, — почему это человеческая кровь красная, а кровь смертоносцев — голубая?

— Потому, что... — Найл запнулся.

Безусловно, он мог сообщить, что основой кислородного обмена в человеческом организме являются атомы железа, а в паучьем — атомы меди. Но что поймет из этого маленькая дикарка, которая знала железо только в виде ножа и меча, а медь — только в виде тонких чеканных тарелок. И как ей объяснить, что такое кислород? Поэтому Посланник закончил фразу совсем не так, как собирался:

— Потому, что мы разные. Но ты знаешь, в истории человечества есть забавный момент.

Раньше, в те времена, когда на земле не существовало никаких разумных тварей кроме людей, двуногие были абсолютно уверены, что рано или поздно ими начнут править существа с голубой кровью. Они даже приписывали этот цвет крови своим королям и дворянам.

— Ты хочешь сказать, Посланник,— забеспокоилась девушка,— рано или поздно восьмилапые станут нашими правителями?

— В мире нет ничего постоянного, Кавина. В древности этими землями правили люди. В недавнем прошлом на ней царили пауки. Теперь, когда мы стали братьями, она принадлежит нам всем. Пойдем к кострам. Мне кажется, там ждут только нас.

Война за Приозерье закончилась. Северяне со связанными за спиной руками сидели вдоль белой паутинной стены, в их городе стоял гарнизон под руководством Навула. Ущелье, ведущее во владения князя Граничного, отныне оказалось надежно перекрыто. Чтобы признать битву законченной, недоставало последнего, самого печального — выполнить свой долг перед павшими.

Подданные Магини унесли погибших друзей подальше в сторонку, залили их рты водой и теперь негромко пели монотонные молитвы, тщательно перевязывая павшим руки и ноги. Братья с опаской поглядывали на подобное надругательство над воинами, но в чужие обычаи не вмешивались. Сейчас их внимание занимали друзья, ушедшие в Счастливый Край.

Братья по плоти никогда не позволяли сжигать своих товарищей, как никчемный мусор, как это нередко практиковалось во времена Смертоносца-Повелителя. Они никогда не закапывали павших в землю, словно кухонные отбросы, как всегда поступали дикари пустыни. Они не выбрасывали мертвых гнить в озеро, подобно подпорченным объедкам, как это делали обитатели подземного города Дира. Нет, любой, ставший братом по плоти оставался в братстве навсегда. Он оставался в братстве живым или мертвым, продолжая путешествовать вместе с воинами, вместе с ними радоваться, грустить и сражаться. Достигалась это таинство единственно возможным способом — плоть павших расходилась среди живых. Люди принимали в себя плоть погибших смертоносцев, а пауки — погибших людей. Именно этот обряд стал основой братства двух ранее враждовавших родов. Теперь, глядя на двуногих соратников, пауки видели не только людей, но и плоть своих друзей и родичей, растворившуюся в покрытых мягкой кожей телах. Так же и люди, глядя на восьмилапых, признавали в них частицу своих близких.

Ждали, действительно, только правителя и его ученицу. Стоило Найлу подойти к костру и сесть в нескольких шагах от пламени, как перед ним опустилась на колени Нефтис. Тарелок, естественно, не имелось, и ломтики мяса лежали на круглом щите с аккуратной дырочкой, оставшейся от арбалетного болта.

Одиннадцать белых полосок. Частицы одиннадцати погибших воинов. Тех, кто вместе с ним плыл на корабле, освобождал город Смертоносца-Повелителя, шел через жаркие бескрайние пески. Кто ставил вот эту стену или те, кто ушел вперед, чтобы предупредить своих соратников об опасности и заплатил за это жизнью. Найл взял один из ломтей и в который раз спросил себя — а правильно ли он поступает, глотая это мясо, которое совсем недавно было телом его друга и соратника?

Посланник закрыл глаза и попытался представить себя мертвым. Холодное безвольное тело, зарытое в землю или брошенное в море. Повсюду расползаются трупные пятна, гнилостные газы вспучивают кожу. Мышцы превращаются в слизь и гной... Он невольно тряхнул головой. Может быть, огонь? Пламя облизывает тело, скручивает волосы, заставляет вскипать кровь, корчатся от жара руки и ноги — и вскоре на месте кострища остаются только пепел, зола. Грязь и пыль... Нет, Рион, первым сделавший свой выбор, был совершенно прав. Уж лучше стать частицей мудрого Шабра, опытного Дравига и многих, многих других смертоносцев, готовых сейчас отдать свою жизнь ради него.

— Что с вами, мой господин? — забеспокоилась Нефтис.

— Лучше бы я умер от голода,— искренне ответил Найл и один за другим принял со щита ломти. Стать частицей Посланника Богини, его плотью и кровью счел бы для себя почетным любой смертоносец, и правитель был просто обязан оказать павшим в бою подобную честь.

А потом хлынул дождь. Плотный, тяжелый, он быстро погасил костры, укутав мир в непроницаемый мрак, и долго продолжал стучать по ветвям и стволам деревьев, по гулким доспехам людей и холодным спинам пауков, шелестел в лесной подстилке, хлюпал в ямках, журчал между корней, чавкал под ногами.

Со стороны озерных жителей послышались восторженные крики, и продолжали раздаваться всю ночь. Возможно, Великая Богиня прислала этот ливень именно для них.

Дождь продолжался до рассвета и оборвался так же резко, как начался. В ярких солнечных лучах капли на стволах, ветвях и иголках засверкали всеми цветами радуги, словно некий властитель просыпал на лес свою сокровищницу. Терпкий смолистый аромат густо смешивался с жарким паром, исходившим из-под ног. Земля не обжигала, но путникам казалось, будто они оказались на крышке огромной кипящей кастрюли.

Как ни странно, пленники совершенно посинели от холода. Найл ожидал, что северяне должны переносить ночную прохладу куда лучше уроженцев пустыни — но на деле у них у всех зуб на зуб не попадал, хотя братья чувствовали себя великолепно. А может, разница заключалась лишь в том, что воины сидели со связанными за спиной руками, а братья держали в руках оружие.

Смертоносцы с первыми же утренними лучами принялись пожирать белую, облепленную старой листвой и иголками стену. Найлу не раз приходилось наблюдать, как паук быстро втягивает обратно в себя только что выпущенную свежую нить, но чаще старую паутину восьмилапые все-таки съедали, экономя энергию для сознания новой. Дело продвигалось так же быстро, как при строительстве, и правитель не стал торопить армию с выступлением, давая восьмилапым закончить начатое дело. Двуногие бойцы уже упаковывали трофеи. Даже с учетом оружия, которое предстояло отдать Магине, в распоряжении Посланника впервые появилось больше вооружения, нежели людей, отчего правитель ощущал себя в великолепном расположении духа.

Найл прошел вдоль пленников, остановился рядом с одним из них — с короткой седой бородой, густыми, подстриженными на уровне ушей волосами. Кожаная туника северянина была широко расшнурована на груди, из-под нее проглядывал край расшитой красными и зелеными нитями рубахи. На шее воина краснел широкий застарелый шрам, еще один, но узкий и белый, пересекал нос и край щеки.

— Так вот ты каков, шериф...

Пленник, неуклюже помогая себя связанными за спиной руками, встал.

— Скажи, шериф, в твоем отряде было четыре паука. Где они?

— Кваракин чен, тумило,— извиняющимся тоном ответил шериф.

Правитель испытал странное раздвоенное состояние: с одной стороны, он установил прочный мысленный контакт с сознанием собеседника, понимал его эмоции и желания. С другой — не понимал смысла произнесенных слов и не мог достаточно четко сформулировать вопрос. При этом Найл ощущал желание пленника не раздражать победителей, подробно объяснить все, что те хотят знать, но... северянин не понимал, о чем идет речь.

— Куда пропали смертоносцы из вашего отряда? — четко и раздельно повторил Посланник.— Где они? — На этот раз он подкрепил вопрос образом крупного паука.

Шериф покосился на маячившего неподалеку смертоносца и пожал плечами.

— Не знаешь? Или опять не понял?

— Кваракин чен, тумило,— с сожалением повторил пленник.

— Дравиг! — устав ломать голову, попросил правитель.— Спроси его, куда смертоносцы из их отряда делись?

— Лушмо! — северянин махнул рукой в сторону гор.

— Сбежали,— перевел старый паук.

— Вот это да!

Удивление Посланника вызвало не бегство боевых смертоносцев — ведь это только людей можно было прижать к горам, пауки по любым вертикальным склоном бегают так же легко, как и по земле. Изумление вызвал образ, промелькнувший в сознании собеседника. Это оказалось нечто вроде короткого уничижительно-мелкого «банг!», словно вздулся и лопнул на луже водяной пузырь.

— Спроси, а как давно северяне живут в Приозерье?

— Несколько поколений,— перевел ответ Дравиг.

Сам Найл поймал образ огромной, темной ели, стремительно отодвигающейся в сторону.

— Когда они ели последний раз?

— Вчера перед боем.

В сознании шерифа появилась стена и остро засосало в желудке.

Вот теперь-то Посланник впервые начал понимать, почему паукам так трудно овладеть искусством разговора с людьми. Сам-то он раньше общался лишь с теми двуногими, кто и так понимал его язык, и думал что возникающие в сознании образы и речь — это одно и то же. Как пауку «выстреливаешь» мысленную картинку, так и человеку передаешь ее на словах. Оказывается, не тут-то было. Во-первых, многие слова имеют разный смысл, но очень близкий образ. Так, слова типа: «сбежали, сгинули, потерялись, пустяки, мелочь, забылось, не обращайте внимания» имели очень сходный образ того самого «банг!». Во-вторых, смысл тех же самых слов мог кардинально меняться от ситуации. «Сбежать» можно и от выполнения приказа, и из-под надзора, и по поручению, и просто скрыться из виду, и от врага. В-третьих, многие привычные каждому человеку слова вообще не имеют достаточно внятного образа. Например — «несколько». Или — «скоро». Мало того, при словесном общении мысленные образы очень часто вообще не относятся к смыслу произносимой фразы. Так, говоря «поели вчера» шериф думал о том, как голоден сейчас. Ведя мысленный разговор следовало, естественно, отделять образы произносимых фраз от невольных ментальных форм.

— Ну-ка, дай я сам попробую,— решил Найл и обратился к шерифу: — Сколько тебе лет?

Задавая вопрос, правитель попытался сформировать в сознании северянина образ маленького мальчика, потом более крупного, потом совсем взрослого.

— Три мальчика и две девочки,— с оттенком ехидства перевел ответ Дравиг.— Старшая уже совсем взрослая, нашла себе молодого мужчину и вот-вот родит,— о таких понятиях как «муж и жена» старый смертоносец, естественно, не имел ни малейшего понятия.

Самым поразительным в разговоре оставалось то, что потаенные мысли шерифа Посланник все-таки понимал!

Вот сейчас северянин радовался разговору потому, что убивать врага, с которым завязалась беседа, труднее, чем незнакомого. Возникает отношение к пленнику не как к абстрактной добыче, а как к полноценному человеку. Значит, опасность для сдавшихся стала хоть ненамного, но меньше.

— Как зовут твою жену? — Найл нарисовал образ дородной тетки с большими округлыми глазами.

— Тарами коу-лен.

— А?

— Он ответил, что никогда не видел этой женщины.

И опять — правитель четко уловил опасение шерифа о том, что у пришельцев пропала эта дама, и они явились в Приозерье ее искать.

— Ты все делаешь правильно, Посланник, — попытался утешить правителя старый смертоносец.— Просто те мысли, которые люди произносят, они формулируют намного хуже тех, которые утаивают. Тебе нужно просто «прислушиваться» к разговорам тех, чья речь тебе непонятна, и ты быстро научишься отделять одно от другого.

— Ладно,— кивнул Найл.— Займемся этим потом. А теперь давайте двигаться к городу.

Как обращаться с двуногими рабами многие смертоносцы еще не забыли — под жесткими волевыми ударами пленники поднялись, вытянулись в длинную колонну и двинулись в путь. Следом за ними, сгибаясь под тяжестью трофеев, шагали озерные жители и братья по плоти.

3 Зак. 3231

* * *

Задолго до города Посланника поразила гнетущая тишина и страх, буквально разогнавший все живое в ближайшей округе. Больше всего это напоминало дыхание злого божка, навроде тех, что подбрасывала Магиня в минуты опасности. Смертоносцы, разумеется, почувствовали неладное еще раньше и Дравиг выслал вперед отряд в две сотни пауков.

— Все смерти ждут,— спустя полчаса сообщил старый смертоносец.— Те, что в городе — своей, а те, которые в лесу прячутся — чужой.

— В лесу? — насторожился Найл.— Может, засада?

— Нет,— уточнил Дравиг.— Боятся слишком сильно. Они все на лодках, не поймаем.

— Рыбаки что ли? — еще больше удивился правитель.— Почему к селению не возвращаются? Ведь наверняка за близких беспокоятся! Сражений не происходит, стражи нет. Чего боятся?

Оказывается, стража была. Навул, на попечении которого оставалось покоренное селение, во избежание возможных нападений извне или бунтов внутри приказал разогнать жителей по домам, заклеить окна и двери паутиной, а после вывел всех пауков и воинов на стены — ждать вражеского штурма. Запертые женщины, прижимая к себе детей, в ужасе ждали, что их всех живьем спалят вместе с городом — в войнах по ту сторону хребтов Северного Хайбада подобное случалось. В той же уверенности пребывали и затаившиеся в ближайших лесных протоках рыбаки — но смелости атаковать крепость с голыми руками у них не хватало. Противостояние продолжалось третий день, и в ментальном плане пространство вокруг Приозерья напоминало застарелый могильник.

Правитель мысленно выругался, но винить следовало только себя — а чего еще следовало ожидать от мальчишки одиннадцати месяцев от роду? Нефтис нужно было в городе оставлять. Она несколько лет во дворце Посланника Богини стражей командовала, имеет понятие когда жесткость применить, а когда сделать вид, что не замечаешь явных нарушений. Нефтис, да Сидония, командовавшая охраной Смертоносца-Повелителя — вот и все опытные руководители, которые уцелели рядом с ним с тех давних времен. Остальные по молодости так и норовят то палку перегнуть, то серьезное дело превратить в забаву.

Походная колонна наконец-то достигла городских стен. Пленных пауки заставили сесть около стены, доспехи и оружие свалили на тропинку, уходящую от ворот к редкому светло-зеленому орешнику.

— Все! — крикнул Посланник, высматривая между наточенными остриями частокола лицо Навула.— Опасности больше нет. Открывайте ворота и выпускайте жителей из домов.

Однако, прежде чем заскрипели темные тяжелые створки городских ворот, с площадки над ними скользнула серая тень и опустилась перед Посланником на траву. На этот раз Магиня не поднимала капюшона — она выглядела грустной женщиной лет сорока с золотистыми, чуть тронутыми сединой волосами. В ушах висели серьги — маленькие бриллиантовые звездочки, под которыми алела рубиновая капелька.

При виде этих простеньких, но до боли знакомых украшений правитель ощутил, как сердце кольнуло острой рыбьей костью.

— Вот и все, Найл,— кивнула она.— В следующий раз мы увидимся только через полтора года.

— Ты же говорила «год»?

— Извини, Найл,— покачала она головой,— мне очень хочется забыть все, что будет происходить с тобой в течение этого года.

— Все-таки «года»?

Мерлью улыбнулась, но не ответила. Встала рядом с правителем, склонив голову набок, посмотрела на груды трофеев.

— Скажи, Найл, ты веришь в везение?

— Ты это о чем?

— Очень мне не хочется здесь сейчас дележ устраивать. Давай так: все, что свалено справа от тропинки — твое; а то, что слева — мое. А уж что в кучах — кому как повезет. Согласен?

— На чем же ты все это повезешь? — не стал спорить правитель.

— Мне-то как раз проще всего,— покосилась на него Мерлью светло-голубыми глазами, и на молодого человека явственно дохнуло ее любимым можжевеловым ароматом.— Сложу лишнее в глубоком омутке, потом заберу. А вот ты как?

— Тут вокруг рыбаки за кустами прячутся. По обычаям северян, захваченный город отдается на четыре дня на разграбление. Вот и ждут — уже обошлось, или еще опасно? Скоро приплывут. На их лодках и переправлюсь.

— Ну, тогда пора.

Магиня негромко щелкнула пальцами, вскинула окрашенный в темно-красный цвет, любовно ухоженный ноготок. Озерные жители тут же стали хватать тюки с левой стороны тропы, волочь их к излучине реки и, словно не замечая препятствия, безмолвно уходить с головой в воду.

Кто-то из пленных громко сглотнул.

— Куда ты теперь? — попытался оттянуть момент расставания Посланник.

— Есть такой город Дира, в котором полтора десятка лет назад родилась одна кареглазая девочка.

— Голубоглазая,— поправил Найл.

— Нет, кареглазая. Просто цвет зрачков потом поменялся.

— Ты собираешься захватить Диру?

— Они сами сдадутся, когда узнают, что Приозерье пало, как и город пауков. Я предложу им принести мне вассальную клятву в обмен на жизнь и право служить мне в моей летней резиденции, и они согласятся.

— Неужели ты всерьез собралась оставить этот оазис себе? — удивился правитель.— Ведь все знают, что пустыня принадлежит Смертоносцу-Повелителю!

— Но ведь ты не станешь выгонять свою подругу детства из ее родного дома! — с обескураживающей улыбкой сообщила Мерлью.— И дети твои не станут враждовать с ближайшей союзницей великого Посланника Богини. Пройдет совсем немного времени — лет сто пятьдесят, двести — и все постепенно привыкнут к тому, что оазис Дира мой.

Магиня отступила на пару шагов, улыбнулась и протянула правителю руку.

— Нужно идти. Мои водолазы могут задохнуться без кислорода. И не надо так грустить, Найл. Мы увидимся, я обещаю.

Посланник тоже вытянул руку, коснулся ее пальцев своими. Поддавшись порыву, сделал шаг вперед, но Мерлью, разом постарев лет на десять, предупреждающе вскинула ладонь:

— Не подходи!

По волосам ее побежала рябь, глаза посветлели, появились и моментально разгладились морщинки. Хозяйка Серых гор торопливо накинула капюшон, скользнула к реке. Несколько метров она продолжала двигаться сантиметрах в двадцати над покрытой мелкими волнами водой, а потом резко, без единого всплеска, ушла в глубину. Спустя мгновение в этом месте закипела вода, но уже через минуту все прекратилось.

— Утонула,— зрелище настолько поразило одного из рыбаков, что он, забывшись, вылез из кустов и подошел к самому берегу. Осторожно коснулся ладонями поверхности воды, потом зачерпнул обеими руками.— Холодная!

Он повернулся к лесу и громко предположил:

— Выходит водяной-то — баба!

— Осторожней со словами,— пристращал его Найл.— Это не баба, а королева. Магиня, Извечная и Всемогущая, Дарующая Дыхание, Живущая в Свете, Всевидящая, Пребывающая в Прошлом, Настоящем и Будущем, Хранительница Вечности и Повелительница Серых гор. Отзовешься непочтительно — к воде лучше не подходи. Обидится, отомстит.

Рыбак зашевелил губами, пытаясь запомнить длинный титул, а правитель, затаив улыбку, бросил на полноводную реку прощальный взгляд и развернулся к городу.

Под стеной, опасливо косясь на грозных смертоносцев, рядом с пленными хлопотали женщины, а кое-где мельтешили и дети. Связанных северян кормили с рук кого пирогами, давая запивать выпечку чем-то из фляги, кого-то потчевали ложкой из миски с похлебкой и кусками рыбы. Когда только все это приготовить успели? Откуда взяли?

Посланник ощутил — воины и их родные успели обменяться впечатлениями о пришельцах. Теперь вера горожан в то, что их собирались сжечь, окрепла стократно. Лишь храбрость воинов, мужественно сдавшихся в полон, но обговоривших при этом почетные условия капитуляции, спасла селение от неминуемой гибели в геенне огненной.

Найл пожал плечами, прикидывая очевидную выгоду от возникшей легенды: горожане будут уверены в его способности держать данное слово и другим обещаниям тоже поверят. А при взаимном доверии найти общий язык с новыми подданными будет намного проще. Посланник Богини намеревался сохранить власть над Приозерьем навсегда.

* * *

Вопреки надеждам Найла, крупных баркасов в городе оказалось не более десятка, да и те по сравнению с кораблями смертоносцев казались карликами — больше десятка человек или пауков не вмещали. В результате переправка через озеро добычи и пленных растянулась почти на пятнадцать дней. Однако всему приходит конец. Вытоптанная поляна под стенами селения опустела — трава начала подниматься под зовущими лучами солнца, местные жители перестали обходить место лагеря далеко кругом. Большинство пауков разбрелось по окрестным лесам на охоту, однако не меньше сотни из них таилось на стенах ущелья, охраняя паутину, перегораживающую единственную дорогу через горы Северного Хайбада, да еще около сотни неподвижно замерли на стенах крепости.

Уткнувшись носами в берег реки, покачивались под весом забирающихся девушек три пузатых баркаса.

— Всех парней я оставлю здесь, а девушек нужно взять с собой,— сообщил правитель, усевшись на траве рядом с Нефтис.— Дравиг останется командовать армией. Он опытный воин, и полторы тысячи пауков ему хватит, чтобы остановить любую попытку прорыва через ущелье.

Найл немного помолчал, потом продолжил:

— Кто-то должен руководить городом. Помнишь, что Навул тут устроил? Не вернись мы вовремя, уморил бы всех жителей до смерти. Нужен кто-то более опытный, умный. Имеющий опыт руководства. Кто смог бы удержать жителей в повиновении, не допустить в них всякой мысли о бунте — но и не мешал бы их обычной жизни. Они должны стать нам не врагами, а честными подданными. Пусть не лучше прочих, но и без злобы в душе...

Найл опять смолк. Нефтис тоже молчала, не желая понимать откровенных намеков. После нескольких минут угрюмой тишины Посланник тяжело вздохнул и сказал прямо:

— Ты должна остаться и принять на себя правление Приозерьем.

— Я надосла вам, мой господин,— тихо прошептала стражница.

— Все как раз наоборот,— Найл положил ей руку на плечо.— Я не могу без тебя обойтись. Я не могу обойтись без тебя ни дня. Мне постоянно нужны твоя отвага, твоя сила, твоя преданность, твоя любовь, твой опыт. Просто все эти годы ты была нужна мне рядом. Теперь ты нужна мне здесь. Наш мир становится все больше, и я не могу находиться сразу везде. Ты — моя правая рука. Моя правая рука должна находиться здесь, в Приозерье, на границе с империей северного князя. Ты понимаешь меня, Нефтис?

— Да, мой господин. Однако мой долг, в котором я поклялась Смертоносцу-Повелителю, защищать вашу жизнь так, как я хранила бы его самого от любой беды.

— Вспомни тогда и о своем звании, Нефтис,— покачал головой правитель.— Ты не просто телохранительница, ты начальница стражи. Твой долг не стоять рядом со мной, а добиваться того, чтобы мне нигде не угрожала опасность. Сейчас опасность может угрожать только из-за гор или от местных жителей, которые так и не решили пока, смириться им с новой властью, или считать себя временно захваченными подданными князя, ждущими освобождения.

— Вы оставляете меня навсегда? — похоже, Нефтис смирилась со своей участью.

— Нет,— покачал головою Найл.— Мне будет тебя не хватать. Приглядывайся к нашим мальчишкам, давай им поручения, учи. Надеюсь, через некоторое время кто-нибудь из них сможет тебя заменить. А пока — я буду к тебе приезжать. Лично к тебе, поняла?

— Да, мой господин.

Посланник поднялся. С городской стены сбежал вниз Дравиг, тактично выжидавший, пока правитель распрощается со своей стражницей.

— Через ущелье не пройдет ни одна армия, будь это сам хоть сам Айвар Жестокий,— пообещал смертоносец.

— Я верю тебе, Дравиг,— кивнул Найл.— Вышли на перешеек между озером и горами паука. Магиня обещала сохранить в Дире почтового смертоносца, пусть твой воин вступит с ним в мысленный контакт. А я вышлю паука на границу между крестьянскими полями и пустыней, и тоже прикажу установить контакт с оазисом. Так мы сможем обмениваться сообщениями.

— Он выйдет сегодня же, Посланник.

— Наверное, это все...

Правитель бросил прощальный взгляд на своих верных соратников — редких друзей, уцелевших рядом еще с тех времен, когда безраздельным властителем города пауков и окрестных земель считался Смертоносец-Повелитель. Потом Найл быстро спустился к реке и запрыгнул в лодку.

Рыбак, не дожидаясь дальнейших указаний, навалился на высоко задранный нос, столкнул баркас на воду, привычно перевалился через борт, схватил весло и стал торопливо выгребать на стремнину. Следом отчалили оба других баркаса. Широкий гладкий плес внезапно сузился до пяти метров, течение стремительно промчало баркас между двух скальных уступов. Река снова разлилась, хотя и не так раздольно, повернула, и темные стены города скрылись за стеной леса.

Берега сплошь состояли из повалившихся в воду деревьев, местами уже полностью сгнивших, местами еще сохранивших на ветвях зеленые листья. Кое-где этакие завалы перегораживали русло почти до середины, собирая на себе тину, плавучий мусор, тухлые водоросли.

— Расчистить, что ли, некому? — удивился Найл.

— Шериф говорил: «Пусть лежат. Дабы к берегу пристать негде было»,— ответил рыбак.— Боялся, вороги высадятся, да подкрадутся незаметно.

— Помогло?

— Вроде не помогло,— согласился рыбак.

— О себе думать надо в первую очередь, а не о врагах,— наставительно произнес Посланник, зачерпывая ладонью прохладную воду и поднося к губам. Сделав пару глотков, он внезапно вскинул голову, осознав очевидную вещь: — Ты что, знаешь наш язык?

— Знаю,— согласился рыбак.— Бабка у меня из песков в город вышла. Отец тоже оттуда.

— Как его звали?

— Хамна.

— Да,— кивнул Найл.— Знал я одного такого паренька в городе Дира.

— Это не он, господин. Отец куда как старше вас был, да принесет ему Счастливый Край радость. Но про Диру мне рассказывал. Пещеры это, рядом с соленым озером в пустыне. Правда?

Найл кивнул, с интересом вглядываясь в лицо рыбака, словно надеялся угадать в нем черты кого-то из своих родственников или друзей.

— Много в Приозерье переселенцев из пустыни?

— Нет, двух десятков не наберется.

— А по пустыне не скучаешь?

— Что вы, господин! Я ужо здесь родился, у гор.

С помощью весла рыбак не столько греб, сколько направлял баркас, удерживая его на самой стремнине.

— Как тебя зовут, сын Хамна?

— Махнум.

— А почему ты не переселился в город пауков, Махнум? Ведь князь туда всех желающих звал.

— Мне отец с колыбели внушил пауков сторонится,— усмехнулся рыбак.— Лучше я в лесу тройные налоги платить буду, чем среди смертоносцев деньги лопатой грести.

— Не везет тебе, сын Хамна. Махнум не пошел к смертоносцам, так смертоносцы пришли к Махнуму. Что теперь делать станешь?

Рыбак несколько минут размышлял, потом честно признался:

— Не знаю, господин. Пограбили бы — точно ушел. А так — хозяйство бросать жалко. Баркас, дом, скотину. Поживем, увидим.

— Поживем,— согласился правитель и с удивлением заметил, что русло реки впереди раздваивается, словно дорога между двумя селениями. Баркас повернул налево.— А правая река куда ведет?

— То протока. Она скоро сужается, забилась совсем последние годы. А вообще, тут весь лес в ручьях, реках да протоках. Причалишь где, и никогда не угадаешь, то ли на берег вышел, то ли на остров. Но лучше не выходить. Зверья всякого много. Какое хищное, какое просто дурное. Жужелицы есть, многоножки. Мужики говорят, даже сколопендру видели. Хорошо, с лодки. А то бы, сами понимаете, рассказывать было некому.

— А про черных скорпионов твой отец не вспоминал? — поинтересовался Найл.

— А как же, вспоминал,— обрадовался рыбак.— Как столкнется в лесу с какой-нибудь тварью, обязательно вспомнит. «Хорошо хоть, — говорит,— черных скорпионов тут не водится»!

Правитель рассмеялся, пересел со скамьи на дно баркаса и откинулся на борт. Он попытался вспомнить, сколько раз ему приходилось встречаться с ядовитым и длиннохвостым повелителем пустыни. Получалось, что раз пять. Последние три не в счет — тогда у него уже был меч, а рядом находились или жуки-бомбардиры, или братья по плоти. Но вот в первый — он имел только короткое кривоватое охотничье копье с наконечником из шакальей кости. И было ему тогда всего двенадцать лет... Впрочем второй раз он оказался один на один со скорпионом и вовсе с голыми руками. Единственного своего оружия — двух кремневых булыжников — он лишился в схватке со сколопендрой. Разумеется, ему не удалось убить этих хищников. В одиночку человек не способен справиться со сколопендрой, и ни при каких обстоятельствах — со скорпионом. Но он остался жив! А значит — победил.

За бортом баркаса тихонько журчала вода, покачивая пузатую, как бочонок, лодку с боку на бок. Где-то в безопасном удалении стрекотал кузнечик, пригревало высоко поднявшееся солнце, и правитель сам не заметил, как глубоко и спокойно заснул.

* * *

— Мы причаливаем, Посланник,— тронула Калла правителя за плечо.

— Уже? — Найл тряхнул головой, разгоняя дремоту, с удивлением увидел в небе над собой подкрашенные розовым цветом предзакатные облака.— Сколько же мы плыли?

— Почти весь день, Посланник,— Калла пожала плечами.— Идти по дну ненамного медленнее, но зато не тошнит.

— Если спишь, то и в лодке не тошнит,— усмехнулся правитель.

— Пора,— облизнув пересохшие губы, сказал Махнум.

Нос баркаса обо что-то ударился. Найл выпрямился во весь рост и увидел впереди, насколько хватает глаз, каменные россыпи.

— Скорее! — взмолился рыбак после очередного удара о береговые скалы. Девушки, зачем-то подняв копья над головой, стали выпрыгивать на мокрые камни.

Только ступив на твердую землю и оглядевшись, Посланник понял, почему князь Граничный вел свою армию по пустыне, отказавшись от идеи построить в Приозерье флот и организовать у порогов волок. Беспорядочное нагромождение гигантских, в рост человека, валунов, между которыми стремилась, пенясь и вздымая мириады мелких капелек, вода, даже рекой можно было назвать с большой натяжкой. Пробиваться сквозь облака водяной пыли даже без груза оказалось непростой задачей: прыгая с валуна на валун, люди рисковали поскользнуться на мокром, покрытом скользким зеленым мхом камне; а пытаясь идти внизу, между скалами, по колено в воде, запросто могли вывихнуть ноги, то и дело застревавшие в узких щелях, промытых потоком.

— Может, посуху обойти? — предложила какая-то из воительниц.

— А где тут «сухо»? — тотчас поинтересовалась другая.— Эти пороги, может, на половину дневного перехода в ширину.

Пару раз грохнувшись после очередного прыжка о прочный гранит и свалившись между валунов — если бы не доспехи, ребра бы переломал — правитель склонился в пользу движения «низом», и стал пробираться через скальный лабиринт топая по воде. Он тщательно прощупывал ногой дно, прежде чем ступить, однако пару раз все-таки провалился в глубокие промоины. Глубина этих холодные ловушек оказывалась примерно по пояс, однако от неожиданности каждый раз казалось, что тонешь с головой. Плавать за свою жизнь Посланник так и не научился, а потому эти сюрпризы приозерных порогов становились неприятными вдвойне.

— Представляете, девочки, если нам тут еще и ночевать придется? — Калла оглянулась на опускающееся за горизонт солнце.

— Нужно нам было в баркасе до утра оставаться,— вздохнула девушка слева от правителя.

Найл выбрал относительно пологий камень, на четвереньках выбрался на его макушку, расчистил ее ото мха и выпрямился во весь рост. На фоне светло-голубого неба отчетливо выделялись темные вертикальные черточки.

— Никаких ночлегов! — предупредил спутниц Посланник.— Мачты ужс видно. Часа за три дойдем.

После столь обнадеживающего известия воительницы прекратили разговоры и устремились вперед.

Вскоре валуны начали тонуть. А может, уровень воды повышаться. Что так, что этак — но вскоре братья по плоти пробирались уже по пояс в воде, потом по грудь. Теперь в промоины люди ухались с головой и торопливо выбирались на холодные мокрые камни, под темное холодное небо. Как назло, в эту ночь звезды и Луна решили не загораться на затянутом тучами небе.

— Чего нам сейчас не хватает, так это дождика,— в кромешном мраке шутка прозвучала особенно мрачно.

— Хватит ломиться напрямик,— решил Найл.— Потонем все. Поворачиваем направо. Раз река стала глубже, должна тогда и сузиться. Берег где-то недалеко.

Правитель сам не очень доверял своему умозрительному заключению, но идти на глубину было бы еще большей глупостью, чем пытаться найти берег среди ночного мрака и камней. Однако, уже метров через сто глубина пошла на убыль, а еще через десяток метров под ногами явственно ощутился песок. Теперь с каждым шагом воды становилось все меньше, песка — все больше, и валуны начинали утопать именно в нем.

— Великая Богиня! Никогда не думала, что буду так радоваться пустыне!

— Дерево хочу. А лучше — сразу костер.

В мире песка с приходом ночи на землю сразу опускается холод. Обычно барханы удерживают дневное тепло по крайней мере несколько часов — но возле порогов вода убила щедрый дар солнца в считанные минуты.

— Двигаться нужно, а то замерзнем,— напомнил правитель и направился, как он надеялся, в сторону города пауков. В сложившихся обстоятельствах людям лучше заблудиться, чем застыть. Раскаленная днем, ночью пустыня способна превратить воду в лед.

— Я костры вижу, или мне мерещится? — Правитель узнал голос Каллы.— Вот там, слева.

По левую руку от путников и правда дрожали похожие на огонь алые светлячки. Найл повернул к ним — не все ли равно, куда идти? Только метров через пятьдесят стало ясно, что это лишь подвешенные на шестах фонари.

— Кто идет? — послышался грозный окрик, стоило первым из воительниц вступить в круги света.

— Свои!

Тут же из мрака побежали навстречу люди, забирая у мокрых, замерзших и усталых путников оружие, щиты, котомки.

— В лодки всех! Немедленно! — командовал уверенный женский голос.— Пусть на ходу раздеваются. И сразу в трюмы, раздеть, укрыть вывоертками, дать вина.

Найла тоже заботливо обезоружили, подхватили под руки.

— Панцирь сразу снимай, не мерзни,— посоветовал лопоухий моряк.— От него половина холода. Сюда иди, лодка здесь.

— Все в порядке, Ухлик,— проявился в дрожащем свете фонаря неясный силуэт.— Иди, снимай огни.

— Слушаюсь, госпожа,— поклонился мужчина и торопливо побежал выполнять приказ.

— Назия? — скорее угадал, чем узнал правитель.

— Да, Посланник Богини,— со своей обычной дерзостью, кланяться надсмотрщица не стала.— Идите сюда.

Женщина помогла ему забраться в лодку и коротко приказала:

— Отчаливай.

Опытные гребцы за считанные минуты подогнали свою посудинку к кораблю. Сильная Назия чуть ли не перекинула правителя на палубу, запрыгнула следом и, не давая Найлу опомниться, потянула его к кормовой надстройке.

— Подождите, не садитесь.

На этот раз морячка «забыла» произнести его титул или обращение «господин». Руки ее быстро и ловко расшнуровали кожаную воинскую тунику, бесцеремонно содрали ее с правителя и отшвырнули в сторону. Откуда-то появился большой кусок жесткой ткани, которым женщина торопливо то ли растерла, то ли высушила его тело.

— Вот, выпейте,— морячка поднесла к его губам большую чашу вина.— Все сразу.

Найл в несколько глотков осушил деревянную пиалу. Женщина тут же отобрала ее, откинула широкую, распоротую вдоль выворотку, подхватила правителя на руки и уложила в густой мех постели, укрыв сверху другим. Потом она вскинула руки к плечам. Послышался двойной щелчок, туника опала на пол, а морячка бесцеремонно забралась к Посланнику в постель.

— Вам нужно согреться, мой господин. Это не дерзость. Я всего лишь лекарство. Только лекарство и больше ничего.

Найл подумал, что надсмотрщица собирается согреть его своим телом, но морячка сразу запустила руку ему в пах, и стала выжидательно поглаживать маленький и сморщенный от холода член.

Удостоившись такого пристального внимания, малыш встрепенулся и начал быстро расти, стремясь продемонстрировать всю свою мощь «нефритового стержня», как называли этот источник сладострастия древние китайцы.

Ощутив крепость пениса, женщина переместилась наверх, оседлав своего господина, ввела «нефритовый стержень» в себя и только после этого наклонилась вперед, укрыв Найла раскаленным телом.

— Не думайте,— еще раз выдохнула она.— Я всего лишь лекарство. Просто лекарство.

Назия совершенно забыла, что Посланник Богини умеет читать чужие мысли. А мысли у морячки были весьма прямолинейны, хотя и естественны.

Она слегка сдвигалась вперед-назад, обдавая лицо Найла горячим дыханием, потом выпрямилась, откинув одеяло назад. Однако холод уже исчез, растопленный неподвластной любым морозам страстью. Морячка, закинув голову и закрыв глаза, играла бедрами — то мелко дрожа, то вскидывая их вверх, то качаясь из стороны в сторону, словно исполняя некий неизвестный всем прочим танец. Она совершенно забыла о продекларированной цели и думала только о себе. Впрочем, Найл не возражал. Промерзший до костей и теперь согревшийся, ошеломленный властным напором, замешанном на почтении, сейчас он находился в сладостной истоме, наблюдая за вдохновенной страстностью женщины, за переполняющим ее, перехлестывающим через край наслаждением, сам купаясь в накатывающих волнах чужого блаженства.

Морячка чувствовала тело правителя лучше его самого, и когда Найлу казалось, что вот-вот произойдет завершающий взрыв, Назия внезапно прекращала свою игру, наклонялась вперед, целовала лицо, грудь, плечи, гладила волосы — а потом снова начинала сладострастный танец, выводя на вершину блаженства, но никак не давая взорваться вулкану страсти — обманывая ее, отвлекая внимания, переигрывая — и снова заманивая к пику желаний.

Но мужское естество невозможно обманывать бесконечно, и в конце концов оно рванулось вперед, сметая преграды, заполняя собою все миры и сознания, карая коварную женскую плоть резкими ударами и взрывами, готовыми, казалось, пробить ее насквозь.

Назия расслабленно осела набок, но не позволила члену правителя покинуть лоно. Она повернула правителя лицом к себе, обхватила к себе, крепко прижала и замерла, продолжая честно выполнять обещанное — согреть Посланника Богини своим телом. Ведь она — всего лишь лекарство...

Утром они проснулись почти одновременно. Назия подхватила одежды и выскочила из каюты. К тому времени, когда еще ошалевший от ночного приключения правитель оделся, нашел чем укрыть наготу взамен все еще мокрой туники и вышел на палубу, Назия и Соленый ждали его с почтительным видом подданных, готовых покорно снести гнев повелителя или с достоинством принять похвалу.

Первым, естественно, доложил о положении дел на флоте Соленый. Смертоносец коротким мысленным сообщением дал понять о том, что пришедший из Приозерья груз уже отправлен в город, что все корабли целы и исправны, но некоторые из моряков за прошедший месяц умерли.

— Пленные были отправлены на десяти кораблях под охраной смертоносцев,— уточнила Назия,— оружие и доспехи погружены отдельно, на два корабля.

Разница в докладах получалась из-за того, что Соленый стал командующим флотом случайно, во время военной неразберихи и ничем не отличался от всех прочих пауков: совершенно не умел считать, и не всегда четко выражал свои мысли в разговорах с двуногими. Вдобавок, сохраняя менталитет восьмилапых времен Смертоносца-Повелителя, он продолжал считать людей низшими созданиями, воспринимая их всего лишь как одну из деталей оснастки корабля.

Но, нужно отдать ему должное, Соленый смог спасти корабли, сохранить их во время войны, спрятать, увести в неизвестные воды. Одно это заставляло Посланника Богини относиться к восьмилапому с уважением, и всегда заслушивать первого, как бессменного капитана флота.

Назия же на острове детей получила воспитание надсмотрщицы корабля. Хотя любое образование двуногим запрещалось под страхом смерти, хозяйки кораблей не могли не учитывать количество моряков на борту, необходимый им провиант, одежду, снаряжение. Поэтому смертоносцы испокон веков делали вид, что не замечают умения морячек складывать, вычитать и умножать. Благодаря этому негласному договору любая женщина теперь могла предоставить куда более точный отчет о положении дел, чем номинальный руководитель флота.

— Молодцы, спасибо,— кивнул правитель.

— За месяц погибло пятеро моряков,— добавила Назия.— Одного захлестнуло канатом, одного сбило поперечной балкой при поднятии паруса, двое утонуло, один умер после болезни.

Это было не желание блеснуть доскональным знанием происходящего на кораблях. Морячка стремилась напомнить правителю, что команды нуждаются в пополнении состава.

«Без людей корабли мертвы»

— Без людей все умирает,— сухо ответил Посланник.

Люди, люди, люди. Это стало извечной проблемой после возвращения братьями по плоти города пауков под свою власть. Когда-то во владениях Смертоносца-Повелителя жили, трудились, размножались и умирали десятки тысяч двуногих. Война слизнула почти всех. В городе остались считанные сотни прежних жителей. Хотя сюда успели прийти сотни переселенцев из северных стран, это ничего не меняло. Чтобы нормально жить и устоять в случае очередной войны городу требовались ткачи и склейщики воздушных шаров, требовались моряки и ассенизаторы, требовались надсмотрщицы и крестьяне. Да что там крестьяне — Посланник имел трофейного вооружения на двести воинов, но в рядах двухтысячного братства по плоти насчитывалось всего тридцать человек.

Хуже всего — остров детей, на котором пауки воспитывали двуногих для нужд города был пуст. Нужные специалисты не просто отсутствовали сейчас, их появления не ожидалось и в обозримом будущем. Правитель прошелся по палубе, крепко вцепился обеими руками в поручни и устремил свой взгляд на север. Туда, где людей так много, что матери выбрасывают младенцев на съедение жукам или вытравливают их из своих животов.

— Прикажете поднять якорь? — Назия опять забыла про титул, и Найл мстительно не отреагировал на ее вопрос.

— Прикажете поднять якорь, Посланник Богини? — соизволила вспомнить про этикет морячка.

— Да, поднимайте,— кивнул правитель.

— Весла на воду! — решительно скомандовала Назия.— Левый борт назад, правый сильно... и р-раз! И р-раз! Суши весла! Кирнук, хвостик свой веслом не прищеми! Поднять парус!

Послышался веселый девичий смех, сопровождаемый непонятными комментариями о мужчинах и хвостах. Повернув голову на шум, Найл с изумлением обнаружил, что моряки ставят парус в обнаженном виде. То есть — в совершенно голом. Только разглядев разложенные на носовом помосте туники, правитель понял, в чем дело. Туники его спутниц, так же, как и его собственная, к утру еще оставались мокрыми. Воспитанная смертоносцами Назия, привыкшая считать женщин выше мужчин, решила, что удобство воительниц важнее стыда моряков — и приказала им отдать свою одежду дамам. Вот и скакали теперь по вантам голые мужики, краснея от насмешек девушек и морячки.

Кстати, об одежде для Посланника Богини Назия тоже беспокоиться не стала — он был вынужден обернуть бедра тем куском ткани, которым морячка вытирала его вчера вечером. Вспомнив про свою кожаную тунику, Найл сходил в каюту, забрал ее и расстелил на палубе, в тени паруса. Пусть сохнет.

Толстая балка, лежавшая по диагонали от носа к корме, поползла вверх, стремительно и тяжело поворачиваясь. Подвязанный к ней парус рассыпался на палубу и, наконец, ушел вверх, дав людям отдышаться. Поперечная балка заняла свое место на макушке мачты. Моряки торопливо подвязывали канаты.

— Рулевой, нос влево не торопясь! — продолжала командовать Назия, рыская глазами по берегам, словно опасаясь спрятавшихся под поверхностью рифов.— Нос прямо!

Правителю показалось, что никакого ветра над пустыней нет, однако ткань паруса все же качнулась вперед, медленно утягивая судно за собой. Вдоль бортов зашелестела вода.

— Рулевой, нос влево не торопясь! Киллиг, угол на себя! — обнаженный моряк вцепился в привязанный к углу паруса канат, уперся обеими ногами в лавку для гребцов и напряг мышцы.— Еще на себя! Рулевой, нос прямо! Рулевой, нос налево спокойно!

Корабль величественно перемещался посередь реки, легко и непринужденно повторяя все ее повороты. Под ним, ясно видимый сквозь ровную гладь воды, плыл еще один корабль, точно такой же, но опустивший мачту с парусом куда-то в глубину.

— Лури, угол на себя! Вы что не видите, ветра нет! Рулевой, нос направо спокойно! Нос прямо! Закрепить углы! Нос налево не торопясь!

Найл, перешагивая развалившихся на палубе воительниц, прошел на нос, остановился рядом с надсмотрщицей.

— Скоро в городе будем?

— Часа через три,— морячка, прикрыв глаза от ярких лучей, взглянула на небо, и добавила: — По течению хорошо двигаться, быстро.

— Скажи, Назия, а что, рулевые даже чистым ясным днем не способны вести корабль без твоих команд?

— Лучше подстраховаться. Все мужчины глупы, могут что-нибудь напутать.

— М-м,— в очередной поразился Найл ее нахальству и неумолимой безапелляционности.— Может быть, не все?

— Среди тех, кого я знаю — все, мой господин.

Посланник задумчиво подергал себя за ухо, но в спор решил не вступать:

— Пойду в каюту. Что-то замерз я тут с тобой.

Назия повернулась к нему, изумленно приоткрыв рот, долго смотрела прямо в глаза, потом перевела взгляд на помост. Под жаркими солнечными лучами от влажных туник поднимался ясно видимый пар. Найл зябко передернул плечами и пошел на корму.

В сумраке каюты было куда прохладнее, чем на палубе и Посланник с удовольствием вытянулся на постели. Немного повалявшись, он решил выпить вина, встал сделал шаг к столу. В этот миг открылась дверь и внутрь вошла Назия.

— Тоже замерзла? — склонив набок голову, спросил Найл. Морячка промолчала, неуверенно прикусив нижнюю губу.

— Скажи, Назия, а что это за штучки у тебя на плечах?

— Это застежки. Мне их один торговец в городе показал. К ним подкалывается ткань. Если сделать вот так,— женщина вскинула руки к плечам.— Они раскрываются.

Послышался щелчок, и туника соскользнула на пол. Морячка перешагнула через белую ткань, внимательно осмотрела правителя с ног до головы.

— Эта одежда недостойна вас, мой господин,— морячка протянула руку и сорвала с Найла повязку, которой тот обернул свои бедра. Потом отступила и снова внимательно осмотрела его с ног до головы, словно смертоносец, решающий — съесть нового слугу, или отправить его на работу.

Под пристальным оценивающим взглядом член молодого человека напрягся, однако

Найл ощутил не возбуждение, а раздражение. Он уже собрался сказать что-то суровое, повелительное, как вдруг Назия опустилась на колени и нежно обняла член губами, качнулась вперед.

Сладострастная волна покатилась от «нефритового стержня» вверх по телу, гася гнев и путая мысли. Найл запустил пальцы морячке в волосы, но это была лишь видимость попытки взять ее в свои руки. На самом деле это он опять оказался полностью во власти женщины.

«Великая Богиня! Неужели точно так же она вознаграждает своих моряков за хорошую работу?! — нежданно подумалось правителю.— Да любой из них наверняка готов умереть по первому ее слову!»

Морячка почувствовала, что мысли мужчины скользнули куда-то не туда, немного отстранилась, снова перехватила «нефритовый стержень» губами, чуть качнулась, осторожно лаская пальцами мошонку, и Найл больше уже не мог заметить ничего вокруг.

Назия взяла его на руки, положила безвольное тело на постель, ввела член в себя, наклонилась вперед и горячо прошептала:

— Возьмите меня, мой господин, я ваша, я ваша вся, целиком. Я принадлежу вам, мой господин, владейте мной, делайте со мной все, что пожелаете. Я полностью в вашем распоряжении...

Разумеется, это была откровенная ложь.

* * *

На причале Посланника Богини встречали Тройлек и Саарлеб. Но если выросший в северных землях и воспитанный при дворе князя Граничного смертоносец просто не мог не соблюсти букву этикета, и не явиться лично с почетным караулом для своего господина, то появление предводителя жуков-бомбардиров с четырьмя телохранителями оказалось полной неожиданностью. Обычно жуки кичились своей независимостью и при каждом возможном случае игнорировали важные для пауков события.

Найл легко перепрыгнул с кормовой надстройки на причал, кивнул встречающим. Тройлек коротко и, как он надеялся, незаметно скользнул по сознанию правителя, выясняя настроение господина. Убедившись, что никакой грозы не ожидается, смертоносец присел в ритуальном приветствии и выстрелил краткой мыслью о том, что для повелителя накопилось много мелких вопросов, но в общем и целом все в порядке.

— Рад тебя видеть, Тройлек,— разрешил ему подняться Найл.— Но если ты не перестанешь копаться в моих мыслях, я тебя все-таки утоплю.

Паука угроза правителя ничуть не обеспокоила. Восьмилапые привыкли доверять эмоциям людей больше, нежели произносимым словам, а никакого гнева на управителя Посланник Богини не испытывал.

— Рад видеть тебя, Саарлеб,— повернулся Найл к Хозяину жуков-бомбардиров.— Что привело тебя на берег реки?

— Мы рады твоему возвращению, Посланник Богини. Двое моих жуков готовы проводить тебя до дворца, дабы оградить от возможных опасностей.

Вот так да! Разумеется, никакой опасности правителя ожидать не могло, двое жуков-бомбардиров — это был символ. Жуки предоставляют почетный караул представителю общины пауков! Такого еще не случалось с самого момента их появления в городе.

— Благодарю, Хозяин,— кивнул Найл, решив оставить выяснение причины подобных метаморфоз на потом.

Правда, осторожный Тройлек тут же приказал своему почетному караулу занять позицию между жуками и Посланником. В таком виде процессия и двигалась по улицам: первым шел Найл, чувствуя себя совершенно в дурацком положении, следом Тройлек, за ним вооруженные короткими палками слуги из дворца, чуть позади двое жуков.

А немного в стороне двигались, оживленно болтая, полтора десятка смешливых девчат, в доспехах, с копьями на плечах и щитами за спиной. Они не обращали на правителя ни малейшего внимания — но при любой опасности именно они без труда смешали бы с пылью и слуг, и жуков, и любого другого, кто встал бы на их пути.

В своих покоях Найл с наслаждением скинул доспехи и обязательную под них тунику из толстой грубой кожи, склонился над тазиком. Служанки сразу с двух сторон стали лить ему на спину воду из глиняных — чтобы тепло лучше сохраняли — кувшинов. Правитель, громко и с удовольствием отфыркиваясь, помылся, а потом с не меньшим наслаждением накинул свою старую, легкую и привычную тунику, в которой отмахал, наверное, тысячи километров по пустыне, сотни километров по горам, и десятки по морю, в которой сражался за освобождение города... Кстати, пятна от крови исчезли. Наверное, Тройлек приказал отстирать.

В дверь постучали.

— Кто там?

— Простите, Посланник Богини,— в покои правителя с тяжелым подносом вошел молодой паренек, быстро выставил на стол высокий прозрачный кувшин с вином и вазу фруктов, поклонился.— Управитель Тройлек просил передать, что пир в честь вашего возвращения готов начаться в любой момент по вашему желанию.

— Хорошо, иди.

Интересно, с кем это должен, по мнению хитрого паука, пировать Посланник? С жуками? Такой близости они никогда не допускали. Со смертоносцами? Но методы употребления пищи двуногими и восьмилапыми разняться до такой степени, что обычная человеческая трапеза вызывает отвращение у пауков, а обед смертоносца способен вызвать рвоту у любого из людей. Пир вместе с девчонками, вернувшимися из Приозерья? Однако, выросшие в походах братья по плоти не умели пользоваться ни ложками, ни вилками, ни тарелками. Мало того — никто из братьев и не собирался менять своих привычек. Обычные трапезы соратников Посланника выглядели настолько безобразно с точки зрения «интеллигентных» северян, что всегда проходили за закрытыми дверями — даже слуг воротило от подобного зрелища. Темнит что-то Тройлек, ой темнит. Вечно эти смертоносцы пытаются играть людьми, как детскими куклами.

Найл налил себе вина, взял из вазы кисть винограда и уселся в кресле перед окном. Ему вспомнился Шабр, главный ученый Смертоносца-Повелителя, отвечавший за чистоту расы двуногих. Покорные, раболепные слуги пауков быстро вырождались, и для поддержания породы восьмилапые добавляли в их жилы свежую кровь — отлавливали в пустыне «диких» людей. Особую надежду местные селекционеры возлагали на Найла, заметив в нем незнакомые ранее признаки, но... Маленький дикарь устроил большой бунт, в результате которого Великая Богиня Дельты объявила его своим посланником и приказала назначить правителем города.

Мудрый Шабр в числе прочих выразил ему полную свою покорность и подчинение и...

продолжал использовать как производителя. Только если раньше он мог просто приказать человечку оплодотворить ту или иную женщину, то теперь устраивал «случайные» встречи, мелкие «неожиданные» приключения, организовывал женщинам героические поступки, после которых правитель никак не мог не «вознаградить» тех за храбрость или внимательность.

В полной мере ловкость восьмилапого селекционера Посланник распознал только в Дельте, когда выяснилось, что каждый третий из родившихся детей зачат от Найла.

— Рад видеть тебя, Посланник! — забежал в проем окна некрупный по современным меркам паук и остановился на потолке.

— Рад видеть тебя, Шабр! Я как раз о тебе вспоминал.

— Я слышал.

А еще ученый смертоносец никак не желал отказаться от привычки подслушивать мысли всех ближайших двуногих, не делая исключения и для Найла.

— Как твои успехи, Шабр?

— Ничего утешительного, Посланник. Мы с Сидонией обошли все дальние фермы, но ни одного ребенка не собрали. Некоторые надсмотрщицы стельные, но плоды у них десятого поколения.

Именно на десятом поколении полностью вырождались слуги пауков, становясь ни на что негодными уродцами.

— И что мы будем теперь делать, Шабр? — Найл залпом выпил вино.— Если самое позднее лет через десять мы не сможем воспитать новых людей, то у нас опустеют поля и солеварни, встанут корабли, не поднимется в небо ни один шар. За что тогда мы сражались? За право переселенцев с севера жить на нашей родной земле? Для этого не стоило возрождать память. Пусть лучше о нашем существовании мир забудет раз и навсегда.

В коридоре за дверью послышалось громкое цоканье по полу паучьих коготков. Туда-обратно, туда-обратно. Опытный царедворец, Тройлек считал невозможным вторгнуться в покои правителя с какими-то делами. Покои потому так и названы, что властители отдыхают в них от повседневных хлопот. Однако смертоносцу очень хотелось, чтобы о нем вспомнили.

— Входи, Тройлек,— не выдержал правитель.— Чего тебе так хочется сказать?

— Дети есть,— вбежавший в комнату паук тоже почему-то решил остановиться на потолке. Похоже, пришельцу с севера очень хотелось походить на братьев по плоти.— Я же уже предлагал! В землях князя Граничного матери сплошь и рядом отказываются от детей, подкидывают их в чужие дома, а иногда и просто убивают сразу после рождения и выбрасывают. А бывает, выбрасывают живыми. Еще некоторые двуногие врачи вырезают еще не рожденных детей прямо из живота. Нужно просто собирать их. Или платить за детей деньги — и тогда люди сами станут приносить их со всей страны.

— Тройлек, а не по твоему ли наущению я отбил Приозерье и перекрыл ущелье из северных земель? Думаешь, после всего этого князь так спокойно позволит нам собирать в своих землях самое ценное, что там только есть? А?

— Все правильно,— согласился паук.— Сейчас мы обезопасили себя от внезапного нападения. Теперь нужно заключить мирный договор и открыть границу.

— Как? — в конце концов Найлу надоело задирать голову к потолку. Он развернулся в кресле, закинув ноги на спинку и улегшись на сиденье. Так стало гораздо удобнее наблюдать за смертоносцами, но с надеждой выпить еще вина пришлось распроститься.

— Очень просто. Во всем цивилизованном мире существует право победителя. Вы имеете право вступать в близость с любой женщиной из попавших в плен. Вы должны лишить девственности княжну. Это ваше право и попрекнуть вас в этом не посмеет никто. Потом нужно предложить взять Ямиссу замуж. В свете случившегося это будет весьма почетное предложение. Вы станете зятем князя, его родственником. А с родственниками воевать не принято. По крайней мере в первые месяцы. Граница будет открыта и все, что только можно получить в княжестве, мы сразу попытаемся купить.

Тройлек торжественно закончил изложение своего плана и замолк, ожидая похвалы. Найл слез с кресла, подошел к столу и налил себе вина. Почему-то каждый раз, когда он сталкивался с правилами поведения цивилизованного мира, ему хотелось выпить. Он проглотил один бокал, не почувствовав вкуса темно-красной жидкости, налил второй, повернулся к смертоносцам, задрав голову до боли в шее и внезапно рявкнул:

— Да спуститесь вы на пол, в конце-то концов!

Тройлек тут же отскочил к стене и через мгновение стоял рядом с Посланником. Шабр спустился прямо вниз, на паутине.

— Пятно на потолке останется,— как бы про себя отметил управитель.

— Где княжна? — пропустил Найл его реплику мимо ушей.

— Выше этажом, Посланник Богини, почти над вами.

— Что скажешь ты, Шабр?

— Видно, такая судьба была предначертана вам Великой Богиней,— с приторным почтением ответил восьмилапый ученый.

— Быть самцом-производителем? — начал злиться Найл.

— Нет,— Шабр присел в ритуальном приветствии.— Жертвовать собой во имя общества.

— Она прекрасно себя чувствует,— как бы оправдываясь, сообщил Тройлек.— Ее служанки рядом с ней. Ей выделены две комнаты, постель. Ее хорошо кормят. Вот только пьет много. Нервничает, наверное.

— Чего пьет?

— Воду. Ее постоянно мучает жажда. Иногда — виноградный сок.

Пауки ждали. Правитель посмотрел на одного, на другого, потом хмуро спросил:

— Надеюсь, вы не собираетесь отправить меня к ней прямо сегодня?

— Нет, что вы, Посланник Богини,— не без сожаления отступил Тройлек.— Вам нужно отдохнуть. Только я очень прошу вас, давайте не будем откладывать процедуру отправления пленных под землю.

— Я не хочу отправлять их к Демону Света,— покачал головой Найл.— Магиня сама обещала обеспечить его преступниками, вот пусть и занимается.

— Тогда я прикажу их сегодня же утопить.

— Почему? — возмутился правитель.— Что ты на них так взъелся?

— Так они уже все запасы еды слопали!

Вот про это Найл как-то не подумал. На протяжении нескольких дней наблюдая, как возятся возле пленных дети, как заботятся о них жены и матери, правитель понял, что не сможет навсегда лишить обитателей селения столь близких им людей. Отпустить столь большой отряд на все четыре стороны он, естественно, не мог, но и спускать их в метро тоже не хотел. Решил для начала просто отправить глубоко в тыл, в самый город. Мысль о том, что прокормить триста здоровых мужиков не так-то просто, Посланнику в голову не пришла.

— Ты ведь не хочешь вводить налоги, Посланник,— учуяв неладное, начал оправдываться Тройлек.— Часть продуктов во дворец приносят с рынка, для проверки качества, еще кое-что собирает с дальних ферм твоя мудрая и красивая Сидония. Этого хватит для вас, Посланник, ваших воинов и моих слуг. Хватит, чтобы принять гостей. Но только не так много, и не так долго! Решай, мой господин, или через два дня нам нечего будет есть!

— Хороший выбор,— хмыкнул Найл.— Утопить или отправить под землю. А если я не хочу своими собственными руками лишать свою страну трехсот здоровых мужчин? И так людей не хватает! Что тогда?

— Пусть соль добывают,— моментально нашелся Тройлек.— Соль на севере ценится дороже золота, ее там почти нет. Ведь нам нужно чем-то платить за детей?

— Для такого количества людей на солеварне не хватит воды,— охладил азарт Тройлека Шабр.— Там пустыня. Один колодец на два маленьких оазиса.

— Зато не сбегут,— задумчиво почесал нос правитель.— А воду я найду. Нет в пустыне такого места, где нельзя добыть хоть немного воды. Завтра предупреди Соленого, что флот выйдет в море, пусть готовятся. После обеда погрузишь пленных, и отправимся в путь. Придется спасать тебя от голодной смерти.

* * *

На завтрак Найлу подали нежное мясо мокрицы, запеченное в пахучем травяном соусе. После введения «налога на объедки» мокрицы, долгоносики, уховертки быстро вытеснили на столах горожан обычную раньше крольчатину — раз уж в пользу Демона Света приходилось еженедельно сдавать обглоданные хитиновые панцири, то какой смысл тратить деньги на никому ненужные кости? Их ведь управителю не всучишь.

В качестве десерта кулинары Тройлека приготовили растертые в сметане фрукты, чуть кисловатый горячий напиток, заваренный на лепестках цветков шиповника и белое вино. Уж чего-чего, а вкусно поесть северяне явно любили, и едва ли не каждое блюдо, подаваемое во дворце, оказывалось для правителя приятной неожиданностью. Если учесть, что во время жизни в пустыне на протяжении четырнадцати лет он пробовал только два блюда — сырые плоды опунции и жаренное над костром мясо — то можно представить, насколько возрастала благожелательность Посланника к обосновавшемуся в его доме смертоносцу после каждого обеда.

От вина Найл воздержался — в жару от него только пить сильнее хочется, сложил согласно этикету девятнадцатого века нож и вилку крест-накрест в тарелке и хлопнул в ладоши.

— Спасибо, можно убирать.

Поджидавшие за дверью слуги проскользнули в его покои, споро освободили и вытерли стол. Белокурая горничная подала чашу для полоскания рук, полотенце. Минута — вышколенные Тройлеком двуногие исчезли, оставив на прибранном столе чашу со свежими фруктами и кувшин уже красного вина. На этот раз они старались напрасно: правитель не собирался засиживаться во дворце. Он хотел лично проследить за тем, какие камни грузятся на корабли, какие шкуры выделил для солеварни управитель, кто из смертоносцев отправляется для охраны пленников.

Надевать доспехи Найл не стал. Ограничился перевязью с мечом, на тот случай если в песках встретится какой-нибудь ошалевший от голода паук-верблюд или самоуверенный в своей извечной безнаказанности скорпион. Еще он хотел бы прихватить флягу с водой — но подобного предмета в покоях нового Смертоносца-Повелителя не нашлось.

— Эй, кто-нибудь! — выглянул правитель в коридор.— Принесите мне флягу и чистой воды!

В полумраке мелко застучали паучьи коготки — детишки Тройлека резвятся.

— Эй, слышит меня кто-нибудь?

— Простите, Посланник, это я приказал слугам удалиться,— проявился в нескольких шагах силуэт восьмилапого управителя города.— Княжна закончила трапезу. От вашего имени я потребовал у ее служанок раздеть госпожу и уйти в свою комнату.

— Тройлек, я просил всего лишь флягу с водой.

— Разумеется, Посланник. Фляга будет наполнена холодным отваром шиповника и оставлена в ваших покоях. А сейчас, я думаю, служанки уже приготовили княжну Ямиссу к вашему визиту. Вы можете пойти и воспользоваться своим правом победителя.

— Сейчас?

— Да, Посланник. Все готово.

— Ладно.— Найл снял перевязь с мечом и кинул в кресло.— Показывай дорогу.

Вопреки уверениям паука, служанки не обнажили княжну. Девушка стояла рядом с разобранной постелью в короткой тунике из белой, тонкой, но непрозрачной ткани. Внизу она едва доходила до середины бедра, поверху заканчивалась чуть выше груди. Края туники украшали узкие ленты кружев, а держалась она на плечах благодаря двум тончайшим тесемочкам, перекинутым через плечи. Ненамного толще тесемочек казались закинутые за спину руки, а ножки были диаметром с большой палец руки Нефтис или Юлук. Не ломались эти ножки-тростинки, наверное, только потому, что поддерживали не менее тщедушное тельце: талия Ямиссы легко определялась потому, как выпирающие кости таза едва не прокалывали тунику своими острыми краями. Там, где у всех женщин возвышается грудь, у княжны тоже что-то оттопыривалось, но не очень понятно что. Даже у не самого сильного из мужчин грудь выглядит куда более рельефна.

Надо сказать, в мыслях Ямиссы восторга тоже не слышалось. Дочь князя Граничного знала, что дамы ее звания редко выходят замуж по любви. Знала и то, что военное счастье изменчиво, а она является желанной добычей. Знала и про «право победителя». Иногда в девичьих мечтах даже проскальзывали образы того, как может случиться для нее расставание с обручем девственности. Как случайно оказывается она в плену и красивый молодой барон привозит ее в свой замок, как подхватывает сильными руками и несет в спальню, кладет на постель и одним движением срывает одежды. Как начинает целовать ее плечи, шею, ее губы, ласкает грудь. Как она, связанная законом и не имеющая право сопротивляться покорно раздвигает колени и отдает себя во власть могучей страсти...

Но уж никак не могла она предположить, что первым ее мужчиной станет вонючий, лохматый и потасканный пустынный дикарь. Право победителя бывает невероятно жестоко к побежденным, и не желает признавать справедливость.

Княжна закинула руки за спину и гордо вскинула подбородок. Карие глаза смотрели куда-то над головой правителя, словно не замечая вошедшего в покои господина.

Найл еще раз окинул девушку взглядом с ног до головы. Интересно, с какой стати он должен изображать самца-производителя и дефлорировать эту плохо оструганную доску, вопреки своим желаниям, доставляя ей удовольствие и получая в ответ волну презрения и оскорбления? В то самое время, когда можно подняться на палубу флагманского корабля и просто сообщить Назии, что в последнее время он постоянно мерзнет. Неужели мир рухнет только потому, что самодовольная северянка, которую любой смертоносец сожрал бы на месте, даже не пытаясь откормить, будет испытывать мужские ласки в своем извращенном воображении, а не наяву?

Посланник хмыкнул, развернулся и вышел прочь.

— Уже? — удивился поджидавший в коридоре Тройлек.

— Нет у меня времени ерундой заниматься,— отмахнулся Найл.— Никуда она не денется. Сейчас важнее правильно снарядить корабли.

— А что с кораблями? — забеспокоился паук.

— Камни. Я хочу увидеть камни до того, как их поднимут на борт.

К счастью, погрузить приготовленные валуны в трюмы кораблей еще не успели. Большинство из них составляли крупные, в обхват, камни, приготовленные в качестве балластных на старой верфи. Теперь, естественно, там никто не работал, а строители в городе, где жилья имелось куда больше, чем людей, камнями не интересовались. Однако среди гранитных и кварцитных нагромождений нет-нет, да и попадались обломки стен и фундаментов, принесенных из ближайших развалит.

— Что это? — Найл присел у одной из куч и похлопал ладонью по штукатурке, до сих пор прочно вцепившейся в кусок кирпичной кладки.

— Они будут наказаны, Посланник,— немедленно пообещал Тройлек.

— За что? — поинтересовался Найл.

— За то, что вызвали ваш гнев, мой господин.

— Логично,— усмехнулся Найл.— А ну-ка, давай сюда тех, кто собирал этот груз.

Тройлек отбежал, и спустя несколько минут двое смертоносцев подвели к Посланнику шерифа Поруза.

— Приветствую вас, правитель,— пленник с явным трудом, ломая самолюбие, поклонился.

— Что это, Поруз? — Найл провел ладонью по штукатурке и показал выпачканную пылью ладонь.

— Грязь,— пожал плечами бывший шериф.

— А если этот булыжник намочить?

— Грязи станет еще больше,— невозмутимо ответил пленник и уточнил: — нам приказали собрать как можно больше камней примерно такого размера.

— Из них будут сделаны колодцы, Поруз. Причем именно для вас. Как вам понравится пить воду пополам вот с этим? — Найл похлопал ладонями. Вокруг тут же повисло белое облачко.

— Нам просто приказали собрать как можно больше камней,— уже извиняющимся тоном повторил бывший шериф.

— Когда будете грузить, весь строительный мусор оставьте здесь,— коротко распорядился Найл.

— Слушаюсь, правитель,— опять с трудом, словно пытаясь согнуть вросший в спину стальной лом, поклонился Поруз и направился к остальным пленникам.

Найл повернулся к причалу и с удовольствием увидел, что навстречу торопится заметившая Посланника Назия.

— Рада видеть вас, мой господин.

Надсмотрщица четко, в соответствии с этикетом обратилась к правителю, но зато забыла поклониться.

— А где Соленый?

— Охотиться убежал.

— А он вернуться успеет?

— Вряд ли,— честно признала морячка, всем своим сознанием излучая готовность в одиночку вести флот куда угодно.

— Без пауков корабли глухи,— напомнил Найл.

— Но ведь вы собираетесь идти с нами, мой господин,— улыбнулась морячка.— Пока вы с нами, нам не нужны ни уши, ни одежда.

— Тогда запасись хотя бы едой,— усмехнулся в ответ правитель.— Мы должны пробыть в море около пяти дней.

Назия пошевелила губами, что-то подсчитывая в уме, потом кивнула в сторону Тройлека:

— Господин управитель мало овощей дает. Рыбу мы сами поймаем, но яблоки, морковь, апельсины на воде не растут.

— Нету у меня больше,— немедленно подбежал смертоносец.— Все кладовки пустые! Столько пленных почти две недели кормил!

— Если он не выдаст тебе все необходимое,— пообещал Найл, глядя в темные глаза паука.— Я разрешу тебе звать его не «господин управитель», а «раскоряка серая».

У Назии губы растянулись в широченную восторженную улыбку. Тройлек от подобной угрозы на миг остолбенел — разум пауков иногда от неожиданности пробивает нечто похожее на паралич. Однако, спустя пару минут он пришел в себя и жалобно взмолился:

— Тогда всему дворцу несколько дней придется есть только копченое мясо!

— Ничего,— кивнул правитель,— копченое мясо, это очень вкусно.

— Но не в таком ведь количестве! У слуг изжога начнется, они от работы отлынивать начнут.

— Хорошо,— смилостивилась Назия,— Я поменяю на ваше мясо свежую рыбу. Будете есть то и другое по очереди. Сейчас, пришлю моряков.

Она спокойным, широким шагом направилась к кораблю — высокая, широкоплечая. Густые рыжие кудри отливали на солнце темной бронзой.

— Интересно, она тоже «лохматая»? — внезапно поинтересовался Найл.

— Не совсем,— дипломатично ответил паук.— Просто она не следит за своими волосами. Не расчесывает, не укладывает, не стрижет, не собирает в прическу.

— Да,— Найл вспомнил, что и сам никогда не занимался ничем подобным.— Скажи, Тройлек, а что по-твоему означает: «вонючий, лохматый и потасканный пустынный дикарь»?

Правитель не произносил этой дурацкой фразы, а просто воссоздал обидный мысленный образ.

— Служанка будет наказана,— лаконично ответил смертоносец.

— Опять «наказана»,— покачал головой правитель.— Интересно, за что?

— Стирая вашу тунику, она использовала мыло, вываренное из опарышей и плохо ее прополоскала. Однако согласитесь, Посланник, она никак не могла предположить, что подобную одежду будет носить властитель ее страны.

— Так,— погладил подбородок Найл.— А чем тебе не нравится моя одежда?

— Мне она нравится! — Смертоносец аж присел в почтительном приветствии.— Я вообще не знаю, зачем нужна одежда и ограничиваюсь только предохранительной пластиной от ос. Но среди двуногих так много предрассудков! Многие считают, будто одежда нужна не только для сохранения тепла или защиты от солнца, но и для украшения. Что ее желательно менять не тогда, когда она рассыпается на нитки, а просто время от времени.

Тройлек выжидательно замолчал.

— Продолжай, продолжай,— кивнул правитель.

— Ваша туника ничем не отличается от одежды слуг или моряков. На складках она протерлась до дыр и не поддается ремонту изза ветхости. Не знающий вас бродяга, мой господин, может принять вас за раба какогонибудь нищего обывателя, донашивающего одежду своего хозяина.

— Но она мне нравится, Тройлек! Мне в этой тунике привычно, легко и свободно. Я прошел в ней тысячи миль!

— Это очень хорошо заметно,— аккуратно подбирая слова, согласился смертоносец.

— Угу,— согласие Тройлека подействовало на правителя куда более отрезвляюще, нежели возможные возражения.— Так. «Вонючий» — понятно. «Поношенный» — ясно. Остался «лохматый»...

— Когда вы последний раз расчесывали свои прекрасные волосы, мой господин?

— Спасибо, можешь не продолжать,— остановил смертоносца правитель.

Последний раз он причесывался неделю назад, после купания в озере. Пятерней.

— Господин управитель, мы можем идти.

Морячка привела с собой два десятка моряков, за спинами которых висели большие плетеные корзин. Тройлек, увидев эти вместительные сосуды, сразу загрустил.

— Назия,— повернулся к ней правитель,— тебе нравится моя туника?

— Очень,— нахально улыбнулась морячка.— На свежем ветре вам будет в ней весьма прохладно.

Однако первую мысль надсмотрщицы Найл все-таки уловил: будь он ее моряком, получил бы новую одежду еще пару месяцев назад.

Как ни льстило Назии внимание Посланника Богини, но заботы о кораблях занимали ее куда сильнее. По прибытии во дворец она вместе с главным слугой Тройлека, получившем необходимые распоряжения, сразу устремилась в подвал получать припасы и сдавать рыбу. Проводив ее взглядом, Найл повернулся к пауку и спросил:

— А как по-твоему должен выглядеть Смертоносец-Повелитель в облике человека?

— Встречая подданных и гостей как Смертоносец-Повелитель, вы должны быть в личных, непохожих на чужие, доспехах, с поножами, в шлеме. С крепким мечом на случай неожиданностей, но с парадным, не боевым. Все атрибуты обязательно с личным гербом, символом власти и силы,— четко и конкретно ответил смертоносец на конкретный вопрос.

— Да,— неожиданно вспомнил правитель.— Трофейные доспехи моим девчатам груди натирают. Нужно попросить Демона Света изготовить точно такие же, но с выемками впереди.

— Керамические панцири будут не такие прочные, как стальные,— предупредил паук.

— Тебе, Тройлек, груди никогда не натирало. А то бы ты не спорил.

— Я прикажу слугам передать ему ваше поручение, Посланник.

— Благодарю тебя, Тройлек,— кивнул Найл.— А теперь я готов рискнуть и довериться твоим суждениям, смертоносец. Переодень меня так, как, по-твоему, я должен выглядеть.

— А подстричь и помыться? — уточнил паук.

— До отплытия кораблей осталось еще часа три,— решительно махнул рукой правитель.— Посмотрим, во что превратишь меня за это время. Поступай, как считаешь нужным.

В первую очередь паук увел Найла мыться. Только на этот раз дело ограничилось не просто обливанием из кувшина или купанием в реке — две служанки, обнажив правителя, долго и тщательно оттирали его тело мягкими губками, время от времени взбивая на них белую пену с помощью двух зеленых, пахнущих персиками брусков. Отмыв, Посланника умаслили какой-то густой тягучей слизью янтарного цвета с убийственным мускусным запахом. Правда, не всего — служанки удостоили своими ласками только ступни, подмышки и пах. «Нефритовый стержень» отреагировал на их старания вполне естественным образом. Девушки, глядя на его могучий рост, весело перемигивались, но в слух шутить не рискнули... Затем за Посланника взялся суетливый низкорослый толстячок.

— Вы заколку носить желаете? — первым делом спросил он, расчесывая волосы частым гребнем.

— Зачем?

— Правильно, господин,— согласился толстяк.— Красота мужчины не в погремушках. Тем более, надевать шлем она мешает, царапается, иногда про нее забывают. Морока одна. Значит, коротко желаете?

— Это как? — не понял Найл.

— Не очень, естественно. Короткие волосы под шлемом колются, чешутся. Все сделаем в аккурат, как нужно.

Толстяк зашуршал широкими подпружиненными резаками. Впервые в жизни Посланника холодная сталь отделяла его волосы от головы.

После стрижки правителя еще раз умыли — теперь просто ополоснув теплой водой. В заключение быстро промакнули махровым полотенцем, после чего служанки поднесли новую тунику.

Это была не обычная в городе полоска материи с прорезью для головы, которую одевали на голое тело, после чего подпоясывались, прижимая ткань к телу. Изобретательные северяне придумали для своих властителей гораздо более хитрое и сложное одеяние: туника напоминала большой мешок с отверстиями для головы и рук.

Над плечами он оказался шире, и ткань загибалась на руки, предохраняя плечи от солнца. На вороте и по подолу шла бордовая зубчатая вышивка, поперек груди от плеча до плеча тянулись две черные полосы в два пальца шириной. Бордовая вышивка шла и по мягким ремешкам новых сандалий на деревянной подошве, но подбитых толстой кожей. На груди, животе и подоле туники имелись по два отделанных мягкой кожаной нашивкой мешочка.

— Это карманы,— объяснил Тройлек.— В те, что на животе прячут руки от холода или ветра, в те, которые на подоле, них кладут мелкие предметы, которые нужно иметь при себе, а в те, которые на груди не кладут ничего. Из них все вываливается, если наклониться. Теперь ремень.

Служанки опоясали Посланника широченным, в полторы ладони, ремнем, украшенным множеством стальных колечек. На круглой бронзовой пряжке красовался паук с человеческим лицом.

— Вам нужно выбрать себе эмблему, Посланник,— торопливо предложил Тройлек.— А этот ремень очень удобен. К кольцам можно подвесить флягу, нож, за них можно надежно закрепиться на смотровой вышке, на дереве, в седле, на корабле в штормовую погоду. Даже меч можно носить не на перевязи, а на этом ремне. Он сделан так, что его не перекашивает.

После всех незнакомых процедур Найл и вправду почувствовал себя совершенно иначе. Намасленные ступни и подмышки приятно холодило, словно их овевал свежий ветер, голова казалась непривычно легкой и, опять же, свежей и прохладной. Поджатое ремнем брюшко вытолкнуло наверх, отчего грудь ощущалась более широкой, а плечи расправились.

— Жалко, до ближайшего большого зеркала десять дней пути,— посетовал правитель. Ему впервые захотелось взглянуть на себя со стороны.

— А я? — удивился Тройлек и вошел с Посланником в прямой мысленный контакт.

Найл увидел невысокого, коротко стриженного плечистого паренька, в неброской, но опрятной и нарядной тунике. И хотя он понимал, что могучие широкие плечи — это всего лишь обман зрения, ловкость портного и удачной расцветки, однако впервые собственные руки показались ему не столь уж и щуплыми по сравнению с женскими, а узловатые мышцы ног отнюдь не уродливыми.

— Что скажете, мой господин? — обрадовался смертоносец произведенному впечатлению.

— Никогда не думал, что ремень и кусок ткани могут так изменить человека.

— Они не изменили вас, мой господин, они лишь подчеркнули ваши достоинства...

— И спрятали недостатки,— закончил на него Найл.

— Все недостатки, это лишь продолжение наших достоинств. Занудство — сестра аккуратности, жадность — хозяйственности, трусливость — осторожности, лживость — находчивости.

— Ну-ну. А какую сестру ты подберешь худобе и слабосилию?

— Опыт и выносливость. Вы провели детство в пустыне, Посланник, постоянно недоедая и сражаясь за свою жизнь. Разумеется, вы никак не могли стать таким же высоким и упитанным, как откормленные охранницы Смертоносца-Повелителя, разумеется, как у всякого человека, употребляющего слишком много растительной пищи, у вас заметно выпирающий живот. Но если спрятать ребра под одеждой, а животик подтянуть ремнем, сразу становится заметно, что руки не столь уж и слабы, а ноги способны сутками обходиться без отдыха. Если вы и Назия вместе отправитесь в дальний поход, она ведь свалится от усталости на несколько часов раньше вас, не так ли?

— Сколько времени? — услышав о морячке, спохватился Найл.— Я уже давно должен быть на корабле!

Флот действительно задерживался с отплытием, но отнюдь не по вине правителя — просто пленные не успели погрузить камни. Назия не рискнула уложить такой огромный вес в трюмы одного корабля, и приказала распределить его на десять частей. Суда подходили к причалу, медленно проседали под грузом, после чего отходили на стоянку в котловину, образовавшуюся на месте взрыва арсенала, уступая свое место другим. Естественно, на все эти перемещения уходило время.

В новом наряде правителя никто не узнал. Пленные, развалившись на пыльных досках, дремали на солнышке, моряки, взявшись за канаты, вяло подтягивали к причалу очередной корабль.

— Долго там еще? — найдя среди пленных шерифа Поруза, остановился рядом с ним Найл.

— А куда спешить? — приоткрыл глаза северянин. Несколько секунд он рассматривал пришельца. Потом резко пришло узнавание. Поруз вскочил, отступил на пару шагов, коротко поклонился.— Простите, правитель. Я имел ввиду, что моряки сейчас перебросят сходни, и мы продолжил работу. Еще раз простите, правитель, я вас не узнал.

— Почему? Разве я обязательно должен ходить поношенным и лохматым?

— Что вы, правитель. Вы выглядите, как истинный князь. Просто я думал, что в поход вы оденете доспехи,— попытался оправдаться шериф.

— Там, куда мы поплывем, сражаться будет не с кем,— покачал головой Найл.— Даже с вами, если вы вздумаете бунтовать. Я просто уйду, а вы умрете.

— Мы дали вам обещание стать вашими пленниками,— с гордостью напомнил шериф.— И никогда не нарушим данного слова!

— Это хорошо,— кивнул Найл.— Так для вас будет намного безопаснее. Где Назия?

— Ее корабль в конце причала, правитель,— указал шериф.— Он уже загружен.

Морячка стояла на кормовом помосте и хмуро наблюдала, как ее мужчины наматывают канаты на причальные бревна и волокут широкие сходни. По Найлу, подошедшему к самому борту, ее взгляд скользнул без малейшего интереса. Потом скользнул еще раз. Наконец она обратила внимание на бездельничающего в порту двуногого, чего-то выжидающего рядом с кораблем. Спустя минуту ее глаза округлились:

— Посланник Богини?!

— Что-нибудь не так, Назия?

— Что с вами? Вы как будто повзрослели, раздались. Заматерели, что ли...

— Почему ты тогда хмуришься?

— Совсем обленились, бездельники,— кивнула морячка в сторону причала.— Рявкнешь, работают. Отвлечешься — спят. И надсмотрщиц у меня не хватает, рядом с каждым поставить. Вы не желаете подняться на борт, мой господин?

Первый раз Назия увидела правителя несколько месяцев назад, в Провинции. Когда ей указали на щуплого мальчишку среди сильных и красивых женщин и слуг, и сказали, что это Посланник Богини, она даже не поверила. Однако вскоре ей довелось убедиться, что это действительно умный и отважный человек, а к невзрачной внешности она постепенно привыкла. Сейчас он снова стоял перед ней — новый, незнакомый. Вот только невзрачным теперь он никак не был.

— У меня есть мысль,— поднялся Найл на помост.— Давай отведем твое судно на рейд, а вместо него поставим под погрузку другое?

— А кто следить станет за этими лентяями? — кивнула морячка на причал.

— Ленивые, не ленивые, а по два корабля загружать у них получится быстрее, чем по одному.

— Наверное, вы правы, Посланник,— кивнула надсмотрщица и, не отрывая глаз от правителя, скомандовала: — Отдать швартовы! Команде по веслам!

Несколько моряков выскочили на причал, освободили канаты, быстро запрыгнули обратно на борт и принялись укладывать толстые веревки в бухты. Медленное в городе течение стало потихоньку отодвигать судно от белой, потертой деревянной стены.

— Ухлик! С шестом на нос! Отталкивайся, сильнее! — Назия продолжала командовать, глядя правителю прямо в зрачки.— Весла на воду! Вместе сильно — и р-раз! Рулевой, нос налево помалу, идем в гавань квартала рабов.

— С закрытыми глазами ты тоже можешь управлять? — поинтересовался Найл.

— Могу,— кивнула морячка,— но смотреть на вас приятнее. Рулевой, нос направо сильно! Правый борт — табань!

Опущенные весла вспенили воду, быстро разворачивая судно носом к течению.

— Отдать якорь!

— Нам еще пленных принять нужно, и смертоносцев для из охраны,— напомнил Найл. Как думаешь, сегодня успеем? Я рассчитывал завтра в солеварне быть.

— В сумерках уйдем,— ответила морячка.— До моря спустимся, а по нему можно и ночью плыть. Не желаете пока отдохнуть в каюте?

Они спустились в комнату под кормовым навесом. Здесь, как обычно, царил полумрак.

— Надеюсь, вам тут не холодно? — спросила морячка.

— Это еще почему? — возмутился Найл.— Конечно холодно!

Назия притворно вздохнула и шагнула к нему.

* * *

Флагманский корабль вошел носом точнехонько в канал солеварни и остановился, плотно зажатый между песчаными берегами.

— Серенький,— приказал Найл одному из смертоносцев, сидящих в проходе между лавками гребцов.— Пойди вперед и узнай, как обстоят дела на солеварне.

Паук сорвался с места, перемахнул на сушу и быстро помчался вдоль полоски воды. Звали его, естественно, не Серенький — смертоносцы вообще в большинстве не имеют имен, ограничиваясь мысленными образами. Это прозвище дал правитель, а паук откликнулся — все, что требовалось для установления контакта между человеком и восьмилапым.

— Что могло случиться в этой глуши? — удивилась Назия.— Тут даже скорпионы не водятся!

— Ничего не могло,— согласился Найл.— Но не стоит заставать хозяев врасплох. Пусть заранее узнают о нашем прибытии и подготовятся к встрече.

Серенький вернулся через несколько минут и прислал успокаивающий импульс.

— Высаживай пленных, Назия,— распорядился Посланник.— Пусть разгружают камни и дерево. А я пойду приветствовать здешнюю хозяйку.

Посланник Богини, оставив морячку распоряжаться выгрузкой, вместе со смертоносцами двинулся вперед. Канал тянулся в глубь пес-

ков почти на полкилометра, подальше от беспокойных морских волн. По обе стороны от него в изобилии рос шипастик — скорее всего, его сажали специально, чтобы закрепить ползучие пески. Впрочем, по опыту жизни в пустыне правитель знал — закрепляй дюны, не закрепляй, а при хорошем ветре все равно на новое место уйдут. Наверное, главной трудностью на солеварне было не собственно выпаривание соли — тут солнце само справится — а поддержание связывающей с морем протоки в рабочем состоянии.

Найл добрался до селения минут за десять, но когда он поднялся на последний перед солеварней бархан, внизу еще слышались крики, бегали люди, громко щелкали кнуты. Дождавшись, пока мужчин выстроили, Найл неторопливо спустился с песчаной горы и вошел в оазис. Опять защелкали кнуты, послышались гортанные выкрики. Мужчины замерли, не шевелясь, не дыша, и глядя прямо перед собой. Надсмотрщицы упали на колени и низко склонили головы.

Правитель подошел к первой из надсмотрщиц и достаточно громко, чтобы слышали все ее подчиненные, сказал:

— Встань, Райя. Я очень рад тебя видеть.

— Приветствую вас, Посланник Богини,— поднявшись, торжественно произнесла хозяйка солеварни.

Найл подошел к женщине и в нарушение этикета крепко ее обнял.

По рядам прошел довольный шепоток: внимание повелителя к главной надсмотрщице — благосклонность ко всем.

— Я очень рад тебя видеть, Райя,— добавил правитель.— Разреши своим слугам заниматься делами и пойдем к тебе в дом.

Хозяйка солеварни за последний месяц заметно располнела, а ее живот торжественно выдавался далеко вперед.

«Восьмой месяц,— прикинул Найл.— Скоро юный Вайг появится на свет».

— Как ты себя чувствуешь? — спросил он.— Не болеешь?

— Нет, мой господин,— внимание правителя заставило Райю покраснеть. Она подошла к сундуку в углу комнаты, открыла и достала коричневый пузатый кувшин.— Не желаете выпить воды?

— Спасибо, не нужно,— сейчас правителя интересовало совсем другое: — Малыш шевелится?

Найл опустился перед Райей на колени и погладил ее округлый живот.

— Мне иногда кажется, что он там наперегонки с кем-то бегает,— с улыбкой призналась женщина.

— Это хорошо,— кивнул правитель.— Значит, быстрым будет и здоровым. А ведь я тебе, Райя, помощников привез. Хочу, чтобы расширили твое хозяйство.

— Намного? — в голосе надсмотрщицы проскользнуло беспокойство.

— Пойдем, увидишь.

Пленные северяне разгружали корабли с грубоватой лихостью. Попросив моряков подогнать суда как можно ближе к берегу, они вываливали булыжники прямо в воду, потом прыгали следом и выкатывали их на берег. Работали весело, со смехом и прибаутками. Они уже знали, что сюда их привезли жить и трудиться, и вздохнули с облегчением — от дома не очень далеко. Как обоснуются на месте, найдут способ и весточку послать, и родных увидеть. А время пройдет — можно попытаться на волю выкупиться. Больше всего пленники боялись, что их продадут куда-нибудь в чужие места, увезут за тридевять земель. Оттуда уже наверняка домой не вернешься.

Увидев почти три сотни работающих мужчин, Райя испугалась:

— У меня на них воды не хватит!

— Будет вода,— пообещал правитель и громко позвал: — Эй, шерифа Поруза ко мне пришлите!

Шериф оказался совсем рядом. Вместе со своими товарищами он, по грудь в воде, выволакивал на берег гранитный шар почти правильной формы. Услышав призыв, северянин ополоснул лицо, выбрался на песок и неуклюже поклонился:

— Слушаю, правитель.

— Я решил, шериф,— сообщил Найл,— что если вы сможете хорошо работать, то продавать вас в чужие руки не будет иметь смысла. Знакомься, это Райя, главная надсмотрщица солеварни. На ближайшее время она — ваш властитель и верховный господин. Вы должны помочь ей с расширением хозяйства. Если вызовете доверие, то для дальнейших работ увезу вас обратно в город пауков. Нет — продам куда-нибудь на сторону. Все ясно?

— Да, правитель,— довольный шериф склонился в поклоне. Перебраться в город означало, что со своими близкими пленные смогут даже иногда переговариваться с помощью почтовых пауков.— Что требуется сделать?

— Пойдем.

Найл повел северянина и Райю вдоль поросшей шипастиком протоки. Канал кончился узкой перемычкой: старую, перекосившуюся деревянную задвижку с растрескавшимся воротом просто засыпали песком, чтобы свежая вода не проникла в изрядно обмелевший пруд.

— Видишь?

— Да,— тут же понял шериф.— Все отремонтируем.

— Не перебивай. В этот пруд попадает вода с моря. Когда он хорошенько обмелеет, воду спускают дальше, вон в те небольшие пруди-ки. Из них еще дальше, потом еще. Из последнего окончательный рассол вычерпывают и выпаривают на подносах.

— Вот, значит, как ее добывают...

— Да,— кивнул Найл.— Сейчас здесь только одна цепочка прудов. Я хочу, чтобы таких

5 Зак. 3231

цепочек стало четыре.— И, уже повернувшись к надсмотрщице, добавил.— Нам потребуется много соли, Райя. Очень много.

— А жить мы будем... — решил уточнить северянин.

— За кухней, между пальмами, можно поставить навесы,— решила Райя.— Там ветра нет, тень, место спокойное.

— Хорошо,— кивнул шериф.

— Теперь самое главное,— сказал правитель.— Мне немедленно нужны два десятка валунов, двенадцать шкур и несколько толковых работников, которые способны понимать, что они делают.

Для чужого человека пустыня всегда кажется местом неминуемой смерти. Жара, отсутствие укрытий, полное отсутствие воды. Ему, пожалуй, и в голову не придет, что почти все барханы испещрены следами живых существ, что для коренного жителя песков всегда найдется и прохладное укрытие, и немного еды, и несколько глотков воды.

Легче всего утолить жажду в оазисах. Если среди мертвенно-желтых песков вдруг встречаются несколько кактусов — под ними нужно вырыть ямку до появления влажного песка, потом вкопать в песок длинную трубку, нижний конец которой прикрыть какой-нибудь тряпочкой или листвой от попадания песка, засыпать вырытую яму, немного подождать, а потом приложиться к трубочке. Из нее всегда можно высосать с некоторыми интервалами по два-три глотка воды. Душ не принять, конечно, но и от жажды не умрешь.

Если под рукой есть полупрозрачный пузырь из выскобленного брюшка кузнечика — то в него можно вложить свежие веточки кустарника, зеленую траву, кусочки кактусов — и оставить на целый день на солнце. К вечеру на дне пузыря обычно набирается сразу несколько глотков пахнущей опунцией воды.

Однако имеется способ добыть живительную влагу и там, где нет ни оазисов, ни отдельных кустарников, ни даже неприхотливого шипастика. Если вы надолго задержались на одном месте и не боитесь выдавать местоположение своего жилища — ставьте каменный колодец.

— Ройте яму,— указал Найл на свободное место между пологими склонами барханов.— Глубиной в рост человека.

— Песок же осыпаться будет, правитель,— осторожно возразил шериф.

— Это хорошо,— кивнул Найл.— Нам как раз конусная яма нужна, с пологими стенками.

Трое пленников, переглянувшись, стали быстро разбрасывать песок деревянными лопатами, выделенными Райей из своих припасов. Дело продвигалось быстро, и примерно через час Найл их остановил:

— Достаточно. Давайте шкуры.

Шкуры Тройлек выделил самые простенькие, гусениц-листорезок. Ломкие, быстро изнашивающиеся, они мало на что годились, и охотники порою их вообще не снимали, запекая тушки на кострах целиком. Впрочем, для колодца годилась и такая кожа.

Нижнюю шкуру Найл уложил на дно ямы, четыре другие — чуть выше и внахлест, чтобы вода стекала вниз, а не просачивалась в песок.

— Валуны давайте!

Тремя валунами правитель придавил уложенные шкуры. Разместил он камни так, что упираясь друг в друга, они не скатывались в самую выемку, а нависали над ней. Найл поднялся чуть выше, опять уложил шкуры, прижимая камнями, потом еще один ряд, поднявшись до уровня земли.

— Что дальше? — спросил шериф.

— Наваливаем сверху каменную пирамиду,— объяснил правитель.— Только осторожно, чтобы нижний ряд со своего места не сдвинуть. Я валуны в одном месте так пристроил, что между камнями ровная щель до самого низа проходит.

Северяне принялись за работу. Найл, учитывая их неопытность, никуда не уходил, следя за аккуратностью укладки. Как раз к сумеркам все закончилось, Посланник отпустил пленников отдыхать, а сам отправился к Райе.

Разумеется, он понимал, что в ее состоянии ни о какой близости речи идти не могло — но все обитатели солеварни должны видеть, у кого проводит ночь правитель страны, кому он уделяет все свое внимание.

Хозяйка солеварни накрыла праздничный стол: самодельное пальмовое вино, финики, колотые орехи, соленая рыба. После деликатесов Тройлека все это казалось пресным и однообразным. Найл едва прикоснулся к угощениям, больше уделяя внимание вину, с его непривычным миндальным привкусом.

— Вам что-то не нравится, господин,— забеспокоилась хозяйка.— Вы совсем не едите.

— Все очень вкусно, вот только я очень устал. Может, пойдем спать?

— Простите, мой господин,— замялась Райя.— Вы не желаете пригласить кого-нибудь из надсмотрщиц?

— Э-э, нет, ты меня не обманешь,— Найл улыбнулся, покачал головой и взял ее за руки.— Мне нужна ты, и только ты. Я не променяю тебя ни на кого и никогда. Я приехал сюда, чтобы побыть с тобой. Все остальное неважно.

Что поделать, долг правителя нередко заставляет с улыбкой есть то, что тебе не нравится, спать с теми, кто неприятен, а иногда — проявлять целомудрие. Хозяйка солеварни сделала для него слишком много, чтобы вот так, ради минутной прихоти растоптать ее достоинство, променяв на кого-то из младших надсмотрщиц или уйдя ночевать на корабли, к Назии. Нет, он проведет ночь в постели хозяйки солеварни, позавтракает с ней за одним столом и выйдет утром из дверей дома рука об руку с ней, потому что она должна чувствовать его любовь и благодарность, потому, что все должны видеть его любовь и уважение к Райе, а еще потому — что ему приятно находиться рядом с ней.

* * *

Утром вокруг каменного колодца уже крутилось несколько любопытных северян и надсмотрщицы с солеварни.

— Рано еще,— охладил их нетерпение правитель.— Где-то после полудня вода будет.

— Откуда ж она возьмется? — недоверчиво буркнул высокий и широкоплечий пленный.

— Иди сюда,— Найл присел около кучи из валунов.— Просунь руку подальше, между камнями. Что чувствуешь?

— Мокрые? — удивленно ответил северянин.

— Вот именно. Верхние камни этой груды нагреваются на солнце, а нижние остаются холодными. Когда сквозь них проходит теплый ветер, на них оседает роса. Вот она и стекает вниз. Не сразу, медленно, капелька по капельке. Но накапливается. После полудня можно будет привязать к длинному пруту миску и зачерпнуть.

— Неудобно так будет... Черпать-то.

— Иногда каменные колодцы делают иначе: или щель вырывают, чтобы вода по ней наружу вытекала, или сам колодец поднимают на высокий постамент и трубочку в нем вытачивают, чтобы вода, опять же, наружу вытекала. Только делать такие колодцы куда труднее. Да и зачем? Вы что, собираетесь жить здесь вечно?

— Мы? — растерялся великан.

— А если нет, тогда отправляйся к шерифу Порузу и спроси, почему его люди болтаются по солеварне без дела. Понятно?

— Извините, правитель,— северянин понял, что попался на проступке, и торопливо скрылся с глаз Посланника.

Выбрав в зарослях акации возле пальм длинный прут, Найл взял на кухне одну из плошек. Прут он расщепил со стороны комля, всунул в трещину край плошки, вогнал на всю длину стенки, после чего туго замотал комель пальмовым волокном. Трещина сошлась, намертво зажав плошку.

Шерифа он нашел на берегу. Бывший военачальник вместе с пленниками катил крупный валун вдоль канала.

— Пойдем со мной,— тронул Найл его за плечо.

Приведя северянина к каменному колодцу, Найл присел, просунул прут с плошкой между камней на всю длину, осторожно вытянул назад. В чаше плескалась чистая прозрачная вода. Посланник с нежностью, не пролив ни капли, напился. Укоризненно покачал головой:

— Кожей отдает. Не промылся еще.

Найл извлек еще порцию воды, протянул шерифу.

— Сказка,— облизнулся северянин.— Надо же, вода из камня!

— Поставите десяток таких колодцев, и проблем с водой у вас не будет,— подвел итог Посланник.— Море рядом. Вы все у озера жили, так что еды себе добудете. Что делать, ты знаешь. Если хозяйка солеварни что потребует — выполнять неукоснительно. Вот и посмотрим, насколько честно вы готовы держать свое слово. Я оставил сотню смертоносцев для охраны, но вы помните не о них. Помните о том, что единственный выход отсюда только по морю, на моих кораблях. Захотите сбежать — сгинете. Попытаетесь устроить бунт — сгинете. Покажете себя честными тружениками — переберетесь ближе к дому. Все понятно?

— Да, правитель,— кивнул шериф.

Райя стояла возле кухонной печи, следя как двое мужчин варят похлебку. Найл привычно коснулся ее мыслей и понял, что надсмотрщица желает угостить его на обед неким изысканным по местным понятиям блюдом.

— Извини, Райя, мне пора,— Найл крепко ее обнял.— Не хочу с тобой расставаться, но нужно. Зато я скоро приеду еще раз.— Правитель сжал объятия крепче: — Береги себя, ты у меня одна.

Он резко развернулся и ушел на берег.

* * *

На причале помимо суетливого Тройлека и его вооруженных дубинками слуг Посланника опять встречало пятеро жуков-бомбардиров. Шестилапые явно хотели чего-то добиться, что-то получить. Найл попытался прощупать сознание Саарлеба, но его молодые спутники старательно блокировали разум своего Хозяина от посторонних вмешательств.

— Мы рады видеть тебя, Посланник Богини,— торжественно объявил жук.— Мы рады твоему возвращению. Двое моих жуков готовы проводить тебя до дворца, дабы оградить от возможных опасностей.

— Неужели в моем городе стало так опасно? — не удержался Найл от мелкого укола.

— В городе все спокойно, Посланник Богини.

Однако Найл сказал не просто «город», он сказал «мой город». И Хозяин этого утверждения оспаривать не стал. Значит опять жукам-бомбардирам что-то нужно до такой степени, что они готовы терпеть унижения и не замечать оскорбления. Вот только молчат почему-то. Не признаются.

— Хорошо, пусть провожают,— кивнул правитель Хозяину.— А сам ты не желаешь навестить мой дворец?

— С огромным удовольствием воспользуюсь твоим приглашением, Посланник Богини,— немедленно откликнулся шестилапый.— Сегодня же, перед заходом солнца.

«Кажется, сам напросился»,— подумал Найл и у него возникло явственное чувство, что день будет долгим и тяжелым.

— Князь заключил перемирие с баронами,— выпалил Тройлек, едва правитель переступил порог дворца.

— И что это значит? — не оценил Найл горячности паука.

— Это из-за дочери. Теперь он наверняка кинется сюда.

— Ты хочешь сказать, что он собирается напасть на Приозерье?

— В том-то и дело, что нет! Не может! Его армия осталась стоять перед отрядами баронов. Иначе они плюнут на любое перемирие и растопчут все княжества,— смертоносец немного отстал, пропустив правителя первым по коридору, но речь его продолжала вспыхивать в сознании яркими образами.— Он хочет выручить свою дочь и наверняка подпишет любой мирный договор! Нам нужно поторопиться.

— С чем?

— Как это с чем?! — прямо-таки возмутился паук.— Но ведь его дочь все еще девственница! Нам будет трудно договориться о брачном союзе, если она не опозорена.

— Ты хочешь, чтобы я дефлорировал ее прямо сейчас?! — устав от напора восьмилапого, рявкнул Найл.

— Нет, что вы, мой господин,— тут же отступил перед гневом правителя Тройлек.— Сперва вам нужно умыться, пообедать, отдохнуть после дороги. Я немедленно распоряжусь.

Паук переместился на потолок и быстро растворился в полумраке.

Что всегда радовало Найла в своих покоях, так это ваза с фруктами и кувшин с терпким темно-красным вином. Правитель взял кисть винограда, быстро объел, снимая ягоды губами. Налил себе бокал, осушил, налил еще. Раздражение отступило. Посланник выбрал себе большую сочную грушу, откинулся в кресле перед окном и с удовольствием запустил в нее свои зубы. Пожалуй, груша — это было то самое, чего сейчас не хватало для полного успокоения.

В дверь постучали.

— Кто там? Входите!

— Вы не желаете омыться после путешествия, господин?

Две молодые служанки принесли не только таз и кувшин, но и мягкие губки, ароматные бруски, флакончик с тягучей жидкостью для умасливания. Похоже, правителя ожидала процедура умывания по-княжески.

Найл встал, лихорадочно объедая остатки груши, кинул огрызок на тарелку к вазе.

— Вы позволите, господин... Разрешите...

Служанки быстро и умело отстегнули с пояса флягу, меч, сняли ремень, без колебаний стянули с правителя тунику, сняли сандалии. Сперва Найла просто ополоснули водой, потом начали растирать пеной с ароматных брусков. Голову, плечи, руки, грудь, спину, живот. «Нефритовый стержень», ожидая встречи с ласковыми женскими ладошками, встрепенулся, напрягся, торопливо подрос. Служанки, переглядываясь, тихонько захихикали. Теперь они мыли правителю бедра и ягодицы, беспрестанно задевая его член то руками, то локтями, то щекой. Твердый от возбуждения пенис реагировал на это со вполне понятной нервозностью, посылая сознанию требовательные импульсы, а служанки все никак не могли удовлетвориться чистотой именно паха и мошонки. Найл как-то сразу и не понял, что все это они делают специально:

— Ой! — одна из девушек уронила на пол губку, повернулась к правителю спиной и низко наклонилась. Подол туники уполз вверх, обнажив голую упругую попочку. Попочка качнулась назад, коснувшись промежностью члена.

— Ну-у! — едва не взвыл «нефритовый стержень» человеческим голосом.

Найл не выдержал, схватил служанку за бедра и рванул к себе, буквально надевая на готовый взорваться пенис.

Там, куда попал «нефритовый стержень», его явно ждали. Здесь было влажно и горячо. Девушка задвигала бедрами, поворачиваясь направо и налево, «разыскивая губку», послушно рукам господина двигалась назад и вперед. Вторая «умывальщица» в это время тихонько играла с мошонкой.

Найл слишком долго ждал и терпел, и теперь, когда настала близость, взорвался слишком быстро. Девушка заметно напряглась, принимая в себя семя господина, потом присела, повернулась и со словами:

— Мой малыш,— старательно омыла член губкой. Все выглядело так, словно половой акт являлся естественным элементом очищения тела.

Посланника полили чистой водой, смывая пену, вытерли, а затем, прихватив флакончик с жидкостью для умасливания, отвели в спальню и уложили поверх постели.

Умасливали его в той же последовательности, что и в прошлый раз: сперва служанки натерли тело под мышками, потом старательно размяли ступни, обращаясь с ними, как с мягкой податливой глиной и, наконец, начали обрабатывать пах. Внутреннюю поверхность бедер, мошонку, пенис.

«Нефритовый стержень» никак не мог не заметить такого внимания и немедленно устремился ввысь. Ласковые женские руки продолжали гладить его, ласкать, обхаживать. Когда Найл совсем было собирался сказать, что полностью удовлетворен процедурой, девушки быстро переглянулись, одна из них поднялась на колени и оседлала правителя.

«Не нужно»,— хотел отослать служанок правитель, но из груди его почему-то вырвался только стон наслаждения.

Девушка неторопливо двигала бедрами, уложив руки Посланнику на живот. Вторая оказалась у нее за спиной, обняла, стала целовать шею, плечи, тискать руками грудь. Потом скользнула вниз, к молодому человеку, крепко стиснула его ладони и принялась целовать соски.

Для Найла это оказалась самым неприятным — во время близости с любой из женщин он привык не просто отправлять естественную физиологическую потребность, а пропитываться ее эмоциями, устанавливать мысленный и энергетический контакт. Тела сливались под прикрытием единой ауры, обменивались не только жизненными соками, но и энергией, чувствами. Однако подобный интимный контакт не предусматривал чужого присутствия.

Стоило второй служанке начать свои ласки, привлечь к себе внимание, как Найл сбился, потерял ощущение близости с первой девушкой. Правитель попытался войти в эмоциональный контакт со второй партнершей, добиться с ней в единого эмоционального целого — но первая служанка тоже желала оттянуть на себя энергетику господина. Посланник бессмысленно терял и устанавливал связи, растрачивал энергию, истощил эмоции — но не получил взамен ничего, кроме усталости. Разумеется, на спаде чувственности момент разрядки не наступал бесконечно долго — но девушки, казалось, только радовались этому, продолжая свои любовные игры.

Наконец «нефритовый стержень» произвел завершающий толчок, и Найл с облегчением расслабился.

— В следующий раз я буду второй,— почувствовал Посланник то ли мысль, то ли фразу. Он отнюдь не собирался повторно допускать подобного бардака, но сейчас не имел сил даже для спора.

Служанки на несколько минут забыли про господина, тихо собирая свои инструменты, однако вскоре опять подступили к Посланнику, начав делать ему массаж. Найл с раздражением осознал, что так просто от него не отстанут, собрал свою волю в кулак и рывком встал. На него немедленно надели тунику, подпоясали, обули. Закончив свою работу, девушки с поклоном удалились за дверь. И почти сразу раздался стук:

— Разрешите поправить вашу прическу, господин?

Великая Богиня смилостивилась над своим Посланником — цирюльником во дворце был мужчина. Найл откинулся в кресле, закрыл глаза и предоставил толстяку заниматься волосами, с облегчением отдыхая от женских ласк.

Затем правителю подали обед. Впервые в жизни Найл обнаружил, что рыба бывает не только обжаренной над пламенем костра или соленой, но и такой — белые, исходящие нежным паром кусочки, спрятанные под румяной хрустящей корочкой. Увы, спокойно насладиться незнакомым лакомством Посланнику не довелось: в проеме окна появились суставчатые лапы, покрытые мелким ворсом, голова с овалом темных глаз. Последовала короткая заминка — паук раздумывал, стоит ли присутствовать при отвратительном зрелище человеческого обеда?

— Рад видеть тебя, Шабр,— вздохнул Найл и отодвинулся от стола.

— Рад видеть тебя, Посланник,— ученый смертоносец перебежал в комнату.

— Рад видеть тебя, Посланник Богини,— появился следом за Шабром куда более крупный молодой паук с еще темным хитиновым панцирем.

Паук поздоровался не размеренной фразой, предназначенной для человеческого сознания, а молниеносным мысленным импульсом, принятым среди смертоносцев. Правитель кивнул, ответив чисто эмоциональным излучением доброжелательства.

— Советник Борк просит тебя о встрече,— так же молниеносно проинформировал паук.

Найл вынужденно ответил согласием. Несмотря на весь свой ментальный опыт, он так и не научился вести полноценного разговора с необученными общению с людьми восьмилапыми. Их мысли все время оказывались слишком плотными и стремительными. Он еще мог понять смысл простого импульса вроде приветствия или просьбы о встрече, но вести более подробный разговор, узнавать о причинах, о произошедших событиях даже не пытался.

— Посланец прибежал из Провинции,— уточнил Шабр.— Там возникли некие сложности в жизни людей, и советник Борк хотел бы обратиться к тебе за помощью, Посланник.

— Хорошо,— подтвердил свое согласие Найл.— Я встречусь с ним.

Молодой паук, не имеющий собственного имени, счел свою миссию исполненной, развернулся и убежал.

— Надеюсь, Посланник,— предположил Шабр,— что в первую очередь ты все-таки отправишься в Дельту.

Найла словно окатили холодной водой. Путешествие во владения Великой Богини, где чуть больше полугода назад нашли свою кончину тысячи горожан, отнюдь не входило в его наметки на ближайшие недели.

— Входило,— не согласился Шабр.— Разве ты забыл о плане возрождения народа, разработанном в Серых горах? Наши девушки находятся на четвертом месяце беременности. Если не поторопиться, то первичная бодрость начнет снижаться, они ослабеют и могут не выдержать перехода через пустыню.

Да, это был план, предложенный самим Посланником. Излучение Великой Богини, позволившее насекомым достичь нынешних размеров, практически не воспринималось млекопитающими. Однако вблизи от растения энергетическая насыщенность нарастала до такой степени, что развитие любых существ ускорялось в десятки, если не сотни раз. Это почти не сказывалось на взрослых, сформировавшихся организмах, но дети, зародыши и яйца росли буквально на глазах. Достаточно вспомнить о том, что всем двуногим и примерно полусотне восьмилапых не исполнилось еще и года. Пятнадцать девушек, отправившихся в гости к Великой Богине сейчас, вернутся через месяц даже не с младенцами на руках — они приведут за руку вполне развитых подростков.

«Без людей мир мертв»,— подумал Найл. При той острой нехватке соратников, которую испытывал правитель, он просто не мог не воспользоваться уникальной возможностью.

— Ты прав,— кивнул Найл.— Визит к Богине важнее всего.

— Ну, и когда ты готов отправиться, Посланник?

— Завтра,— вздохнул Найл.— Последнее время мне все время не хватает посланных природой дней. Отдыхать некогда.

— Не буду больше мешать,— отступил к окну восьмилапый ученый.— Прошу простить, что отвлек тебя от обеда.

Найл дружески кивнул смертоносцу и вернулся к столу. Ему действительно стало не хватать времени. Вспомнить только первую половину сегодняшнего дня: встреча с Саарлебом, посланец от советника Борка, надвигающиеся мирные переговоры с князем Граничным, поход в Дельту. Что еще может случиться за считанные часы?

— Княжна Ямисса заканчивает свою трапезу, правитель,— появился в проеме незакрытых дверей Тройлек.

Ну да, разумеется. Еще есть священный долг по лишению северянки девственности.

— Ее что, уже раздели? — правитель допил вино и поставил бокал на стол.

— Разоблачают, Посланник.

На этот раз пленница стояла не рядом с постелью, а перед окном. Яркие лучи без труда пробивали тонкую ткань ее коротенькой туники и предельно четко вырисовывали все очертания прикрытого от чужих глаз тела. Надо сказать, тощая фигура пленницы привлекательней от этого не стала.

— Ого,— вырвалось у княжны при виде правителя,— прямо барон Темных холмов.

Найл с удовлетворением отметил, что постоянные разговоры с шерифом, некоторыми из его воинов, со слугами Тройлека не прошли даром, и сейчас он четко понимал смысл фраз княжны Ямиссы. Он смог даже ощутить, что «барон Темных холмов» — это не реальный человек, а герой некой любовной истории.

Из контакта с сознанием северянки Посланник осознал и еще кое-какие ее намерения. Хотя метаморфоза, за несколько дней превратившая потасканного дикаря в достойного дворянина и поразила пленницу, она пребывала в твердом намерении исцарапать ему все лицо: пусть знает, каково иметь дело с дочерью князя Граничного, Санского и Тошского, человека, повелителя Серебряного Озера, Северного Хайбада, Чистых Земель и Южных Песков.

Найл хмыкнул, покачал головой, развернулся и вышел, громко хлопнув дверью. Мало того, что стараниями служанок он не имел ни малейшего желания вступать в интимный чувственный и телесный контакт, так еще потом и Саарлеба с расцарапанным лицом встречать? Хорошенькое развлечение! Вокруг огромное количество действительно красивых, фигуристых, доброжелательных женщин, искренне желающих раскрыть Посланнику Богини свои объятия. Какой смысл тратить силы и энергию на какую-то тощую шмакодявку? В конце концов, «право победителя» — это «право», а не обязанность. Найл пользоваться этим правом не желает!

Откуда-то из темного закутка появился Тройлек и застучал коготками следом на правителем.

— Я чувствую, княжна находится в некотором недоумении,— осторожно намекнул смертоносец на произошедшие в комнате пленницы события.

— А что она должна чувствовать? — пожал плечами Найл.

— Боль в промежности, мышцах бедер, спине, усталость, безразличие ко всему окружающему,— с чисто паучьей дотошностью перечислил восьмилапый.

— Слушай, Тройлек,— Найл остановился и повернулся к управителю.— А что, в ваших землях от «права победителя» никто и никогда не отказывается?

— Отказываются,— признал смертоносец.— Если пленница очень старая или совсем уродливая к ней, конечно, никто прикасаться не хочет. Но ведь Ямисса — юная, чистая, непорочная, красивая девушка.

— Оглобля с глазами.

— Ну, может быть, она недостаточно телесна,— признал Тройлек,— но ведь свежесть юности вполне способна компенсировать некоторую угловатость фигуры...

— Да ты прямо восьмилапый ловелас, Тройлек,— покачал головой Найл.— Откуда такой опыт?

Как известно, смертоносцы способны вступить в связь с самкой и произвести потомство только раз в жизни. Человеческие отношения между мужчиной и женщиной всегда оставались вне сферы их понимания.

— Правителю не всегда удается вести себя так, как хочется, господин,— зашел паук с другой стороны.— От их решений и поступков зачастую зависит жизнь и спокойствие многих тысяч их подданных. Твоей стране нужен мирный договор с князем Граничным, Посланник Богини. В нынешних обстоятельствах подобный договор будет иметь силу, только если его подкрепить родственными узами. Желаешь ты этого, или нет, но от твоего брака с княжной Ямиссой зависит жизнь и смерть твоих воинов, мирная жизнь твоих городов, возможность воспитания новых моряков, воздухоплавателей, слуг, крестьян, стражниц.

Неужели ты способен поставить все это в зависимость от ширины бедер одной-единственной девушки?

— Князь еще далеко, а его дочь пока моя пленница,— прекратил споры Найл.— Есть вопросы и поважнее. Завтра мы с братьями по плоти отправляемся в Дельту. Нам понадобятся фляги с водой, котомки с фруктами и немного вяленого мяса каждому. Все ясно?

— Да, господин,— отступился смертоносец.— Утром припасы для вас и пятнадцати ваших воительниц будут приготовлены.

— Хорошо,— кивнул правитель.— А теперь хорошенько подумай, и вспомни, какие разногласия возникали у горожан и жуков-бомбардиров за время моего отсутствия, что тебе известно о событиях, происходящих в их квартале?

— Они отказываются платить «налог на объедки», правитель,— начал перечислять претензии Тройлек.— Я посылал к ним сборщиков, но они ссылаются на некий известный тебе Договор, по которому жители квартала жуков не подчиняются законам города. По слухам, последнее время у них происходят раздоры со слугами. Люди отказываются подчиняться их воле, жуки угрожают пожирать бунтарей, но пока ничего не произошло.

— Понятно,— кивнул Найл.— Это действительно похоже на повод для визита.

Еще во время первой встречи Великая Богиня Дельты рассказывала Найлу, что создала разумных жуков целенаправленно, желая обеспечить восьмилапым любимчикам конкурентов в борьбе за власть над миром и подтолкнуть развитие сознания у смертоносцев. Между расами поначалу даже разразилась война, но очень скоро насекомые и пауки договорились, и стали мирно жить бок о бок. Богиня прекратила направленную энергетическую стимуляцию жуков-бомбардиров,— новая раса так и осталась мелким вкраплением на бесконечных просторах планеты.

Жуки хорошо осознавали собственную неполноценность и компенсировали ее пренебрежением, если не презрением, к представителям других видов. Шестилапые считали, что для сохранения своего маленького анклава имеют право на любые поступки. Благополучие собственной расы ставилось ими выше любой морали или даже жизни представителей иных племен.

Во времена Смертоносца-Повелителя, когда двуногие рабы обслуживали всех, жуки-бомбардиры вдосталь получали продовольствие с крестьянских ферм. Еды хватало и им самим, и их слугам. Развлекались шестилапые просмотром древних человеческих фильмов о войнах и пиротехническими представлениями — взрывами, фейерверками, петардами. Зрелища устраивали специально выращенные слуги, которым дозволялось иметь собственные дома, десятки жен, пользоваться инструментами и даже уметь читать! За любое из подобных преступлений смертоносец мгновенно разорвал бы любого человека на месте, но по Договору жуки устанавливали в своем квартале собственные законы.

Потом в городе появился Найл. Когда Великая Богиня объявила его своим Посланником, он провозгласил свободу и равноправие для людей. На первый взгляд, в городе мало чего изменилось. После того, как услышавшие о свободе рабы перестали выходить на работы, город стал зарастать грязью, поставки продовольствия, изготовление одежды, работа кухонь прекратились, Посланник оказался вынужден обратиться за помощью к Смертоносцу-Повелителю. Пауки вновь выгнали двуногих на работы. Однако теперь люди жили не в казармах, а кто где хотел, имели возможность учиться, а смертоносцам запрещалось употреблять их в пищу — во всяком случае, без ведома правителя. Гарантом соблюдения нового Договора и выступили жуки. Именно в их квартале хранились сданные людьми жнецы — мощнейшее оружие далеких предков, ядерный расщепитель. Шестилапые оказались нужны обеим сторонам, а потому принцесса Мерлью регулярно выделяла им часть получаемой с полей еды. Правда, Найла мало интересовали развлечения обитателей анклава — мастерская по выжиганию серы и рудники по добыче селитры прекратили существование.

Свое истинное лицо Саарлеб показал, когда к городу подступила армия северян. Боясь, что война принесет разрушения в квартал жуков, Хозяин жуков-бомбардиров просто-напросто отказался отдать людям необходимые для обороны жнецы. Глава шестилапых заявил, что подобного повода нет в Договоре, и оставил оружие себе.

Людям и смертоносцам пришлось бежать в пустыню, на верную смерть — зато жукам удалось вновь отстоять право на свободу своего квартала. Вот только пришельцы не сочли нужным кормить закованных в блестящие панцири бездельников — с какой стати?

Саарлеб, столкнувшись с опасностью голода, сперва распродал жен своих слуг, потом начал посылать на заработки их самих. Некогда смотревшие на всех свысока слуги бомбардиров стремительно превращались в нищих побирушек.

Найл вернулся меньше чем через год. Вернулся с десятками крепких воинов, выросших в непрерывных походах и двумя тысячами смертоносцев Провинции, признавших в нем Смертоносца-Повелителя. Вернулся, и лишил жуков последнего козыря, которым шестилапые надеялись вернуть прежние привилегии: в плату за укрощение Демона Света, начавшего охоту на бомбардиров, правитель отобрал у Хозяина жнецы.

Теперь на жуков и их свободу никто не посягал, никто не пытался добиться их расположения, получить совета или призвать в качестве гаранта договора или даже мелкой сделки. На них просто не обращали внимания. Совершенно свободный народ, вольный квартал жуков-бомбардиров медленно деградировал. Нет ничего удивительного, что слуги некогда великого народа шестилапых, способного бросить вызов самому Смертоносцу-Повелителю, теперь устраивали голодные бунты.

Пожалуй, единственное, что оставалось теперь в распоряжении бронированных великанов — это их крепкие челюсти и угроза применить их в отношении непослушных. Но времена изменились. Сколь ни гордятся жуки правом устанавливать в своем квартале свои законы, но откровенные убийства двуногих слуг вполне способны вызвать недовольство Посланника Богини и ответные репрессии. Уж не об этом ли хотел разговаривать с правителем Саарлеб? Разведать мнение нового Смертоносца-Повелителя, прежде чем приступить к решительным действиям?

— Тройлек, найди моих воительниц,— распорядился Найл,— и попроси Шабра от моего имени выделить на вечер десяток самых рослых смертоносцев. Когда во дворце появится Саарлеб, я хочу, чтобы он чувствовал себя, как листорезка у ног скорпиона.

— Слушаюсь, правитель.

— Выполняй.— Найл отправился в свои покои. Он решил тоже надеть доспехи и подпоясаться мечом. Хозяину предстоит крепко подумать, прежде чем поднять руку хоть на одного человека, кем бы тот ни был.

* * *

Вскоре в тронном зале собрался довольно мощный отряд, способный захватить небольшое поселение или отбить атаку небольшой армии. За троном вдоль стены стояли, сжимая длинные копья с шипастыми наконечниками, закованные в прочные латы широкоплечие девушки. По сторонам от входной двери плотно сомкнутыми рядами замерли, широко расставив лапы, пауки, на спинах которых поблескивали ромбики керамических пластин, защищающих от нападения ос. На потолке, во главе еще одного небольшого отряда восьмилапых, занимал позицию Шабр.

Сам Найл, без копья, но в доспехах, со сдвинутой вперед перевязью, стоял на ступенях перед троном, ненавязчиво положив ладони на рукоять меча.

— Саарлеб, Хозяин жуков-бомбардиров! — доложил слуга, громко стукнув об пол высоким посохом, и посторонился, давая дорогу делегации шестилапых.

Правитель «вольного квартала» явился, как всегда, в сопровождении двух молодых сородичей. Иссиня-черная, отливающая холодным блеском толстая хитиновая броня, узкая, вытянутая вперед голова с короткими, круто изогнутыми хелицерами и широко раскинутыми в стороны усами. Широкая грудь соединялась с телом узкой, гибкой талией, позволявшей жукам, в отличие от пауков, значительно изгибать тело. Лапы бомбардиров росли не в стороны, а выступали из-под брюха. Толстые у самого туловища, они заканчивались гибкими и маленькими, размером с человеческие, ступнями.

— Рад видеть тебя, Посланник Богини,— торжественно провозгласил Хозяин.— Я сам, и все обитатели нашего квартала рады твоему возвращению в город, рады тому, что Великая Богиня Дельты обратила на тебя и на нас свою милость, избавив от жестоких и неразумных завоевателей. Теперь, несомненно, твоя мудрость позволит всем нам вернуть счастливые времена дружбы и сотрудничества...

Хвалебная речь шестилапого длилась довольно долго. Вскоре Найл начал подумывать о том, а не прервать ли гостя и не попросить его перейти к сути дела. По счастью, Саарлеб вовремя догадался закруглиться с приветствиями:

— В заключение хочется еще раз возблагодарить Великую Богиню, даровавшую городу столь великого правителя,— жук неуклюже затоптался, явно стараясь изобразить ритуальное приветствие смертоносцев.

— Ты так хвалебно отозвался о представителях человеческого рода! — ласково улыбнулся Найл,— Однако в вашем квартале, как я слышал, с ними происходят какие-то несогласия?

— О, пустяки, обычная леность прислуги,— небрежно откликнулся Хозяин.— Но мы безусловно признаем твое право повелевать всеми двуногими и готовы передать их всех в твое распоряжение немедленно, если ты этого желаешь, Посланник Богини. Возможность исполнить твои пожелания, правитель, доставит нам только удовольствие.

Никогда еще Найл не чувствовал себя в столь глупом положении. Собрать целую армию только для того, чтобы выслушать от гостя чуть не объяснение в любви! И возвращению Посланника Богини они рады, и мудрость его признают, и от слуг готовы отказаться по первому его пожеланию. Что еще?

— В знак своей дружбы, мы предлагаем включить наших самок, готовых отправиться в Дельту для ритуального обряда, в состав вашего отряда, уходящего туда же.

— Шабр?

— Я никому ничего не сообщал, Посланник! — смертоносец правильно понял вопросительную интонацию правителя.

— Тройлек?

— Никому не говорил!

— Откуда же он знает?

Хозяин, разум которого молодые пауки прикрыли ВУРом, ждал ответа.

— Разумеется,— кивнул Найл.— Присутствие отряда жуков-бомбардиров в наших рядах сделает путешествие куда более безопасным для всех. Мы отправляемся завтра с рассветом солнца.

— В таком случае я должен откланяться, Посланник Богини,— выразил самое искреннее сожаление Саарлеб.— Мне нужно предупредить самок, чтобы они готовились к дороге.

Хозяин упятился назад — развернуться в тронном зале было негде.

— Да,— обернулся к своим воительницам правитель.— Вам тоже стоит хорошенько отдохнуть. Завтра мы отправляемся в дальний и очень тяжелый переход. Шабр, смертоносцам еда сейчас, наверное, нужнее чем людям. Устройте облаву у Черной башни. Там теперь никто не живет, все заросло. Я самолично видел у ее подножия довольно крупных тварей. И еще... Когда ты решился на поход в Дельту?

— Вчера, после осмотра женщин.

— Странно... Хозяин встречал меня на причале и после возвращения из Приозерья, и после возвращения из солеварни. Не мог же он знать о твоем решении еще тогда?

— Не мог.

— А ты как считаешь, Тройлек?

— Скорее всего, ваше решение совпало с его интересами. Он просто воспользовался удобным случаем...

— Ты мне чего-то не договариваешь, Тройлек.

— Так быстро узнать об «удобном случае» он мог только при одном условии: если жуки ведут широкую слежку за тобой, правитель, твоими людьми и домом.

— Похоже на правду,— признал Найл.— Вот только зачем?

Собранный для встречи Хозяина отряд уже покинул тронный зал, и Найл смог пройтись от стены к стене, задумчиво почесывая подбородок. Заговор жуков с целью захвата власти? Не может такого быть — сил не хватит. Они еще способны защитить свой анклав с помощью ВУРа и гнусно пахнущих газов, но это оружие не поможет принудить к покорности многочисленных обитателей города — людей, пауков. Внутренних врагов ВУРом не изгонишь.

Взаимоусиливающий резонанс хорош против армии смертоносцев. Арбалетные стрелы он уже не остановит. Да и запах — если понадобится, люди и пауки смогут его вытерпеть, чтобы уничтожить бунтарей. К тому же — какой смысл жукам расширять свои владения? Последние годы численность их общины не растет, а уменьшается. Боевые столкновения не в их интересах — можно ведь и вовсе вымереть.

Тогда получается, Хозяин предоставлял ему почетный караул, наносил визиты и предложил дружеское единение уходящих в Дельту отрядов чисто из любви к Посланнику Богини? Не верилось почему-то в подобную бескорыстность шестилапых соседей.

Рождение жуков-бомбардиров является сокровенной тайной для них самих. Каждый из обитателей анклава помнил о себе примерно одно и то же: проснувшись, он выбирался из земляной полости на свет и убегал в пустыню.

Спустя несколько дней новый член общины приходил в квартал.

Разумеется, Хозяин пытался организовать рождение новых собратьев здесь, в городе. Однако, если люди рождали людей, из паучьих яиц вылуплялись паучата, то из яиц, отложенных самками жуков, появились странные, бесформенные, блеклые создания, ничуть не походящие на родителей. За ними наблюдали несколько лет, но они лишь жрали и росли, не желая становиться шестилапыми бронированными бомбардирами. Таким образом жуки пришли к единственно возможному выводу: появление на свет каждого из них — это личное деяние Великой Богини, а ежегодные походы самок в Дельту, где они оставляли в земле свои яйца — угодный Богине обряд.

Жуки-бомбардиры свято хранили свою тайну на протяжении веков, пока несколько месяцев назад Саарлеб не оказался вынужден открыть ее Найлу — ему пришлось объяснять, почему обитатели анклава не могут покинуть своего квартала, даже спасая жизнь от нападений Демона Света. Ведь тогда рожденные волей Богини будут приходить на пустое место и неминуемо гибнуть в объятиях Демона.

Тайны больше не существовало, но скоропалительность, с которой Хозяин предложил включить самок, готовых исполнить священный обряд, в ряды прочих смертных казалась странной. Рожденные лично Богиней отправляются в земли прародительницы вместе с низшими, размножающимися обычным путем существами — именно так это выглядело с точки зрения жуков. Должен быть очень серьезный аргумент для подобного решения.

— Шабр, на твоей памяти жуки хоть раз обращались к Смертоносцу-Повелителю с предложением своего участия в любом деле?

— Никогда, Посланник.

Найл опять прошелся от стены к стене. Что могли задумать шестилапые? Устроить в пустыне какую-нибудь каверзу? Глупо — все поймут, кто виноват.

Даже если отряд погибнет, останется еще Дравиг со своими тысячами пауков и Нефтис с двумя десятками подростков, которые несут службу в Приозерье. Они сметут квартал жуков с лица земли в считанные часы. Выследить путь братьев к Дельте? Так шестилапые сами дорогу знают, не одну сотню лет ходить довелось. Надеются получить защиту? Тоже непохоже — пустыня между городом и Дельтой мертва даже по понятиям Найла. За прошлый переход им не встретилось ни скорпионов, ни песчаных мух, ни даже следов хоть единого живого существа. Неужели жуки и вправду решили изменить свое потребительское отношение к внешнему миру на более дружелюбное?

— Тройлек, подумай еще раз: ты уверен, что в квартале жуков или в городе не происходило ничего странного?

— Нет, правитель.

6 Зак. 3231

— Подумай, Тройлек. Помнится, ты хвастался, что при дворе князя Граничного ты умел узнавать то, что люди и пауки старались скрыть. Куда пропали все твои таланты?

— Я не счел допустимым пользоваться ими в твоем городе, господин,— паук так старательно изобразил почтение, что почти лег на брюхо.— Ведь кто я здесь? Пленник, жалкий раб, живущий лишь вашей милостью. Могу ли я допустить для себя проникновение в любые тайные движения и механизмы? Ведь во всем мире подобные операции считаются секретными и запретны для непосвященных.

Тройлек явно решил воспользоваться ситуацией и повысить свой официальный статус.

— Сколько твоих детей живет в этом доме? — резко спросил Посланник.

— Тридцать девять,— забеспокоился паук.

— Было ведь сорок два?

— Один чем-то отравился, а еще двое сбежали в город и не вернулись,— смертоносец начал жалеть, что начал этот разговор.

— Что ж, такой оравой ты, пожалуй, никуда не сбежишь, если попытаешься совершить измену,— подвел итог Найл.— Поднимись, паук Тройлек. За прошедшие месяцы ты показал свою преданность и умение. Отныне я назначаю тебя моим именем управителем моего дворца, города и окрестных земель.— Правитель вспомнил про советника Борка и добавил: — Отныне твое звание: советник Тройлек. Теперь покажи мне, насколько твои способности в звании советника выше, чем в звании пленника.

— Благодарю вас, господин! — чуть не подпрыгнул довольный смертоносец.

— Кстати, Тройлек,— осадил его Найл.— Если желаешь, чтобы к тебе обращались по званию, не забывай, что Шабр и Дравиг тоже имеют титулы советников.

— Прошу прощения, советник Шабр,— немедленно отреагировал управитель,— ранее я не знал о вашем высоком звании...

— Ничего,— небрежно остановил его Шабр. — Кроме советника Борка ко мне так никто и никогда не обращался.

И все же Найл ощутил, что памятливость Посланника ученому смертоносцу приятна.

— Теперь позвольте мне удалиться,— откланялся новоиспеченный советник.— Утром я сообщу все, что удалось узнать.

— Ты напрасно беспокоишься, Посланник,— высказал наедине свое мнение Шабр.— В любом случае отряд, усиленный жуками, будет сильнее. А значит — находиться в нем станет безопаснее.

— Надеюсь, что ты прав, Шабр,— кивнул Найл.— Утром узнаем.

* * *

Путники собрались во дворе дворца. Найлу удалось уговорить девушек расстаться с тяжелыми доспехами, однако все они оставались при мечах и копьях. У ног каждой лежала весьма объемная котомка, но никто не роптал. Все братья были опытными путешественниками и знали, какую цену может иметь в дальней дороге лишний глоток воды или кусок мяса.

Смертоносцы припасов, естественно, не заготавливали, зато брюшки их заметно округлились и потяжелели.

— Если кто-то недостаточно поел,— предложил Найл Шабру,— пусть лучше останется. На этот раз не имеет смысла рисковать чьей-то жизнью.

— Все смертоносцы сыты, Посланник,— ответил ученый паук, окрасив свою мысль эмоцией благодарности за заботу.

— Где там эти жуки? — поднял правитель глаза к небу.— Солнце уже встает. Пора выступать.

— Они на полпути от квартала, Посланник,— откликнулся Тройлек.— Будут здесь через четверть часа.

— Тебе удалось чего-нибудь узнать? — повернулся к управителю Найл.

— Не очень много,— признался смертоносец.— Раньше жучихи уходили в пустыню по одной, но в последние месяцы стали собираться в группы по два-три десятка. В последний раз, месяц назад, из такой группы вернулось только половина самок.

— Это ни о чем не говорит,— пожал плечами правитель.— Дельта невероятно к жестока к пришельцам. За время нашей жизни во владениях Великой Богини погибла почти половина людей и пауков.

— Я постараюсь узнать обо всем более подробно,— пообещал Тройлек.

— Хорошо,— кивнул правитель.— Ну, а теперь нам пора. Жучихи присоединятся по дороге. Открывай ворота.

* * *

За минувший год город изменился до неузнаваемости. Если в прошлый раз уходящую колонну провожали пустые проемы окон, из-за которых тайком подглядывали тысячи людей, то теперь жителей оставались считанные сотни — зато улицы раскрасились разнообразными навесами, прилавками, вывесками; окна или закрывали прочные ставни, или затягивал тонкий полупрозрачный шелк, отовсюду доносились звуки активной деятельности — стуки молотков, шуршание пил, скрип ткацких станков. Обитатели древних домов больше не нуждались в понукании, чтобы начинать работу с первыми лучами солнца, не нуждались в надсмотрщицах, кнутах и правителях — но лишь потому, что тысячи лентяев умерли от недоедания и болезней. Умерли не по своей вине — просто их вырастили в атмосфере безусловного повиновения паукам и женщинам под страхом смерти, в условиях абсолютного запрета на любое отклонение от вековых норм, на любую фантазию или проявление инициативы. Парадокс — представители расы рабов не захотели покидать город вместе со своими угнетателями и сгинули как раз потому, что без хозяев оказалось некому отдать им приказ обеспечивать себя одеждой и едой. Теперь в домах паучьих слуг живут люди, не нуждающиеся в подобных приказах. Правда, у новых обитателей есть своя мечта о счастье: избавиться от налогов, князей, управителей. Интересно, они понимают, что осуществление подобной мечты наверняка закончится смертью?

Улица вышла из квартала высотных, почти целых домов и растворилась посреди широкой, усыпанной песком площади. Самки жуков-бомбардиров ждали отряд братьев по плоти здесь. Они почтительно присели, пытаясь скопировать паучье ритуальное приветствие, а затем скромно пристроились в конец колонны.

Путники свернули в сторону Запретных развалин.

Собственно, развалин здесь не было — только заплывшие землей фундаменты, присыпанные осколками пожелтелой от времени пластмассы. Возможно, раньше здесь стояли деревянные дома, возможно — из металла и пластика. Во всяком случае, долговечностью эти постройки не отличались. Некоторые фундаменты превратились в глубокие ямы, в которых, не смотря на редкость дождей, все равно не пересыхала вода. Вокруг таких прудиков пышно разрастались кустарники, высокие травы, яркие цветы. Однако большинство бетонных остовов стали ямками мелкими и сухими, очень подходящими для засады смертоносца.

В старые времена прятавшиеся здесь пауки без колебаний кидались на все живое, что только видели — пару раз атаковали даже жуков-бомбардиров — и вскоре отбили у жителей города всякое желание показываться вблизи этих мест. Хотя официально посещать развалины никто не запрещал, за ними твердо закрепилось название «Запретные». Тайна такой агрессивности восьмилапых выяснилась только во время бегства от захватчиков — оказалось, что именно здесь прятались от посторонних глаз паучьи самки, именно здесь они откладывали яйца и выращивали детей.

Ныне оставленные обитателями развалины густо заросли, над ними вились целые стаи мух и десятки стрекоз, из зелени доносился треск кузнечиков и деловитое пощелкивание жуков-древоточцев. Наверняка в гуще пряталось так же немало жирных гусениц и аппетитных мокриц. Если смертоносцы пожелают восстановить здесь свой «детский сад» — голод им точно не грозит.

Дорога повернула на запад, прямо, как стрела, уходя в желтые песчаные просторы. Посланник Богини обернулся бросить последний, прощальный взгляд на город.

Линию горизонта закрывали полуразрушенные дома, выступающие над землей на два-три этажа. Кое-где виднелись почти уцелевшие строения высотой этажей в шесть-семь. Еще над общей линией поднимались три купола. Один — дворца Смертоносца-Повелителя, два других — над непригодными для жилья строениями. Ярким золотым светом сиял верх Белой башни. Найл вспомнил, что на этот раз так и не пообщался с творением Торвальда Стиига, но теперь было поздно.

— Загляну, когда вернусь из Дельты,— решил правитель.

Первые пару километров путники прошли по гладкой и твердой каменной ленте, а дальше дорогу перегородил невысокий пологий бархан. Подняться на его гребень труда не составило, однако по ту сторону песчаного холма дороги уже не обнаружилось.

— Вперед, вперед,— указал Найл в сторону, как он надеялся, Великой Богини.— Десять дней пути, и мы выйдем к Ближней реке. До этого момента отдыхать не получится.

Разговоры смолкли. Девушки втягивались в движение, оценивая предстоящую дорогу, свои силы и сложенные в котомки припасы.

Вскоре после полудня они неожиданно наткнулись на одетый в темную тунику человеческий скелет. Найл помнил, что во время бегства из города многие из гвардейцев принцессы начали падать без сознания после первых же часов пути, но он был уверен, что Симеон подобрал всех. Видимо, эта женщина оказалась слишком слабой и тепловой удар убил ее насмерть. Погибшую медик трогать не стал, а смертоносцы, как известно, употребляют только живую пищу. Так и осталась она здесь — первая жертва долгого, долгого пути.

После этой печальной находки на протяжении нескольких часов отряд видел перед собой только песок, песок и песок, а потому груда кувшинов, показавшаяся за очередным барханом, вызвала среди уставших от однообразия людей заметное оживление.

— Здесь был первый привал,— вспомнил правитель.— Мы выпили часть воды и бросили кувшины. Получается, мы двигаемся раза в полтора быстрее. Если так пойдет и дальше, окажемся в Дельте дней за семь...

В этом месте случилось еще одно событие, о котором Найлу хотелось бы забыть: все рабы, которые несли кувшины, достались в качестве пищи самкам смертоносцев. Жестокая мера, которая спасла жизнь сотням новорожденных паучат и сэкономила воду для непривычных к дальним переходам слуг, его стражниц и охранниц смертоносцев.

Посланник очень надеялся, что к подобным мерам ему не придется прибегать больше никогда в жизни. Теперь вместе с ним шли сильные и выносливые люди, способные самостоятельно нести все необходимое. Правитель больше не нуждался в покорных бессловесных существах, мостивших дорогу беженцам своими жизнями. Донести до очередного привала воду для других — и умереть.

— Вперед, вперед, не отставайте! — нервно потребовал Найл. На самом деле девушки не

отставали. Они шли спокойным, неторопливым шагом, слегка согнувшись вперед и приволакивая ноги. Такой походкой человек с одинаковой легкостью может не уставая пройти и десять, и сто, и тысячу километров — хватало бы воды и пищи.

Отряд остановился где-то через час после захода солнца, когда у смертоносцев от ночного холода начало мутнеть сознание. Девушки расселись кружком, вынули из котомок еду, быстро подкрепились и привычно зарылись в еще теплый песок.

Найл проснулся резко, как от толчка. Солнце только-только приподнималось над горизонтом, успев осветить замерших в холодном сне смертоносцев на гребне холма, их побелевший от скупой пустынной росы ворс и устремленный вперед взгляд никогда не закрывающихся глаз. Зарождающийся день еще не успел согреть их крупные тела. Ярко сверкали белизной мелкие пухлые тучки, высоко-высоко над которыми небесный свод перечеркивала лента легчайших перистых облаков.

По склону посыпался песок.

Найл моментально ухватился за копье и, поводя плечами, осторожно выбрался из ночной берлоги. Опять послышался шорох, на этот раз куда ближе. Правитель рывком вскочил на ноги и резко развернулся к подкрадывающемуся противнику...

Это был не враг. Это жуки топтались на гребне дюны, отчаянно пытаясь удержать равновесие. Их задние лапы вытянулись во всю длину, передние были поджаты, отчего черное тело, покачиваясь из-за неустойчивого положения, поднялось почти вертикально, вниз головой. Мелкие капельки оттаявшей под солнечными лучами росы стекали вниз по глянцевой броне — самки ловко подхватывали их усиками и переправляли в рот.

— Вот так да! — покачал головою Найл. Подобный способ питья он видел впервые.

Следом за правителем из песка выбрались девушки, подкрепились оставшимися фруктами и закинули заметно полегчавшие мешки за плечи. Пауки к этому времени тоже успели отогреться и отряд уверенно тронулся в дальнейший путь.

Где-то через час они наткнулись на следы очередного привала: разбросанные среди песка кувшины, две повозки, составленные одна рядом с другой. В тени этих повозок осталось почти два десятка человек, отказавшихся идти дальше. Никаких тел в пределах видимости не сохранилось — похоже, пауки не дали бесполезно пропасть живой плоти.

Путники не стали терять время на рассматривание следов былого, но через пару километров им встретилась совершенно неожиданная находка, игнорировать которую правитель не мог: среди песка лежал, раскинув жесткие надкрылья, крупный жук-бомбардир. С виду тело казалось совершенно целым — никаких ран, никаких царапин на гладком хитине.

Тонкие крылья развернуты и тоже нигде не порваны, не сломаны. Не хватало только левой средней лапы. Найл наклонился, заглянул в темное отверстие. Внутри бронированный панцирь оказался пуст. Но самое странное — в нескольких местах на нижней стороне тело носило явные признаки огня. Словно кто-то слегка поджарил шестилапого на костре, потом пролез внутрь через маленькое отверстие и с удовольствием употребил свежее жаркое.

— Тебе это знакомо, Посланник? — поинтересовался Шабр.

— Кое-что,— пожал плечами Найл.— По отдельности найти объяснение можно всему, но картинка не складывается вместе.

Правитель оглянулся на шестилапых самок — те не отреагировали на странную находку, словно их все это совершенно не касалось.

— Ты знаешь, Шабр, чаще всего жуки гибнут от жвал своих собратьев. Встретившись, они почти всегда начинают мериться силами. Проигрывает тот, кого опрокидывают на спину. Видишь, нигде нет повреждений? Можно подумать, его и вправду перевернули и бросили умирать. Будь его врагом хищник, то обязательно раскромсал бы все тело в клочья, доставая мясо. Мы с отцом и братьями, найдя такого перевернутого жука просто обкладывали его хворостом и запекали целиком. Видишь, вот здесь и здесь, на брюхе, хитин обуглился? Потом, дальше: долгоносики, добираясь до еды, пробуравливают своим носом любые препятствия. Чаще всего они пробуравливают сухую землю, чтобы добраться до сочных клубней репуйки или тонколиста, но иногда делают отверстия в стенках кладовок или погребов, и выедают все запасы. Видишь, одно-единственное отверстие на месте ноги? Можно подумать, тут прорубился долгоносик и выжрал все внутренности.

— Ты хочешь сказать, Посланник, где-то здесь скрывается племя диких разумных долгоносиков? — понял смертоносец.

— Нет,— покачал головой правитель.— Пока я говорил о том, что могут напоминать отдельные детали. А теперь оценим все вместе. Во время ритуального поединка побежденного никто не поедает, но на панцире всегда остаются царапины от жвал соперника. Их нет. Это раз. Ни одному долгоносику никогда не справиться с жуком-бомбардиром, и к тому же они никогда не едят мясо. Только растения и зерно. Это два. Чтобы зажарить жука, нужно очень много хвороста, а вокруг на много дней пути нет ни единой травинки. Это три. К тому же этого бедолагу жарили не на спине, подпалины у него снизу, на брюхе. Такое ощущение, как будто он несколько минут стоял над костром — а подобного и вовсе вообразить невозможно. Это четыре. Может быть, у тсбя есть другие соображения?

— Есть,— согласился Шабр.— Самки жуков заблокировали сознание. Похоже, они здорово напуганы.

— Еще бы,— кивнул Найл.— Они же тут каждый год ходят. А может быть, все намного проще?

— Ты нашел объяснение?

— Ветер. Однажды, когда мне было всего пять лет, после песчаной бури весь наш оазис оказался засыпан зеленой листвой. Дед сказал, что ее наверняка принесло ветром из какого-то леса. А еще сказал, бывают такие сильные ветра, что переносят с места на место целые дома, деревья, а иногда высасывают огромные озера и разбрасывают потом на своем пути рыбу и водоросли.

— Ветер может объяснить только одно,— логичный ум смертоносца тут же нашел слабое звено в версии правителя,— только то, откуда на месте гибели этого жука нашлись дрова. Но ведь его еще как-то убили, и непонятным образом съели.

— В иных местах может случиться иная жизнь,— пожал плечами Найл.— Ладно, нужно идти вперед. Время слишком дорого, чтобы терять его на гадание у останков бомбардира.

В середине дня по небу поползли все более и более пухлые кучевые облака, подул ветерок. Найл начал всерьез надеяться на грозу, но очень скоро облака рассеялись также быстро, как и появились, а ветер вместо капель кидал на пересохшие губы мелкие невесомые песчинки, неощущаемые языком, но постоянно скрипящие на зубах. Противно, но ничего не сделаешь.

Их даже сплевывать нельзя — пользы никакой, а пропадающую зря влагу жалко.

Не останавливаясь, путники миновали еще одну стоянку с разбросанными кувшинами и поздним вечером добрались до третьей. Изнеженные горожане шли почти вдвое медленнее привычных к дальним переходам братьев. Укладываясь спать, Найл сделал несколько экономных глотков воды и подумал о том, что добраться до реки они могут даже не за семь, а за пять дневных переходов.

* * *

Когда над горизонтом появились характерные силуэты стрекоз — черточка с каплей на конце — воительницы перекинули копья за спины и привязали так, чтобы древко проходило точно за затылком. Излюбленный прием хищниц при охоте на людей — стремительное нападение сзади и откусывание головы. Торчащая же над головой палка оказывалась весьма опасным препятствием для их широко раскинутых прозрачных крыльев. Разумеется, пассивной обороной дело не ограничилось, и когда хозяйки неба стали кружить над головой, девушки вытянули мечи.

Стрекозы раздумывали не меньше часа, разглядывая пришельцев из пустыни. Хищниц постепенно становилось все больше и больше. Десяток, два, полсотни... Наконец некий внутренний барьер оказался преодолен, и черные поджарые тела, состоящие, казалось,

только из глаз и челюстей, обрушились вниз. Голодные пауки ждали этого момента с нетерпением. Почти вся стая с ходу попала под удар парализующей воли и с треском врезалась головами в песок. Восьмилапые устремились к свежей добыче, а несколько чудом уцелевших хищниц подались куда-то к горизонту.

Через час отряд благополучно вышел к реке. Люди искупались, напились. Не дожидаясь команды, воительницы разбились на две группы, одна из которых стала собирать вдоль берега сухие водоросли, а вторая вошла в воду и, держа копья наготове, пошла вниз по течению, внимательно вглядываясь в глубину. Время от времени то одна, то другая девушка наносила удар. Чаще всего после этого копье начинало упруго биться, удерживая нанизанную на острие жертву.

Вечером на берегу полыхнул огромный костер, унося ввысь запах печеной рыбы, и братья, впервые за пять дней отъевшиеся и отпившиеся без всяких ограничений провалились в сон, как в бездонный колодец. В итоге на следующий день они поднялись только поздним утром. В небе уже висело несколько десятков стрекоз, и Найл, знавший, что ждет людей впереди, повел путников дальше, запретив тратить время на рыбную ловлю.

Первую плакучую иву, склонившуюся над темным омутом на излучине реки, они увидели часа через три. Огромное дерево с длинными и тонкими, безвольно обвисшими ветвями, почти касающимися воды, затеняло половину русла. Дерево как дерево. Толстый корявый ствол, крепкие узловатые сучья, зеленые веревки ветвей, узкие чуть серебристые листья. Разве только засохший раздвоенный сук выпирает над кроной...

Одна из стрекоз, соблазнившись удобным насестом, опустилась на этот пересохший сук отдохнуть — с резким свистом взметнулись гибкие ветви, метнувшаяся в воздух хищница оказалась мгновенно сбита, исхлестана, изломана и втянута вниз под крону.

— Вот так,— сообщал Найл, раздвигая обвисшие снова ветви, входя под тенистый шатер кроны и дружески похлопывая иву по стволу.— Это наш первый друг.

Для людей и пауков ивы были совершенно безопасны. Они ловко захватывали стрекоз, садившихся на торчащие вверху сучья и даже ухитрялись ловить тех, кто пролетал слишком близко к кронам, но нисколько не интересовались тем, что происходило на земле. После полудня, когда хищные деревья стояли уже плотными рощами, правитель разрешил расслабиться, отдохнуть и заняться добычей пропитания. Стрекозы от путников не отстали, продолжая неустанно трещать высоко над головами, проносились между деревьями, но под кроны соваться не решались, и девушки скоро вовсе перестали обращать на них внимание.

Землю закрывал плотный ковер песчаной травы. Здесь, в дальнем от Богини краю Дельты, она не излучала усыпляющий аромат, не стремилась задушить спящих людей, и вообще вела себя как обычная земляника из сада принцессы. Вдосталь нашлось здесь и сушняка из пористых стволов, и хвороста, напоминающего причудливо гнутый тростник. Это настраивало на благодушный лад всех, кроме Найла и Шабра. Только Посланник и ученый смертоносец знали: трава не уничтожена, значит волна черных ядовитых гусениц здесь еще не прошла. Стоит расслабиться — и утром можешь проснуться обглоданным до костей.

Один день на отдых Посланник все-таки дал. Затем отряд быстрым шагом двинулся вниз по течению реки, за день минуя пять-шесть отмеченных не зарастающими пятнами кострищ старых стоянок. За три таких решительных броска путники добрались до знакомого переката. Год назад Найл едва не изжарил здесь Сидонию живьем, давая паукам возможность отключить сознание от струящийся под ногами воды. На этот раз все получилось куда проще: Найл прошел от берега до берега, ощущая на ногах упругий напор течения, убедился что глубина не превышает его коленей и уверенно дал мысленный образ бесшабашной легкости. И пауки перешли реку сами!

Самки жуков сгрудились на оставленном братьями берегу, с тоскою глядя вслед.

— Ну же, переходите! — крикнул правитель, подкрепляя свое обращение мысленным призывом.— Это легко и безопасно.

— Нет, мы достигли цели своего путешествия.

Это была не фраза какой-то из жучих, а их общий импульс облегчения: «Дошли!»

Шестилапые развернулись и блестящей черной лентой двинулись по берегу вниз, быстро затерявшись среди густой растительности.

— Ладно,— кивнул Найл.— Нам тоже осталось недалеко.

Следующим днем они пересекли прибрежные ивовые заросли и вошли в ковыль.

Здесь не было ничего страшного — трава, как трава, не ядовитая, не зубастая, без щупалец и усыпляющих ароматов. Близость к Великой Богине выражалась лишь в том, что вымахали сухие серые стебли вдвое выше человеческого роста. Вот только пробиваться через заросли приходилось практически вслепую: стена травы не позволяла видеть дальше вытянутой руки. В шаге перед лицом — сплошная колышущаяся стена. А вокруг кипела жизнь. По сторонам стрекотали, попискивали, чавкали, шуршали невидимые существа, над головами проносились мухи, кузнечики и травяные блохи, временами под ноги попадали выеденные хитиновые панцири.

Воительницы разделились на две равные группы, и пошли в разные стороны под острым углом, старательно протаптывая широкую тропу. Следом за ними потянулись смертоносцы, останавливаясь на расстоянии нескольких шагов друг от друга. Пройдя метров сто, девушки повернули и двинулись в направлении друг друга. Вскоре они встретились. Редкая цепь путников образовала в высокой желтой траве почти равносторонний треугольник. По мысленной команде братья одновременно тронулись к центру треугольника, сгоняя туда попавшую в окружение дичь. Под ударами парализующей воли полегли три огромные саранчи, десяток клопов, уховертка, пять мокриц и столько же гусениц.

Путники опять изрядно объелись, но утром им хватило силы воли встать и отправиться дальше, торя в ковыле новую тропу. До вечера удалось пробиться на добрых два десятка километров — поросший деревьями-падальщиками холм уже просвечивал между качающимися на ветру кисточками травы. Утром девушки сделали последний рывок, и к полудню выбрались на широкую поляну.

— Осторожно! На землю не выходить! — сразу предупредил правитель.

Однако поляна между ковылем и лесом заметно изменилась. Теперь здесь не было глинистых проплешин, под которыми обычно прятались земляные фунгусы. Поляну покрывал ровный слой невысокого кустарника, невероятно похожего на самый обычный вереск.

— Осторожно,— на всякий случай еще раз предупредил Найл, перехватил копье острием вниз и со всей силы вонзил в землю. Ничего.

Правитель сдвинулся немного вперед и снова вонзил копье. Обычная земля. В меру плотная, без подозрительных нор и каверн. Фунгусы, год назад сожравшие десять человек и столько же смертоносцев, исчезли без единого следа! Продолжая пробовать почву на прочность перед каждым шагом, Найл прошел последние полкилометра примерно за час и проник в тень леса.

Деревья-падальщики. Голые стволы и похожие на чашу кроны. Они стояли крепко, с вековой монументальностью, прочные и надежные. В воздухе пахло свежестью, без всяких слащавых примесей. Не шевелились ветви, не сверкали среди листвы голодные глаза. Раньше деревья давали в ветвях пристанище вампирам, а сами питались их объедками и испражнениями, но после визита сюда изгнанников из города вампиры, похоже, больше на родные места не возвращались.

Лес тянулся больше чем на полкилометра, поднимаясь на самую вершину холма и немного спускаясь на противоположную сторону. Здесь гладкие и ровные стволы начинали перемежаться невысокими кустами, покрытыми серповидными листьями и округлыми желтыми, с лиловыми прожилками, плодами.

Застрявшие на несколько месяцев в Дельте люди смогли частью истребить, частью отпугнуть вампиров и вскоре сами убедились, что лучшего жилья невозможно и придумать. Широкие, мясистые листья крон легко выдерживали вес человека, заботливо смыкались над ним ночью или в плохую погоду, защищали от ветра, убаюкивали во время сна, желая в обмен только одного — богатых микроэлементами отходов жизнедеятельности и объедков. Стоило бросить что-либо на пол живой чаши, как между основанием листа и стволом открывалась щель, мигом поглощающая подарок.

В свое время Найл и Мерлью мечтали вывезти рассаду этих деревьев в город, разом избавившись и от необходимости содержать целую армию золотарей, и от неприятных запахов в отхожих местах. Увы, пока эта мечта оставалась всего лишь мечтой.

Родившиеся в этих самых кронах девушки с восторгом полезли на деревья, пауки рассыпались в стороны, надеясь найти какую-либо добычу, а Найл перевалил холм, дошел до края леса и с изумлением воззрился на узкую тропу, пробитую в колючем кустарнике от опушки до сверкающего внизу озера. За прошедший год просека так и не заросла!

— О чем ты беспокоишься, Посланник? — возникло в сознании недоумение Шабра.— Мы дошли до цели, ничего не случилось.

— Тропа к озеру не заросла.

— Но ведь это хорошо!

— Слишком хорошо. Помнишь, сколько жизней стоило нам дойти сюда в прошлый раз? А теперь все просто и легко. Слишком просто и легко. Именно с этого и начинаются все неприятности.

— Дельта подчиняется Великой Богине, как мы тебе, Посланник. В прошлый раз она не хотела допускать нас к себе. Я считаю, ты должен открыть ей свое сознание,— в обращении Шабра звучала искренняя любовь и почтительность к величайшему источнику жизни.

В памяти правителя всплыли просторы родной планеты Богини — задавленные гравитацией разумные растения, суровый покой мира, не имеющего флоры. Комета принесла на Землю несколько десятков семян, но попали в удобные для жизни места и проросли из них только пять. Пять разумных существ на всю планету. Даже для могучего сознания это слишком мало — полноценное развитие гостей из далекого космоса возможно только в мощном интеллектуальном поле, поле, которое способно образовать только всепланетное сообщество мыслящих существ. Поэтому, стремясь дотянуть до своего уровня местных животных, подросшие растения и начали накачивать все вокруг жизненной энергией.

Людям на этом празднике жизни места не нашлось: имея высокий собственный интеллект, они оказались невосприимчивы к излучаемым частотам — а вот насекомые упивались энергией вовсю, быстро увеличиваясь в размерах. Вскоре один из видов пауков смог развить полноценный разум и начать строить свою цивилизацию.

Двум культурам на одной планете места не нашлось, и Землю захлестнула война на уничтожение. Победителями вышли пауки-смертоносцы, а уцелевшие люди стали их домашним скотом.

К разочарованию Великой Богини, едва став повелителями мира, смертоносцы остановились в развитии и тихо наслаждались дармовой энергией в своих тенетах. Стремясь расшевелить восьмилапых носителей интеллекта, Богиня целенаправленно вывела разумных жуков-бомбардиров. Вновь вспыхнула война, но погасла еще быстрее прежней — жуки договорились с пауками о мире, и теперь они вместе почивали на лаврах. Все заботы о властелинах были переложены на плечи порабощенных людей, да и тем запрещалось читать, пользоваться инструментами, а уж тем более — изготавливать какие бы то ни было механизмы.

Стоило в городе Смертоносца-Повелителя появиться северянам — энергичным, агрессивным, активным, как Богиня немедленно отвернулась от своих питомцев, перенеся все свои надежды на новых любимчиков.

— Разве ты забыл, Шабр? Мы ей неинтересны.— Найл оглянулся на девушек и громко позвал: — Кавина, Калла, Трития, приготовьте фляги и оружие. За мной.

Все четверо спустились к воде. Раньше на этой тропке можно было легко получить в бок шип от плотоядного кустарника, встретить человеко-лягушку или норочного капкана. Однако на сей раз вслед путниками не послышалось ни единого шороха, не ощутилось ни единого движения. Они спокойно набрали воды и вернулись обратно.

После ужина девушки торопливо разбрелись по деревьям. Многие из них еще помнили кроны, в которых впервые увидели свет, в которых провели первые недели своей жизни. По отношению к падальщикам у них зародилось то самое чувство, которое Найл испытывал только к матери. И это было естественно — в соответствии с обычаями города, матери сразу после рождения отдали своих детей смертоносцам и больше никогда о них не вспоминали. Новорожденные видели множество разных кормилиц, и только одно существо оставалось неизменным и заботливым — крона дерева.

Поддавшись ностальгическим воспоминаниям, Найл попытался найти того самого падальщика, на котором он прожил несколько недель рядом с Мерлью. Правда, единственная примета, отложившаяся в его сознании от тех времен — это сухой панцирь саранчи, застрявший между желтых узловатых корней. Останков саранчи вокруг валялось в достатке. Махнув рукой, правитель вскарабкался на ближайшее дерево и устало откинулся на широкий прохладный лист.

Крона качнулась, подпирая просевший лист соседними.

— Сейчас, сейчас,— спохватился Найл.

Испражняться ему пока не хотелось, зато оставшиеся после ужина потроха уховертки он прихватил с собой и сейчас кинул себе под ноги. Лист изогнулся, подталкивая подачку к стволу. У комля открылась неширокая щель, в которой потроха тут же и исчезли.

— Остальное утром,— пообещал правитель.— Ты уж извини, не все зависит от желания.

Дерево, естественно, промолчало. В конце концов, это всего лишь растение, как к нему ни относись.

Найл снова откинулся на лист, закрыл глаза. Ему вспомнилось, как точно так же, ничего не боясь, он сидел на выпирающей из земли Великой Богине, откинувшись на опаленный молнией стебель. В тот раз он приходил убить Богиню, но так и не решился на этот шаг. В ответ она предложила свое дружелюбие и покровительство. А во время второго путешествия в Дельту она предала их всех.

— Сколько ни помогай гусенице, она никогда не станет мотыльком.

— Станет,— покачал Найл головой в ответ на явно несуразное предположение.

— Станет. Когда придет час, она станет мотыльком без всякой посторонней помощи. Гусенице помогать бесполезно. Сплести свой кокон она должна сама.

— Гусенице можно помочь спастись от жужелицы или скорпиона; можно подсказать, где гуще трава и мягче земля.

— Можно. Но когда вырастет одна гусеница, она породит десять. Если помочь им всем, они породят сто. Если помочь ста, они породят тысячу. Как бы ты ни стремился помогать всем, рано или поздно настает час, когда сил твоих на всех не хватает, и тебе все равно приходится выбирать, кому помочь, а кого бросить на произвол судьбы.

— И ты начинаешь предавать тех, кто тебе верил...

Посланник так и не понял, в какой из моментов настал контакт. Просто он осознал, что в груди его — не в сознании, а именно в груди — звучит доброжелательный голос Богини.

— Помогать стоит только тем, кто готов заботиться о себе сам.

Спокойная, светло-розовая энергия Великой Богини затопила разум, сознание, душу Найла, все его тело. Он плавал в этой энергии, как в воде — легкий, невесомый. Он таял в ней, как капелька меда в горячем напитке — но продолжал спорить:

— Мы пришли к тебе, заплатив за каждый шаг кровью, а ты оттолкнула нас.

— Вы были гусеницей. Вы приползли ко мне, чтобы я вместо вас соткала ваш кокон. Вы приползли ко мне вопреки моему желанию, совершив огромное количество подвигов. Почему вы не потратили эти силы на борьбу со своим врагом?

— Мы верили тебе...

— Каждый должен верить только в себя. Мне не нужны рабы. Мне нужны разумные существа, равные мне. Только общество равных способно породить достаточно мощное интеллектуальное поле.

— Ты думаешь только о себе. Ты пожалела для нас даже малой толики своей энергии, чтобы придать нам силы для победы.

— Когда вы перестали молиться мне и начали думать «только о себе», вы сами взяли нужную вам энергию.

— Неправда. Нам пришлось много месяцев бродить неприкаянным, прежде чем мы смогли набраться достаточно сил для победы.

— Гусеница не способна стать мотыльком в один миг. Сначала она должна окуклиться.

— Нас уцелело всего девять десятков. Если бы пауки Провинции не сочли бы нас Смертоносцем-Повелителем, мы так и бродили бы по горам. Двухтысячная армия возникла только по воле случая, чудом.

— Когда бабочка выбирается из куколки, она всегда маленькая и сморщенная. Но каждый раз происходит «чудо», и она обретает огромные крылья. Я видела миг рождения.

Из розового океана Найл вдруг «вывалился» в обычный мир. Горизонт вокруг казался ему темным и однообразным, когда вдалеке зародилась маленькая яркая точка. Всей душой правитель устремился туда, и вскоре увидел алое зарево между горных вершин, удивительно напоминающее энергетическую ауру самой Богини.

— Ты пришел ко мне в Дельту, Посланник, но ты не хочешь со мной разговаривать. Я принимаю тебя в свое поле, а ты грубишь мне и споришь со мной. Я люблю тебя, но ты не желаешь меня воспринимать. Но я все равно люблю тебя. Неужели ты не замечаешь? Ты больше не чувствуешь себя рабом божьим. Ты ощущаешь себя равным!

— Я не один,— раскинул руки Найл.— Таких как я — две тысячи братьев по плоти.

— Я знаю. Ты всего лишь частица нового существа, но через тебя оно слышит и понимает меня. Я хочу сделать тебе небольшой подарок на день рождения, малыш. Завтра прилетит мотылек. Накорми его мясом. Я рада тому, что ты появился на свет.

Контакт оборвался.

Найл перевернулся на живот и устремил свой взгляд туда, где на сотни метров уходила в ночное небо широколистная ботва Великой Богини Дельты. Даже простым взглядом было видно, как дрожит и светится воздух над ее корнем. Правитель почувствовал, что больше не испытывает к ней ни вражды, ни обиды. Как ни странно, он был ей благодарен.

Утром братья по плоти выглядели слегка ошалевшими. Смертоносцы со всех сторон подбегали посмотреть на Посланника, словно и не провели с ним бок о бок несколько месяцев, девушки переглядывались, не решаясь заговорить о ночном видении. Пожалуй только Шабр сохранил обычную прагматичность. Первыми его словами после утреннего приветствия были:

— Возможно, сегодня нам понадобится много мяса. Нужно устроить большую облаву.

* * *

Полные дичи ковыльные заросли в прошлый раз без труда обеспечивали пищей почти тысячную ораву беглецов из города. Маленький отряд из трех сотен опытных путешественников, из которых только люди и беременные самки нуждались в еде каждый день, без труда добывал куда больше мяса, чем мог бы съесть. Когда воодушевленные явлением Богини братья натаскали под деревья груду живности в полтора раза выше человеческого роста, правитель не выдержал:

— Шабр, остановись! Не забывай, что вам предстоит провести здесь не меньше месяца, а может быть и двух. Если вы перебьете всю живность за один день, то потом умрете с голоду!

— Убито только пять кузнечиков, уховертка и две землеройки, Посланник,— возразил ученый смертоносец.— Остальные парализованы ядом и совершенно живы. Они будут ждать своего часа уже пойманными.

— Извини,— покачал головой Найл.— Я совершенно забыл, каким образом вы запасаете добычу впрок.

— Ничего страшного, Посланник. Я чувствую неуверенность в твоем сознании. Мы не так часто получаем подарки от Великой Богини.

— Знать бы, что за подарок,— пожал плечами Найл.— Возможно, есть смысл сбежать, пока он не появился.

— Он появился.

В воздухе прошелестела светло-серебристая стая. От нее отделилось несколько мотыльков, сделали круг над лесом. Один, самый отважный, опустился вниз, под кроны, и сложил длинные крылья на стволе ближнего падальщика. Тонкие слабые мембраны на спине, полупрозрачное мягкое тельце, округлое колыхающееся брюшко. Вблизи мотылек больше всего напоминал афиду — травяную тлю — с крылышками.

— Как она может добывать себя мясо? — пожал плечами правитель.— Лапки слабенькие, воли никакой, челюсти крохотные.

Мотылек, словно поняв слово «мясо», перевернулся головой вниз и сбежал вниз по стволу до уровня человеческой головы.

— Богиня завещала покормить его,— напомнил Шабр.

Найл обнажил меч, выбрал из кучи дичи небольшую уховертку и одним ударом срубил ей верхнюю часть голово-груди. Перевернув обрубок срезом вверх, он протянул угощение мотыльку.

Тот, учуяв свежее мясо, заметно заволновался, потянулся вперед и погрузил всю голову в сероватую плоть. Послышалось громкое чавканье, придавшее и так достаточно неприятному зрелищу вовсе отвратный оттенок.

— Хороший подарочек,— отвернулся от мотылька Найл.

— Что это дрожит?

Ощутив изумление Шабра, правитель повернулся к крылатой тле. Брюшко насекомого мелко дрожало, а на кончике его стала выступать белая жидкость.

— Сахарный сироп, наверное,— предположил Найл. Он не раз видел, как муравьи питаются этим лакомством, да и самому пару раз удалось насладиться редкостным вкусом.

Однако Шабр, не отвечая, поднялся на задние лапы, а передние вытянул вперед, к мотыльку. В отличие от людей, почти все органы чувств восьмилапых расположены на кончиках лап — волоски, заменяющие им уши, волоски, ощущающие запахи и даже волоски, чувствующие вкус пищи. Сейчас своими вытянутыми лапами Шабр слушал, нюхал и пробовал белую жидкость одновременно.

— Ну, что? — поинтересовался правитель.

— Молоко...

— Что?

— Это настоящее грудное молоко! — паук едва не подпрыгнул от восторга.— У нас есть, чем кормить детей!

Растущие в десятки раз быстрее малыши, естественно, требовали во много раз больше еды. Во время предыдущего визита каждого ребенка выкармливало четыре-пять женщин. На этот раз среди братьев кормилиц не имелось, и Великая Богиня сделала своим гостям воистину царский подарок: навела на них афид, которые в обмен на мясо выделяли жидкость, почти неотличимую от грудного молока.

— Великая Богиня любит нас, Посланник! — с неожиданной для паука истовостью объявил Шабр.— Она вернула нам свою милость!

— Да,— кивнул правитель.— Помогать она, может, и не станет, но и опасностей от нее можно не ждать. Думаю, через месяц-полтора ты приведешь в город пятнадцать двуногих подростков и хотя бы сотню восьмилапых.

— Я приведу? — не понял смертоносец.— А ты, Посланник?

— Отправлюсь домой прямо сейчас. Здесь, как теперь понятно, все будет нормально, а в городе и князь вот-вот должен появиться, и советник Борк какую-то напасть обещает, и пленных в солеварне проверить нужно. Там я сейчас нужнее.

— Но ты не можешь пойти один! Это слишком опасно!

— Ерунда,— небрежно отмахнулся правитель.— В Дельте меня будет охранять милость Богини, а в пустыне... Ну разве может хоть что-нибудь угрожать человеку в пустыне? Через десять дней я буду во дворце. Береги детей, Шабр. Без них наш мир не имеет будущего.

Найл подхватил копье, повернулся к пауку спиной и без долгих разговоров зашагал в направлении своей далекой столицы.

7 Зак. 3231

* * *

Пересечь ковыльные заросли по уже проложенной тропе не составило ни малейшего труда. По дороге Найл нанизал на копье желтую мохнатую гусеницу-черноголовку, которую и зажарил, выйдя к прибрежным ивовым зарослям. Печеное мясо он сложил в котомку, избавившись по крайней мере на три дня от необходимости тратить время на охоту и разведение огня. За это время он поднялся вверх по течению как раз до того места, к которому они выходили из пустыни. Здесь очень вовремя одна стрекоза обломала крылья о привязанное к спине копье. Правитель развел вечером на берегу прощальный костер, на котором запек неудачливую хищницу, и ушел во мрак.

Ночь — лучшее время для человека в пустыне. Ночной холод, пока двигаешься, не страшен, хищники спят, жара не донимает, солнечные лучи не жгут кожу. На боку полная фляга воды, половина котомки полна мясом. Иди, да иди. Не путешествие, а отдых. Это со смертоносцами невозможно совершать ночные переходы — от холода они постепенно «засыпают», теряя способность не только шевелиться, но и мыслить.

К счастью для ночной живности, той же напасти подвержены и стрекозы, и сколопендры, и жужелицы, и скорпионы. Поэтому нечего опасаться шорохов за спиной или осыпающегося песка на склонах дюн. Ночь — время царствования Homo sapiens.

Ранним утром правитель вырыл неглубокую яму на западном склоне одного из барханов и после долгого, почти суточного перехода мгновенно провалился в глубокий сон. Отдыхал Найл не меньше десяти часов, и примерно за час до захода солнца со свежими силами двинулся в дальнейший путь. Пустыня между городом и Дельтой почему-то не желала давать приют никаким живым существам, и ничто не могло отвлечь Посланника от бесконечного процесса преодоления песчаных барханов — склон за склоном, гребень за гребнем. Путеводную звезду заменял темный овал на усыпанном звездами небе — странная аномалия над Комплексом Магини, видимая даже отсюда. Привычный к странствиям правитель почти не устал, а потому продолжал путь еще часа два после рассвета, и только потом остановился на привал. Он доел мясо — на жаре оно слишком быстро портится. Лучше три дня обойтись без пищи, чем потом выбрасывать протухшие припасы. Воды оставалось еще половина фляги.

Подкрепив силы, Найл зарылся в уже теплый песок и закрыл глаза.

* * *

Он летел по длинному темному тоннелю, который становился все уже и уже. Мрачные ледяные стены сужались вокруг него, норовя раздавить, а пятнышко света впереди становилось все меньше и меньше.

Вспышка!

Он охватившего его ужаса Найл вскочил, инстинктивно схватив копье, огляделся.

В двух метрах от него, на медленно осыпающемся склоне стоял «злой божок» — прорвавшееся сквозь время напоминание Мага о своем существовании. Этот маленький каменный идол мог означать только одно: за Найлом пришла смерть.

Не дожидаясь подробностей, Посланник торопливо зашагал по склону прочь — бежать по осыпающемуся песку оказалось невозможно.

За спиной послышался шорох — правитель резко развернулся, широко расставил ноги и наклонился вперед, крепко сжимая копье. Он собирался дорого продать свою жизнь.

Шагах в пяти от того места, где он только что спал, из склона высунулся светло-серый червяк. Кусок тела диаметром с ногу и длиной около метра свился в кольцо, резко развернулся — в воздух соскользнул яркий желтый шарик, улетевший метров на пятьдесят в сторону. Резко запахло послегрозовой свежестью.

Замерший Найл, облизнув пересохшие губы, ждал продолжения. Единственной оставшейся в голове мыслью было сожаление о так и не выпитой воде.

Червяк изогнулся буквой «Г» и поворачивался из стороны в сторону, словно принюхиваясь. Если бы не «злой божок» рядом с ним, зрелище могло показаться забавным.

Спустя несколько минут червяк решил перейти к более активным действиям, и начал выбираться на поверхность.

Когда под солнечными лучами оказалось около трех метров тела, он неуклюже покатился вниз по склону и замер во впадине между барханов.

Никто и никогда не признал бы в нем сколько-нибудь опасного существа, однако каменный идол — символ смерти — никуда не исчезал, и Посланник решил не рисковать. Он стал осторожно подниматься вверх по склону, с удивлением отмечая, что верхний слой песка слипся в хрупкую тонкую корочку.

Заметивший движение червяк резко свился в кольцо. Найл немедленно приготовился к обороне — однако с головы странного существа всего лишь слетел еще один желтый шарик, а в воздухе повеяло озоном. Червяк изогнулся и снова начался «принюхиваться».

— Что ты хочешь почуять? — прошептал Найл.— Признайся, мне интересно.

Посланник начал понимать, что его пытаются убить. Самое кошмарное — он не понимал, каким образом. В воздухе повеяло грозой. Значит, червяк использует для охоты электричество. Сразу вспомнился встреченный обугленный панцирь жука-бомбардира — и все стало ясно.

— Поджарить меня хочешь, электрический червяк? — усмехнулся правитель.— Нюхаешь, зажарился уже или нет?

Ползучая электростанция решила изменить методику поиска — сжимаясь и вытягиваясь всем телом, она двинулась в сторону Найла. Человеку это не понравилось, и он попытался отступить еще выше по склону. Найл не успел сделать и трех шагов, как червяк свернулся в кольцо.

Правитель мгновенно замер, пытаясь представить себе, как чувствует себя зажаривающийся живьем человек. Мелькнул в воздухе желтый огонек, запахло озоном...

— Интересно, а почему я еще жив? — задался Посланник не очень приятным вопросом.

Действительно, появление «злого божка» говорило о скорой неминуемой смерти, червяк не меньше трех раз выпускал свои электрические разряды. Почему тогда правитель все еще жив? Почему не изжарился, как недавней памяти жук?

Найл замер, наблюдая, как в десятке шагов ниже по склону извивается смертельно опасный, но явно слепой враг. Очень хотелось продырявить его копьем — но кто знает, что у него внутри? Уж не разнесутся ли во все стороны накопленные монстром убийственные заряды, снося все на своем пути?

Червяк замер, то ли раздумывая, то ли прислушиваясь.

Найл совершенно перестал дышать. Умей он это делать — сейчас он остановил бы и сердце.

Как же этот монстр убивает свои жертвы? Итак, он выпускает разряд. Что дальше? Электричество расходится по сторонам и убивает всех вокруг. Нет, что-то не так. Будь все так просто, Посланник уже лежал бы на песке, зарумяненный до золотистой корочки. Значит, разряд просто прошел по песку под ним, не причинив никакого вреда. А если бы на его месте оказался жук?..

— Вот оно! — невольно воскликнул правитель.

Червяк мгновенно свился в кольцо и метнул свой желтый шарик. Как только в воздухе пахнуло свежестью, Найл бросился бежать вверх по склону — не может же этот ползучий разрядник испускать электричество непрерывно?! Наверняка ему нужен хоть небольшой перерыв для отдыха!

Правитель успел взмыть на гребень бархана, и в тот миг, когда червь снова свернулся в кольцо, Найл уже успел замереть, стоя на одной ноге.

По песку вновь пошел разряд. Песок очень плохой проводник электричества — живая плоть проводит его куда лучше. Окажись вблизи от червя любое четвероногое, шестилапое или восьмилапое существо — и разряд неминуемо облегчит свой путь, проторив дорогу сквозь несчастную жертву, изжаривая ее внутренности. Тоже самое произойдет и с человеком, окажись одна его нога позади другой. Однако Найл стоял лицом к врагу, и ноги его находились на одинаковом от червя расстоянии. Между ногами не имелось никакой разницы потенциалов — и разряд прошел под правителем.

Существовал только один способ сбежать от неуклюжего и слепого, но тем не менее крайне опасного хищника, и Найл собирался воспользоваться им, как бы глупо все это не выглядело со стороны.

Посланник Богини повернулся к червю спиной, поджал правую ногу, а на левой поскакал вниз по склону. Скрытным этот способ передвижения назвать было нельзя. Червь моментально метнул над его головой свой желтый шар, потом еще и еще. Найл продолжал скакать на одной ноге, до крови прикусив губу — никогда еще его жизнь не зависела так от чувства равновесия.

Вскоре червяк перестал швыряться своими шариками — то ли окончательно потерял надежду разжиться обедом, то ли просто слишком устал.

На всякий случай Найл проскакал на одной ноге еще метров двести, пока не зацепился носком сандалии за невысокую песчаную кучку, и не рухнул оземь. Пару секунд правитель с ужасом ждал разряда, который вот-вот должен прошить его тело, потом вскочил и пошел дальше уже обычным шагом, слегка приволакивая уставшую левую ногу. Желания отдохнуть в ближайших окрестностях у него больше не появлялось.

* * *

Правитель вошел в свой город ранним утром, когда небо только-только начинало светлеть — провозглашая всем, что солнце уже подбирается к линии горизонта и скоро выглянет над ним. Несмотря на ранний час, кое-где начинали постукивать молоточки, хлопать двери. Из многих окон ароматно тянуло созревающими на плитах супами, кашами, рыбой и жарким. После трех дней без еды от таких запахов в желудке сразу забурлило, а челюсти болезненно заныли.

Проходя мимо низкого, настежь распахнутого окна, Найл не удержался, постучал по подоконнику:

— Хозяйка! Поднеси путнику чашку воды.

— Кто там? — из двери высунулась курчавая девушка лет тринадцати. Увидев вооруженного человека, она испугано шарахнулась обратно в дом.

— Воды нет, что ли? — недовольно буркнул Посланник.

Однако спустя минуту на улицу вышел дородный бородатый мужчина в длинной, не подпоясанной тунике. В одной руке он держал ковш, в другой — здоровенный тесак.

— Кого тут жажда замучила?

— Меня.

Оценив длину копья, широкий меч и расшитую тунику пришельца, мужик моментально спрятал нож за спину, а ковш с поклоном протянул перед собой:

— Прошу вас, господин.

Наверное, не наряди Тройлек Посланника в дорогую тунику — спрятать могли ковш, а тесак — предъявить забредшему оборванцу под нос.

Вода была теплой, но свежей, не застоявшейся. Правитель пил, привычно стараясь не уронить на землю ни капли, и ощущал, как в сознании мясника мучительно крутится вопрос: «Где я мог видеть этого паренька?».

— Не желаете откушать с нами, господин? — решил проявить вежливость мужчина.

— Нет, спасибо. Пока не отопьюсь, все равно есть не смогу,— вернул Найл ковш мяснику и одним махом разрешил его сомнения: — Заметишь сегодня на базаре кого-нибудь из квартала жуков, скажи, что видел, как Посланник Богини из пустыни вернулся.

— Это вы, господин?! — растерялся мужчина. Он лихорадочно пытался придумать, как воспользоваться неожиданной встречей с властителем, но никаких идей, как назло, в голову не приходило.

— Я,— кивнул правитель, обошел его стороной и двинулся дальше по улице.

— Зуйка, представляешь, это был сам Посланник Богини! — послышалось за спиной.— А ты его турнуть хотела! Салерну постучи, может, они его еще увидеть успеют.

Стало ясно, что весть о возвращении Найла разлетится по городу задолго до открытия базара.

Тройлек в очередной раз продемонстрировал расторопность: встретить господина у Запретных развалин он не успел, зато на площади перед дворцом выстроил в два ряда чуть не всю прислугу.

— Мы рады вашему возвращению, господин,— торжественно объявил паук, выбегая перед строем.

— Это просто здорово,— устало усмехнулся Найл.— Мне нужно помыться, попить и поесть. А пока все это происходит, ты вкратце расскажешь обо всем, что творится в городе.

— Как прикажете, Посланник,— затрусил смертоносец следом за правителем.— Князь Граничный прибыл в крепость возле ущелья. С ним десяток воинов и два паука. Он приглашает вас на переговоры.

— Это в Приозерье? В такую даль?

— Вы можете пригласить его сюда,— подсказал Тройлек.— Ради своей дочери князь отправится хоть скорпиону в клешни.

— Вот пусть и приезжает. Только один.

— Это не очень удобно,— замялся паук.— Лицу княжеской крови положена сопровождающая дружина. Хотя бы чисто символическая. Пусть Дравиг пропустит с князем четверых воинов?

— Ладно, пускай. Что еще?

— На солеварне бунт. Смертоносцы сообщили, что вчера разорвали нескольких пленников, остальные сбежали в пустыню.

— А Райя? — вскинулся Найл.

— Она не пострадала.

Они вошли в покои Посланника. Спустя минуту в оставленную открытой дверь вошли с тазиками и кувшинами хорошо знакомые служанки. Посланник уже начал свыкаться со своим статусом — он невозмутимо позволил девушкам раздеть себя, обмыть, умаслить, а сам продолжал разговаривать с пауком.

— Что еще хорошего?

— От устья реки пришел паук. Он требует встречи с вами, господин. Называет себя посыльным от советника Борка.

— Значит, и там что-то не так. А приятные известия у тебя есть?

— Княжна Ямисса передала вам просьбу приобрести мазь для увлажнения кожи.

— И что в этом хорошего?

— Раз она обращается к вам с просьбой, значит признала в вас своего господина. В остальном у нее все хорошо. Вот только она пьет слишком много воды. Это необычно.

— Ты купил ей мазь? — спросил Найл, наблюдая, как пятеро слуг накрывают стол.

— Но вас же не было в городе, Посланник! Теперь вы можете отнести эту мазь лично, и воспользоваться своим правом...

— «Воспользоваться правом»? — весело переспросил Найл.— А ну-ка, угадай, что сейчас здесь произойдет?

— Вы наедитесь после долгого похода и заснете прямо за столом,— уверенно предположил паук.

— Почти угадал,— похвалил управителя Найл.— Наемся и усну. Только до кровати надеюсь все-таки дойти. Часа через два сюда прибежит Саарлеб. Но ты его не пускай, дай мне отдохнуть хотя бы до середины дня. Потом я выйду к жуку, а после разговора с ним прямым ходом отправлюсь в порт, сяду на корабль и снова лягу спать. Надеюсь, до завтрашнего утра. Утром я буду в солеварне, оттуда отправлюсь к советнику Борку. Дня через три вернусь сюда, и если князь не успеет примчаться, то мы еще раз обсудим этот вопрос. Так что лучше сразу пошли ей мазь со слугой, и скажи, что это от меня. Хорошо?

— Да, Посланник.

Найл, склонив голову на бок, еще раз прокрутил в голове все, что только что сказал и услышал, и внезапно заявил:

— Великая Богиня, лучше бы я по сей день оставался дикарем в маленькой уютной пещере между озером Дира и оазисом муравьев. Всего-то и забот: охотиться, да спать.

* * *

— Время обедать, господин, вставайте.

Найл с трудом выбирался из глубин сна. Глаза его не хотели открываться, сознание — мыслить, тело — шевелиться. Всей своей сущностью он стремился назад, в блаженное небытие.

— Вставайте, господин, для вас накрыт обед,— губы ощутили теплое прикосновение, чья-то нежная рука скользнула под подол туники.

Посланник понял, что в покое его не оставят, рывком сел и открыл глаза.

Девушки, которых Тройлек подослал будить правителя, разочарованно отступили. Найл старательно растер лицо, прогоняя остатки сна и подошел к столу.

На этот раз Хозяина бомбардиров встречали только Тройлек и Посланник. Найл даже не стал подпоясываться мечом, хотя тунику надел расшитую, княжескую. Вошедший в тронный зал Саарлеб порадовался такой мирной и домашней обстановке, не предвещавшей неприятностей. Минуту спустя в двери протиснулись его телохранители и заблокировали сознание Хозяина.

— Рад видеть тебя, Посланник Богини,— поприветствовал Найла жук.

— Да, давно не виделись,— кивнул ему правитель.

— Было ли спокойным ваше путешествие, Посланник Богини?

— Разумеется, Хозяин,— улыбнулся Найл.

— Как встретила вас Дельта?

— Она очень дружелюбна, Хозяин.

— Почему же тогда ты вернулся? — один из самых важных для жуков вопросов Саарлеб задал так, словно всего лишь отдавал дань вежливости, интересовался делами правителя.

— Там слишком спокойно, Хозяин. Я заскучал.

— Разумеется, здесь вы нужнее,— согласился жук, и мимоходом задал еще один очень важный для шестилапых вопрос: — А когда ты собираешься привести их назад?

— Не беспокойся, Саарлеб,— ласково улыбнулся Найл.— Братья по плоти вернутся в целости и сохранности. Рад был тебя увидеть, Хозяин.

Правитель развернулся и пошел к выходу из зала.

— Постой, Посланник,— рванулся следом Хозяин.— А наши самки?

— Ну что ты, Саарлеб? — остановился Найл.— Ведь вы — абсолютно независимый анклав! Ваши самки — это ваше внутреннее дело, и я не собираюсь в него вмешиваться.

— Как это? — удивился жук-бомбардир.— Ведь вы уходили вместе?

— Это оказалось хорошее путешествие,— кивнул Найл.— Нам будет не хватать ваших самок на пути домой.

— Ты хочешь бросить их в пустыне, Посланник? А как же наша дружба?

— Почему ты так беспокоишься, Хозяин? — изобразил удивление Найл.— Ведь жучихи самостоятельно возвращаются из Дельты уже сотни лет?

Саарлеб промолчал.

— Кстати, о нашей дружбе. Почему-то после каждого ее проявления с твоей стороны мне приходится рисковать жизнью. Странное совпадение, не правда ли? Молчишь? А хочешь, я отвечу за тебя? Ты мне солгал, Хозяин. Ты вообще не знаешь, что такое «дружба». Просто твои самки в пустыне стали погибать. И ты, как всегда, решил спрятаться за нашими спинами. А об опасности не предупредил, чтобы мы не отказались от путешествия в Дельту. Ведь так? Твои жучихи пристроились в конце колонны, и ждали, не появится ли червяк. Ведь погибли бы только те, кто к нему ближе всех — те, кто шли первыми.

— Ты видел его, Посланник,— понял Хозяин.

— Да, Саарлеб.

— Ты победил его?

— Нет,— покачал головой Найл.— Пусть живет. Для посещения Дельты мне известен другой путь.

— Какой? — встрепенулся жук.

— Совершенно безопасный,— улыбнулся правитель.

— Ты должен показать мне его,— потребовал шестилапый.

— Я не помню, Саарлеб, чтобы ты хоть раз поделился со мной своими секретами. Зачем мне поступать иначе?

— Самки жуков исчезают! После каждого ритуального путешествия из них исчезает почти треть!

— Это ваше внутреннее дело,— пожал плечами Найл.

— Это твое дело, Посланник Богини! — поднялся на вытянутые лапы Саарлеб.— Каждый жук — это личное порождение Великой Богини Дельты, и ты, как ее Посланник, отвечаешь за каждого из нас!

— Я отвечаю за тех, кто платит мне налоги, кто выполняет мои приказы и законы, кто приносит мне клятву верности. А вы — свободный народ. Вы вольны жить по своим законам, не исполнять своих клятв, и не просить больше помощи у тех, кого всегда обманываете.

— Ты хочешь, чтобы мы отказались от своей свободы? — возмутился Хозяин.— Наше право жить по своим законам закреплено в великом Договоре о мире! Никто и никогда не посмеет лишить нас этого завоевания!

— Я тоже не собираюсь посягать на вашу свободу жить и умирать так, как вы этого пожелаете. Но если вы сами предложите мне распространить законы города на ваш квартал, станете платить налог, а ваши жуки станут служить в моей армии, если вы захотите стать равными среди равных... Что ж, тогда я могу согласиться принять вашу клятву и начать заботиться о вас, как и обо всех прочих своих подданных.

— Никогда! — Саарлеб, не прощаясь, развернулся и выскочил в дверь, едва не выломав крепкими боками косяки.

— Они не захотят начать враждебные действия? — забеспокоился Тройлек.

— Не важно,— покачал головою Найл.— Мне надоело иметь в самом сердце города гнездо бронированных монстров, которые вспоминают о дружбе, когда плохо им, и вспоминают о своей свободе, когда плохо другим. Пусть выбирают что-нибудь одно. Время у них есть — я вернусь только дня через три. Ты сообщил Назии, чтобы она приготовила мне каюту?

* * *

Мирные, пологие волны цвета прелой соломы бесшумно разрезались острыми носами полусотни широкобортных кораблей. Небо задергивала пелена высоких перистых облаков, спасающих от палящего жара солнца. Гребцы лениво дремали, развалившись на своих скамьях, а прямоугольные паруса натужно выгибались под плотным попутным ветром, двигая суда вперед вместо них.

Впереди поднимались заснеженные вершины Серых гор. Провинция. Владения советника Борка. Найл подозревал, что разобраться с возникшими здесь проблемами будет куда сложнее, чем на солеварне.

Там, в оазисе, куда не ступала нога захватчика, где не подозревали о гибели и возрождении Смертоносца-Повелителя, по сей день царили законы пауков. Один из мастеровых северян отремонтировал затвор шлюза — слишком хорошо отремонтировал. Надсмотрщица, отдавая должное его работе и в соответствии со своим знанием решила вознаградить хорошего слугу. Вознаградить так, как это может сделать только женщина. Бедолага не понял истинного смысла сладострастной ночи и следующим вечером опять направился к надсмотрщице. Но что в мире пауков можно женщинам, то недопустимо для мужчин — вчерашняя любовница подняла шум, преступник был немедленно разорван пауками. Остальные пленники кинулись на помощь товарищу, но смертоносцы закрыли солеварню ВУРом и оттеснили северян в пески.

По счастью, в мирной жизни северян изнасилование тоже считается тяжким проступком. Посидев двое суток без пищи и воды, пленники растеряли желание защищать нарушившего закон товарища. Личный визит правителя позволил им переменить свое мнение, сохранив достоинство, и они снова приступили к работам.

Безусловно, подобного скоротечного бунта не случилось бы вообще, понимай северянин и надсмотрщица друг друга, разговаривай они на одном языке...

Неприятное происшествие вновь заставило Найла вспомнить о поразительной способности Райи понимать разговоры северян и говорить так, что они ее понимают — не зная их языка! Найл не решался тщательно разобраться с этим феноменом, пока хозяйка солеварни не родит его сына — зачем понапрасну нервировать женщину? Сейчас он пытался высчитать, когда же произойдет это событие. Общаясь с Райей, поглаживая ее животик, вступая в контакт с ее сознанием, правитель пребывал в твердой уверенности — женщина на восьмом месяце. Однако сейчас, производя в уме самые обычные расчеты, он все больше и больше недоумевал.

Сбежав из города, путники добирались до рощи деревьев-падальщиков больше месяца. Почти два месяца они провели в Дельте. Затем, никуда не торопясь, они стали двигаться в Провинцию. Дорога заняла намного больше месяца, плюс несколько недель они отдыхали в замке советника Борка. Пусть будет еще два месяца. Два месяца длился поход в Серые горы. Вместе получается никак не меньше семи месяцев.

— Назия,— окликнул правитель морячку,— сколько времени вы бродили по морям, прежде чем вас встретил советник Шабр?

— Восемь месяцев, Посланник.

Восемь. А затем была подготовка к освобождению города, приведение его в порядок, укрощение Демона Света, поход на Приозерье. Как ни крути, а меньше девяти месяцев не выходит. Остается добавить последний штрих: свой памятный визит в солеварню Найл нанес за месяц до нападения северян! Получается, что по самым минимальным подсчетам, Райя вынашивает ребенка десять месяцев. А может быть — и все одиннадцать.

— Нос налево не торопясь! — звонко скомандовала Назия.— Спустить парус! Причальной команде на нос!

Корабли, постепенно замедляя ход, нацелились точно на прилепившейся к горному склону замок, поставленный на самой вершине идеально полусферического холма. Казалось, они хотели заплыть прямо в двери — но стройное здание и покорителей морей помимо зеленого луга разделял еще и широкий песчаный пляж. Носы с шорохом выползли на берег. Моряки быстро посыпались с бортов, облепляя свои суда и отволакивая их подальше от игривых волн.

Встречать Посланника не вышел никто, и Найла это весьма обеспокоило — не заметить из замка подходящий к берегам флот просто невозможно. Не дожидаясь, пока люди закрепят суда и подвяжут паруса, он почти бегом поднялся по заросшему короткой травой холму и вошел в высокие готические двери.

— Эй, есть кто-нибудь?

Правитель повернул направо, в коридор и заглянул в ближайшие обширные комнаты. Там всегда обитало хоть несколько человек, ожидающих праздника. На этот раз здесь было пусто. Предназначение помещений выдавали только расставленные вдоль стен топчаны и аккуратно свернутые тюфяки. Единственное утешение — никаких следов разгрома, сражения или панического бегства. Возможно, пришедшая в Провинцию беда хотя бы не очень кровава.

Лестница в конце коридора выводила на хорошо знакомый Найлу балкон — именно здесь он предпочитал ночевать во время пребывания на плодородной полоске земли между горами и морем. Поэтому правитель вернулся в холл и стал подниматься вверх по широкой парадной лестнице из прессованного гранита. Рука невольно легла на рукоять меча, но никаких посторонних звуков пока не слышалось, и обнажать оружие Найл не спешил.

На третьем этаже он постучал в выходящую прямо на лестницу дверь, потом решительно распахнул ее:

— Джарита, ты здесь?

В покоях главной служанки все так же оставалось на своих местах: деревянный полированный диван, два глубоких кресла, два объемных сундука, четыре стула и стоящий посередине стол, застеленный большим белым платком с кисточками по углам. Три высоких готических окна выходили на море, еще одно, чуть в сторонке — на зеленые кроны ближней рощи. В комнате имелся самый настоящий альков: прикрытое плотными занавесками углубление в стене. Найл не поленился заглянуть и туда, но там нашлась только застеленная розовым покрывалом кровать.

— И на мор тоже не похоже,— пробормотал Найл.— Больных-увечных не видно.

Правитель вышел из комнаты и поднялся еще выше этажом. В лицо ударило свежим ветром, щедро сдобренным водяными капельками. Открытая площадка ограничивалась позади мощной скальной стеной, по сторонам —

высокими шестиугольными башенками, а впереди — высоким зубчатым парапетом. Стало видно, как далеко внизу, на желтой полоске пляжа, разгораются костры. Моряки занимались приготовлением обеда, а несколько надсмотрщиц, вооружившись старыми копьями с длинными костяными наконечниками, прогуливались по кромке воды, внимательно вглядываясь в заросли крыжовника. Восьмимесячное скитание по морям приучило хозяек кораблей к предельной осторожности.

Найл повернул к правой башенке, вошел в низкую арку двери и стал подниматься по пыльной винтовой лестнице. Именно здесь, в небольшой комнатке под смотровой площадкой выбрал себе место для жилья премудрый советник Борк. Правитель уже никого не рассчитывал встретить, поэтому, увидев сверкающие в полумраке глаза, в первый момент даже немного растерялся.

— Рад видеть тебя, Посланник Богини,— управитель Провинции выдвинулся вперед и встал в пятно света, падающее из окна.

Борк — старый смертоносец, покрытый короткими седыми волосками, росту имел чуть больше собаки, что говорило об очень солидном возрасте. За свою жизнь паук успел обломать коготки на всех лапах и получить длинный шрам на боку. Найл ни чуть не удивился бы, окажись, что этот паук участвовал в легендарных битвах людей и восьмилапых времен Айвара Жестокого и Хеба Могучего.

— Рад видеть тебя, советник,— с некоторым облегчением кивнул Найл.— Что тут у вас происходит?

— Извини, что не встретил тебя, Посланник Богини, но с недавних пор паукам в Провинции рискованно появляться на виду.

— Только паукам?

— Ты так и не стал смертоносцем,— укорил Посланника советник.— Ты все время думаешь о двуногих. Ничего не случилось с твоей Джаритой. Она отправились собирать еду в поселения у болот.

— Откуда тогда такое запустение? — правитель развел руками, словно имел в виду именно эту комнату без мебели и украшений.

— Тебе хочется это знать? Хорошо.

Внезапно Найла охватило чувство полной, смертельной безысходности, которую, наверное, испытывает замотанный в кокон человек, когда паук впрыскивает внутрь пищеварительный сок или схваченная цепкими стрекозиными лапами чайка в ожидании безжалостного укуса широко раздвинутых жвал. Невыносимая тоска, осознание совершенной неспособности хоть что-нибудь изменить, предпринять перед лицом накатывающейся неизбежной гибели.

— Они перестали спариваться, они бросили работы,— фразы паука пробивались к сознанию Посланника словно сквозь закрытую дверь.— Они рыщут в лесах, ловя смертоносцев, и всеми силами пытаются уговорить их принять себя для «возрождения». Мы начали прятаться от них, мы скрываемся в горах, в густых кронах, пещерах, боимся показываться в собственных землях. Многие сородичи готовы просто убивать своих почитателей и разбрасывать по дорогам в назидание прочим. Смертоносцы Провинции просто не способны поглотить такое количество продовольствия!

— Уж не хочешь ли ты сказать,— не поверил Найл,— что смертоносцы не решаются убивать двуногих?

— Я запрещаю им. И даже не из-за твоих приказов.— Советник Борк опять отодвинулся в тень.— Всю жизнь я стремился к тому, чтобы сделать людей счастливыми. Не могу теперь позволить публично рвать их в клочья или выгрызать куски тела для большего мучения. Я начинаю страдать их болью, стоит лишь появиться таким мыслям.

— Не надо передергивать, советник,— Найл пересек комнату и уселся на подоконник.— Ты стремился сделать людей счастливыми только потому, что мясо спокойных и упитанных, довольных жизнью двуногих куда сытнее, чем у вечно голодных, жилистых дикарей вроде меня.

— Какая разница, Посланник? — хладнокровно парировал Борк.— Я хотел сделать людей счастливыми. Ты, я думаю, стремишься к тому же. Какая разница человеку, почему правитель стремиться дать ему жилье и еду, помогает завести жену и вырастить детей?

— А почему ты не заботишься о счастье смертоносцев, советник?

— Они разумные существа, они должны добиваться счастья сами.

— Это и был ответ, советник Борк. Люди тоже должны добиваться своего счастья сами.

— Твой аргумент основан на очень зыбком постулате, Посланник Богини,— паук взбежал по стене к ведущему на смотровую площадку люку.— Если я, не спрашивая мнения своих двуногих, стремлюсь сделать их счастливыми, то ты отказываешь им в легком и безоблачном счастье, опять же не спрашивая их мнения. Может быть, ты спустишься вниз и поинтересуешься, чего хотят люди?

Советник Борк вышел на смотровую площадку, взбежал немного вверх по отвесной горной стене и остановился. Посланник, волей-неволей, тоже выбрался под яркие солнечные лучи.

— Твои сородичи оказались слишком умны, правитель,— с сожалением констатировал смертоносец.— Когда ты увел отсюда четырех пауков из каждых пяти, они быстро поняли, что нас, оставшихся, не хватит на всех. Каждый из них хотел бессмертия, хотел слиться своею плотью с нашей. И тогда началось. Не думаю, чтобы это был бунт, правитель. Это просто паника. Каждый за себя, каждый хотел, чтобы смертоносец выбрал именно его. Мужья отталкивали жен, матери забывали про детей. Ежемесячные праздники оказались сорваны. Избранные разбежались, чтобы искать своих повелителей наравне со всеми. Бедной Джарите приходится одной поддерживать порядок во всем замке, добывать и готовить еду, создавать видимость величия.

— Вот к чему привела твоя хваленая «гармония взаимоотношений»,— попытался попрекнуть советника Найл.

— Нет, Посланник,— поправил его восьмилапый управитель.— К этому привел исход из Провинции больше, чем двух тысяч пауков. Хочешь, я наведу порядок за несколько часов? Достаточно лишь перебить избыток людской массы. Прикажи, Посланник Богини, и я немедленно завалю ущелье перед Серыми горам чистопородным мясом, которое разводил и культивировал всю свою жизнь! Один твой приказ, Посланник — и оставшиеся в живых убедятся, что их вечности ничего не грозит. Что их не очень много, а пауков вполне достаточно. Сделать это, правитель?

— Нет,— хмуро бросил Найл.

— И я не хочу этого, правитель. Не хочу еще и потому, что падающие в пропасть люди будут просто умирать, без всякой надежды на новое возрождение.

— Возрождение в желудке? — съязвил Найл.

— Они жили верой в невозможность смерти, если она приходит из хелицер смертоносца,— не понял сарказма советник.— Я добивался этой веры так долго, что и сам начинаю верить в их бессмертие. Они стремятся попасть в лапы пауков как можно раньше, чтобы не сгинуть из-за какого-нибудь несчастного случая, болезни, старости. А пауков на их глазах становится все меньше... Они просто не хотят умирать.

— Чего ты добиваешься, Борк? — не без грубости оборвал советника Найл.

— У тебя есть больше двух тысяч восьмилапых воинов, которые наверняка голодны. А у меня бунтует почти сорок тысяч голов отличного мяса, неспособного больше жить обыденными делами. Ты должен принять решение, если не хочешь бессмысленной кровавой бойни.

— Ты предлагаешь сделать бойню осмысленной?

— Да,— с присущей смертоносцам прямолинейностью признал советник Борк и прервал мысленный контакт, чтобы дать правителю возможность спокойно осмыслить происходящее.

Найл думал. Думал не о том, как ловко сумел советник Борк приручить десятки тысяч двуногих, побудив их добровольно устремляться в жадные пасти восьмилапых. Посланник вспоминал старуху из Приозерья, ее пятнисто-желтую, покрытую оспинами кожу; белые редкие волосы, втянутые в рот губы, отвислые морщинистые щеки; блеклые кожаные лоскутки вместо грудей; выпирающие наружу ключицы, ребра, бедра; покрывающие все тело коричневые и черные пятна. Готов ли он силой заставить людей Приозерья принять такое будущее вместо того краткого мига сладостной жертвенности, которого они так жаждут? Чем одно будущее слаще другого?

— Любимцы богов умирают молодыми,— озвучил Найл древнюю греческую мудрость.

— Ты что-то сказал, правитель? — восстановил мысленный контакт советник.

— Мне придется забрать у тебя Джариту, Борк. Она знает, как организовывать «праздники». Не хочу импровизировать на пустом месте. Боюсь испортить людям последние мгновения их жизни. А здесь ты обучишь кого-нибудь другого.

— Как прикажешь, правитель,— согласился советник Борк, и тут же жадно укорил: — Но перед этим ты произнес фразу, имеющую совсем другой смысл.

— В основе исчезнувшей человеческой цивилизации, советник, лежали принципы одной очень маленькой, но красивой страны. Она называлась Элладой. Восхищаясь ею, люди старались развивать науки, как это делали эллины, создавать красивые скульптуры и рисунки, как это делали эллины, ценить здоровое сильное тело, как это делали эллины, проводить всеобщие спортивные соревнования, как это делали эллины. А еще у эллинов бытовал один очень интересный обычай. Когда человек считал, что добился в своей жизни всего, чего хотел или просто максимума того, на что способен, он собирал друзей на прощальный пир и выпивал на нем чашу яда. Великие эллины не желали дряхлеть на глазах окружающих, не желали опускаться с тех вершин искусства, мастерства или власти, которых удавалось достичь. Они умирали на пике своих достижений, оставаясь в памяти окружающих сильными, великими, достойными.

— А если бы, оставшись жить, они могли добиться чего-то еще более великого? — расчетливо поинтересовался паук.

— Этот обычай в будущем не прижился,— пожал плечами Найл.— А потому я желаю, чтобы на праздник перевоплощения допускались только те, кто прожил больше сорока лет.

— Достойно прожил,— немедленно уточнил смертоносец.— Хорошо работал, любил жену, вырастил здоровых детей. Это можно провозгласить одним из условий, только безукоризненное соблюдение которого даст право двуногому слиться своей плотью с пауками.

— Хорошо,— решился Найл.— Я заберу у тебя триста человек, если у них будет с собой продовольствие хотя бы на месяц. С этим в городе сейчас трудно.

Казалось, о решении Посланника Богини советник Борк знал заранее. Уже часа через два на холме перед замком стали собраться люди. Они шли с корзинами, большими заплечными кувшинами, с котомками и мешками. Посланник распорядился принять жертвенных двуногих на борт и отступил в сторону, чтобы не отвлекать Назию.

Когда вернулась Джарита, он не заметил. Девушка приблизилась со стороны моря, негромко кашлянула, обращая на себя внимание и опустилась на колени:

— Советник Борк возвращает меня вам, Посланник Богини.

Судя по свежей, чистой тунике, служанка успела переодеться после путешествия и искупаться.

— Встань,— кивнул правитель.— Это не Борк возвращает тебя мне,— уточнил Найл, щадя ее самолюбие,— Это я попросил его расстаться с главной служанкой. Он очень тебя ценит и долго мне отказывал.

— Я вся к вашим услугам, мой господин,— поднявшаяся служанка склонила голову.

— Можешь проявлять меньше скромности,— улыбнулся Найл.— Ты очень ценное приобретение. Поэтому собери вещи, которые считаешь нужными или с которыми просто жаль расставаться. Поедешь в город как знатная дама.

— Спасибо, мой господин,— радостно кивнула девушка, и совсем было устремилась к замку, когда Посланник спохватился:

— Джарита! Тебе одной, наверное, справиться будет трудно. Возьми несколько человек из этих,— Найл кивнул в сторону людей в новых белых туниках, которые со сложенными на груди руками, надеждой во взгляде и облегчением в мыслях выстроились на пляже в ожидании приказа на погрузку.— Все равно они теперь будут в твоем распоряжении.

Оживление медленно сползло с лица служанки.

— Вы тоже стали таким, мой господин,— прошептала Джарита,

— Говори громче,— попросил Найл.— Я все равно все слышу.

— Вы стали как паук,— вскинула голову служанка.— Стали пожирать людей. Вам тоже хочется покушать красивых девушек, юношей и детишек перед вечерним костром. Забили им головы мерзостью, и рвете на куски. Самые настоящие смертоносцы. Вы хуже сколопендр и скорпионов, Те хотя бы не обманывают людей, когда хотят их сожрать...

— Ты думаешь, сами люди умеют вести себя лучше, Джарита? А ты знаешь, как обращались люди со своими собственными детьми задолго до того, как пауки появились на этой планете? В Древней Спарте, например, малышей, которые казались слишком слабыми, сбрасывали в пропасть. В более развитой Европе их оставляли жить. Но если в семье не хватало еды, то детей запросто отправляли в лес на съедение диким зверям. В Австралии в таких случаях младших детей просто убивали, а их мясом кормили более взрослых ребят. Эскимосы убивали одного из детей, если рождались братья или сестры. Когда рождались брат с сестренкой, убивали девочку. А еще девочку убивали, если родители не могли подыскать ей мужа-ровесника, или если уже найденный суженый умирал. В Гвинее женщины, родившие двух детей, избавлялись от всех прочих еще до их рождения — они прыгали на землю с высоких деревьев, клали на живот раскаленные камни, пили всякие отравы. Умирали, но детей травили. В древней Америке детей по праздникам бросали в глубокие колодцы, в Древнем Китае, начиная любое дело, ради памяти предков императоры умерщвляли по несколько десятков подростков. Когда европейская цивилизация достигла своего рассвета и раскинулась почти на половину планеты, то медики научились убивать еще не рожденных детей не причиняя вреда их матерям. Вырезанные из животов беззащитные малыши пищали и махали ручками на кровавых тряпках, а их выбрасывали вместе с мусором только потому, что родителям казалось лениво заботиться о своем потомстве. В это самое время русские покоряли Аляску. А тамошние индейские племена, опасаясь казаков, перерезали горло своим младенцам при приближении солдат, чтобы малютки не выдавали стойбища своими криками. Женщины тогдашних правителей принимали ванны из крови младенцев, чтобы сделать кожу более гладкой. Их мужья принимали лекарства, сделанные из кожи детей, поскольку верили в ее омолаживающее свойство...

8 Зак. 3231

— Хватит! — взмолилась служанка.

— Ну как, ты все еще веришь, что пауки жестоки к двуногим? — поинтересовался правитель.— Да Дравиг жизнь бы отдал, чтобы хотя бы каждый тысячный из убитых людьми детей оказался на нашем острове! И я бы тоже отдал. Без людей этот мир мертв.

— А разве это не люди? — кивнула Джарита на рассаживающихся на палубе обитателей Провинции.

— Они прожили долгую и спокойную жизнь,— пожал плечами Найл.— Они познали любовь и вырастили детей. Они отнюдь не беззащитны и сами захотели свершить то, что собираются сделать.

— Да их же обманули, Посланник! Им твердили про счастье преображения с самого рождения...

— Посмотри на меня, Джарита,— попросил служанку Найл.— Разве меня кто-нибудь обманывал? Два месяца назад, перед битвой у Комплекса, я сам попросил Шабра и Дравига, чтобы в случае моей смерти или ранения они съели мое тело.

— Но почему? — не поверила своим ушам Джарита.

— Просто я не хочу, чтобы мое тело протухало в каком-нибудь болоте, пухло под солнцем или пожиралось червями в сырой и холодной земле. Шабр и Дравиг мне как-то ближе.

— Сами пауки предают своих погибших огню.

— Это было давно. Теперь они тоже завещают свои тела людям.

— Огонь лучше,— упрямо передернула служанка плечом и отвернулась.

— А ты никогда не задумывалась, как умирают люди, Джарита? — прошептал Найл ей на ушко, приблизившись вплотную.— Я расскажу. Если человек перестал дышать, первым погибает головной мозг. На это нужно всего пять минут. Спинной мозг протянет на полчаса больше. Несколько часов нужно глазам, почкам, печени. Почти сутки сохранят в себе способность к возрождению мышцы, несколько дней — кожа. Когда под тобой заполыхает пламя, твои стройные ножки, твои красивые руки, твои губы, уши, шея — все они еще будут жить.

— Замолчите, мой господин,— пересохшим голосом попросила Джарита.

— Тебе это не нравится,— кивнул Найл.— Это правильно. Смерть не бывает красивой. Но все-таки выбор у нас есть. Если мы, конечно, способны на этот выбор.

* * *

— Я не стану этого делать! — категорически заявила Джарита.

Во время путешествия Назия поместила служанку на отдельный корабль, пообщаться с правителем она не имела возможности и, похоже, накопила изрядный эмоциональный запал. Попав во дворец служанка немедленно решила доказать право на собственное мнение и даже вклинилась в разговор Тройлека и Найла.

— Знакомься,— кивнул Найл,— это Джарита. Раньше она занимала место главной служанки в этом дворце, потом такую же должность у советника Борка в Провинции.

— Я не стану этого делать! — упрямо повторила девушка.

Видя, что Посланник проявляет сдержанность, смертоносец так же не стал делать девушке никаких замечаний.

— Где князь?

— Они предпочли путешествие пешком, Посланник,— сообщил паук.— Это значительно дольше, чем на лодках, и сегодня они только покинули стоянку у озера Дира. Думаю, раньше чем послезавтра князь не появится. Советник Дравиг послал вместе с ним двадцать пауков, и я точно знаю обо всех их передвижениях. Княжна чувствует себя хорошо. Пьет по несколько кувшинов воды в день, но на кожный зуд больше не жалуется.

— Не буду,— упрямо повторила Джарита.

— Бывший дворец Смертоносца-Повелителя пуст? — уточнил Найл.

— Да, Посланник,— подтвердил Тройлек.

— Отныне он полностью переходит в распоряжение Джариты. Слышишь меня, главная служанка?

— Нет,— покачала девушка головой.— Не хочу. Я не могу больше, мой господин. Прошу вас. Каждый месяц. Каждый месяц. Они приходят такие радостные. Они веселятся, они учатся танцевать и петь, они старательно намываются, они вычищают и вышивают одежду. Они стараются мне помочь, знакомятся со мной. Такие счастливые... Их начинаешь узнавать, запоминать. И вдруг вместо них остается только груда кровавых тряпок. А потом приходят новые, такие же молодые и счастливые. Каждый месяц, каждый месяц. Я не могу больше видеть этого, мой господин, я не могу больше этого переносить. Не хочу. Я не буду этого делать, мой господин.

— Будешь,— кивнул Найл.— Завтра для пятидесяти из них настанет день праздника. Я не хочу, чтобы последний день жизни для этих людей вместо экстаза самоотречения превратился в предсмертный ужас. Праздник должен пройти по всем правилам, а правила знаешь только ты.

— Не делайте этого, мой господин,— попросила служанка.— Совсем не делайте. Ведь вы же человек. Остановите этот кошмар!

— Ты забываешь, Джарита, они сами выбрали этот путь.

— Они не ведают, что творят!

— А ты ведаешь? — Найл обернулся к пауку.— Тройлек, зеркало!

— Какое зеркало? — опешил от неожиданности управитель, но тут же получил мысленный образ с четкими инструкциями и ответил импульсом понимания.

Возможно, Посланник и сам смог бы создать подобное яркое видение в сознании служанки, но в союзе с прирожденным мастером в ментальной плоскости оно обязано было получиться куда более реальным.

— Разденься, Джарита,— приказал Найл.

Она кивнула, развязала пояс туники, уронила его на пол. Стянула через голову тунику и осталась в одних сандалиях.

— Иди сюда,— Найл подвел служанку к появившемуся в стене высокому зеркалу с неровными, дрожащими краями.— Что ты видишь?

По ту сторону стекла стояла сильная, широкобедрая и широкоплечая девушка с высокой грудью и пышными рыжими волосами.

— Это я? — не очень уверена предположила Джарита.

— Да, это ты. Смотри...

Смуглая, бархатистая на вид кожа стала быстро бледнеть и обвисать на худеющем теле, тут и там появились пигментные пятна. Груди отвисли и стали болтаться едва ли не до пояса. Черты лица заострились, стали напоминать пергаментную маску, волосы выцвели, значительно поредели и торчали клочьями. Блеклые, бесцветные глаза бессмысленно вытаращились перед собой, губы провалились в беззубый рот.

Джарита испуганно вскрикнула и отскочила назад, лихорадочно хватая себя за плечи, грудь, талию.

— А вот такой ты будешь в старости,— хладнокровно прокомментировал Найл.— Ну? Нравится? Ты никогда не видела старух. Это потому, что законы Смертоносца-Повелителя обязуют любого человека, достигшего сорока лет, отправлялся в Счастливый Край. Но теперь ты активно стараешься добиться того, чтобы они бродили по нашим улицам.

Джарита все еще продолжала испуганно открывать и закрывать рот.

— Давай договоримся так, красивая моя. Когда тебе исполнится сорок лет, и ни днем раньше, мы еще раз посмотрим на тебя в зеркало, и вот тогда ты сама решишь, хочешь ты стать такой, как только что видела, или навсегда остаться зрелой женщиной? А сейчас перестань навязывать свою волю тем, кто намного старше, опытнее тебя, и кто уже сделал свой выбор. Ты меня поняла?

Служанка кивнула.

— Ты должна научить нас проводить праздники, по всем правилам. Чтобы люди на них чувствовали прикосновение будущего перерождения, а не мрака небытия. Понятно?

— А это очень просто,— неожиданно горячо заговорила Джарита.— Тут главное, ритм барабана. Он должен точно совпадать с пульсом. И бить надо долго. Когда долго, все люди перестают соображать. Мы сами дурели. Потом потихоньку ритм убыстрять надо. А потом ритм сами пауки отбивали, а мы уходили скорее. А то такое состояние, что самому в

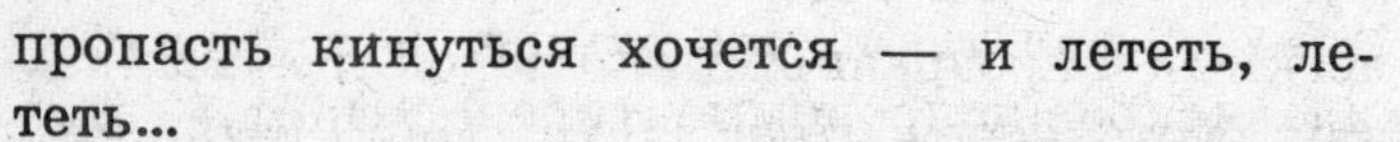

пропасть кинуться хочется — и лететь, лететь...

— Нужен барабан,— вскинул Найл глаза на Тройлека.

— Есть,— неожиданно подтвердил паук.— Несколько. Во время парадов использовались.

— Это очень просто,— кивнула девушка.— Вы сами легко справитесь. Только меня не надо... — Она упала на колени.— Я полы мыть буду, посуду скоблить, объедки выносить, только не надо меня во дворец! Я не хочу больше... Не могу... Я устала быть привратницей смерти.

— Разве ты не понимаешь? — Найл присел перед нею на корточки так, чтобы его глаза оказались на уровне глаз служанки.— Ты, и только ты. Именно потому, что ты не хочешь. Подумай, это ведь последние дни людей под нашим солнцем, на нашей земле. Они навсегда уходят из этого мира. Неужели ты хочешь, чтобы в последние часы они зависели от какого-нибудь безразличного существа? Ведь желающий получить титул этой самой «привратницы смерти» найдется обязательно. Захочется получить в свое распоряжение огромный дворец, захочется властвовать над чужими жизнями и смертями. Демонстрировать всемогущество. Каково станет людям под такой пятой? Подумай о них. Кто, кроме тебя, с таким трепетом сможет отнестись к их выбору? Кто лучше тебя сможет облегчить их последние часы, последние дни и минуты, сделать их легкими и прозрачными, как аромат жасмина, как глоток свежего воздуха. Иди, Джарита. Дворец Смертоносца-Повелителя и все, кто войдет в его двери, отныне принадлежат только тебе. И каков будет этот последний приют сделавших выбор, зависит только от тебя.

Правитель помог девушке встать на ноги и проводил ее до дверей тронного зала. Когда Джарита вышла в коридор, притворив за собою резную дверь, Найл с громким вздохом облегчения уселся прямо на пол:

— Великая Богиня! Саранчу завалить легче, чем этими назначениями заниматься. Тройлек, объяви в городе мой приказ: завтра, после захода солнца, выходить на улицу категорически запрещается. Скажи, что будет праздник мертвых. Все, кто окажется ночью вне дома, покинут этот мир навсегда.

* * *

Смертоносцы не умеют хранить тайны. Пребывая друг с другом в постоянном мысленном контакте, они даже не понимают, каким образом одно разумное существо может скрывать какие-то сведения от прочих сородичей. Таких же принципов они придерживаются, налаживая отношения с представителями других рас и народов.

Однако одну, саму главную тайну своего прошлого, восьмилапые тем не менее успешно скрывают даже от своих ближайших соседей. Это тайна памяти.

Сам Найл смог узнать о существовании памяти предков только пробыв в течение долгого времени на посту правителя города, и только тогда, когда безопасности его обитателей всерьез начал угрожать таинственный Маг. Оказалось, что в обширных подземельях Черной Башни смертоносцы хранят сотни тел своих умерших верховных властителей. Но в катакомбах существовало отнюдь не кладбище — в тех случаях, когда ныне живущим требовался совет древних мудрецов или сведения о происходивших в прошлом событиях, специально отобранные могильные пауки нагнетали живой энергией иссохшие от времени тела и пробуждали навсегда, казалось, уснувшие разумы.

Посланник Богини лично беседовал с Хебом Могучим, столетия назад в жестоких войнах с людьми отвоевавшего право смертоносцев на собственное государство, с Квизибом Мудрым, приручившем когда-то в древние времена первых двуногих.

Хранителям мертвых, как и всем прочим существам этой планеты, требовалась еда. Два месяца назад, освободив город, первым делом смертоносцы принесли сюда свежую дичь. Однако охота на городских улицах малодобычлива. Обитателей тайных подземслий следовало накормить сытно, обильно, до отказа набив их объемные желудки.

Перед Черной Башней уже начиналась подготовка к ночному действу: обычные пауки прочесывали окрестные заросли, разгоняя и поедая мелких насекомых, в радиусе полукилометра смертоносцы заняли посты, уже сейчас не подпуская близко никого из двуногих. Посреди древней мощеной прямоугольными плитами площади люди в белых туниках под личным присмотром угрюмой Джариты складывали высокий костер.

Найл ненадолго остановился, наблюдая за происходящим, а затем шагнул в дверь древнего строения. Ему так же следовало внести свой вклад в организацию праздника.

Смертоносцы города точно так же, как и пауки других мест, питались в основном людьми. Однако, в отличие от Провинции, где советник Борк превратил банальный процесс поедания слабого сильным в целый обряд с философско-религиозной подоплекой, местные восьмилапые делали свое дело тайно.

Кормились они в основном в трех местах: на острове рождений, где женщины девятого, вырождающегося поколения производили на свет чаще всего неполноценных уродцев; во дворце, куда собирались люди, достигшие сорокалетнего возраста, дабы отправиться в Счастливый Край; и в квартале рабов — здесь пауки позволяли себе развлечься настоящей охотой. Они плели паутины, нападали из засад, набрасывали ловчую сеть. Главной изюминкой считалось обязанность таким образом сцапать двуногого, чтобы прочие окружающие ничего не заметили. Найл помнил, как это происходило: идешь с человеком по улице, разговариваешь, и вдруг понимаешь, что собеседника рядом нет. И ничего — ни шороха, ни стона. Дабы избежать лишних беспокойств, обитателям квартала рабов запрещалось дважды ночевать на одном месте. Человек никогда не знал, исчез ли его вчерашний знакомый навеки, или просто ночует в другом доме.

Сейчас от Посланника Богини требовалось побудить хранителей мертвых вместо тайной охоты согласиться на открытый и торжественный обряд. Точнее, научить новому способу насыщения — в подземелье и раньше приносили уже пойманную, парализованную ядом пищу. В охоте бледные обитатели Черной Башни участия не принимали.

Первые минуты спуска в подземелье — самые приятные. На уходящей по спирали вниз лестнице царила невероятная после полуденной жары прохлада. Потом, к сожалению, тело начинает привыкать, и вскоре возникает такое чувство, будто здесь так же жарко, как и наверху. Спускался Найл долго — пока ступени не закончились, а толщина камня над головой не составила высоты самой Черной Башни. Лестница вывела в коридор метра три высотой и не меньше двух в ширину.

Стены оставались из неотесанного камня, грубо скрепленного раствором. В десяти метрах по ходу коридор перегораживала массивная дверь, для стягивания досок которой предки не пожалели толстых стальных полос.

Найл потянул на себя вделанное в нее холодное железное кольцо, и дверь распахнулась.

Внутри стоял светлый бойцовый паук, который, узнав правителя, опустился в ритуальном приседании, а потом освободил проход, сдвинувшись в специальную стенную нишу. Посланник, кивнул, испустив импульс приветствия и двинулся дальше.

Застоявшийся воздух отдавал влагой и плесенью, от каменных стен веяло жутким холодом. Зато насыщенность ментальной энергией оказалась столь велика, что вполне заменяла свет. Или, точнее, сумерки. С трудом различалась кладка стен, массивные балки перекрытий.

Дальше рукотворные стены закончились. Теперь по обе стороны шла скальная порода — не то мел, не то известняк. Через сотню метров стены резко раздались, потолок поднялся вверх. Это был уже не коридор, а широкая галерея, своды которой кое-где подпирали неровные колонны. Откуда-то издалека доносились звуки мерно капающей воды.

— Рад видеть тебя, Посланник Богини,— вспыхнули в сознании слова приветствия.

— Рад видеть тебя, Грель.— Собственно, паука Найл не видел, всего лишь узнав его ментальные интонации.

— Какие вопросы привели тебя в это тихое место, Посланник Богини? — произнес смертоносец ритуальную фразу.

— Меня привело чувство долга,— ответил Найл.— Мне кажется, вам настала пора подкрепить силы.

— Поесть действительно хочется,— оживился Грель, выбираясь из ниши в стене. Поскольку кормежка не регламентировалась древними обычаями, он мог позволить себе разговаривать обычным языком и вести себя согласно собственных привычек.

— Вы можете выйти ради этого на поверхность?

— Безусловно! А то мы все отвыкли от солнечного света.

— Боюсь, света вы не увидите,— замялся правитель.— Обряд придется проводить ночью.

— Это хорошо,— согласился смертоносец. — А то мы все отвыкли от солнечного света.

Пожалуй, все, связанное с едой, казалось Грелю «хорошо».

— Но мне бы хотелось провести все действия согласно обрядам Провинции. Вы должны будете вести себя так, как ведут себя пауки тех земель.

— Мне незнакомы их обряды, Посланник Богини,— уже не столь бодро ответил восьмилапый.

— Я был на этом празднестве,— сказал Найл, закрывая глаза и воскрешая в памяти события полугодовой давности. Он сосредоточился, пытаясь как можно тщательнее прорисовать все, до мельчайших деталей, а потом коротко выстрелил в Греля движущейся картинкой,— Смотри!

В центре галереи вспыхнул темно-красный костер. Он полыхнул сразу, полностью захватив сложенные поленья. И одновременно зазвучал барабан, низким эхом отражаясь от неестественно голубого купола. Барабан звучал грозно, утробно и ритмично, и молодые люди в центре сдвинулись со своих мест, ступая сперва неуверенно, а потом все смелее и смелее, начиная закручиваться в танце.

Ритм убыстрялся, танцоры двигались все скорее и скорее, завораживая правителя, впервые в жизни услышавшего музыку и увидевшего танец. Вот один сбросил с себя тунику, другой. Мгновение — и в бешеной пляске замелькали совершенно обнаженные тела.

Это было то, что Найл видел глазами — мысленно он ощущал, как мечутся по залу волевые импульсы, слегка касаясь танцоров, отчего те вздрагивают, словно от разрядов электрического угря, и начинают двигаться еще быстрее.

Вот волевая петля захватила одну из девушек, та стремительно подбежала к смертоносцу, и упала перед ним на колени, широко расставив руки. Миг — и трепещущее тело разорвано в клочья, залито пищеварительным соком и всосано в ненасытные пасти. Другой танцор вырвался из центра, тоже с широко раскинутыми руками упал на колени, и тоже был разорван на куски.

Но барабан бьет, сумасшедший танец продолжается, разбрасывая в стороны сильные, молодые, обнаженные тела. И глазами Найл видит весь этот кошмар, но мысленно ощущает восторженный экстаз молодых людей, их радость самопожертвования. Даже боль в момент смерти не причиняет им мук, они получают от этого удовольствие, радость... Они счастливы!

— Хо-о,— правитель с облегчением выдохнул, заканчивая рассказ.— Ты понял?

— Мы должны сперва как можно сильнее их раскрутить, застить сознание, внушить радость от того, что сейчас произойдет, и только после этого начинать трапезу?

— В общем, да,— кивнул Найл.

— Мы сможем это повторить,— твердо пообещал Грель.

— Тогда... Ждем вас после заката,— кивнул Найл. Процесс обучения закончился. Смертоносцы обладали великолепной памятью и в любой миг могли восстановить в памяти все увиденное или «услышанное» в жизни до мельчайших подробностей. Если Грель понял и запомнил инструкции Посланника, можно не сомневаться, что все они в будут точности восприняты всеми обитателями подземелий и столь же скрупулезно исполнены.

Первыми на вечернюю площадь пришли «жертвенные люди». Тщательно отмывшиеся, в новых белых туниках, они смиренно шествовали в последний путь — но души их метались в беспокойстве. Разумеется, они знали, что сейчас, в ближайшие часы обретут бессмертие, соединятся в единое целое с высшими существами, правителями вселенной и любимцами Богини. Но понимали и другое: с этого часа их самих — с руками, ногами, головой — больше не станет. Миг преобразования приближался неведомым, желанным и страшным мигом.

Саму Джариту Найл поначалу не разглядел. Девушка облачилась в длинную, темную тунику, распустила волосы и почти совершенно растворялась в стремительно гаснущих сумерках. Такими же неприметными были и шедшие за нею барабанщики.

Полсотни людей столпилось на широкой пустынной площади вокруг сложенного костра, недоуменно оглядываясь. Пустота, тишина. Только шелестит невидимым песком еще теплый ветер.

По площади прокатился гулкий удар барабана. Потом еще один. Еще. Один от другого отделяло не меньше шести-семи секунд — какое уж тут совпадение с ритмами сердца! Тем не менее удары продолжались. Вскоре стало слышно, как каждый громкий, редкий удар предваряет тихая мелкая дробь. Невольно прислушиваясь к разрезающим тишину звукам, правитель вдруг заметил, как его дыхание начинает подстраиваться под удары. Два удара — вдох, два удара — выдох. Удары шли немного чаще, чем обычные вдохи и выдохи, и от избытка воздуха в голове немного помутилось.

тилось. В паузах между гулкими сотрясениями к мелкой дроби добавились более частые удары. Поначалу еле слышные, они постепенно обретали звук и четкость.

Послышался царапающий шорох — из дверей Черной Башни выхлестнулся серый поток смертоносцев и растекся вокруг площади. Толпу людей в центре взорвало чувство бесконечной радости, восторга — одновременно взметнулось к ночному небу пламя костра.

Пожалуй только Найл заметил, как выбегающие из подземелья хранители мертвых вбросили в людскую толпу заряд живой энергии, мгновенно переполнившей души и вызвавшей чувство беспричинной эйфории. Не дожидаясь никаких команд, люди начали кружиться в прощальном танце.

Бой барабанов убыстрялся. Исчезли гулкие и монотонные редкие удары, на первый план вышел более частый ритм, сопровождаемый мелкой дробью. Пауки уловили нужную частоту, подстроились под него, посылая в танцующих людей резкие волевые и энергетические импульсы. Перекаченная энергией, завороженная вращением и отдавшаяся барабанному бою толпа окончательно потеряла рассудок. Из более глубоких, бездумных чувственных пластов подсознания наружу стала выпирать обычно подавленная, но способная подавить любой разум сексуальная составляющая. В ментальном плане всех людей, независимо от пола, окрасила эротическая жертвенность доведенной до экстаза женщины, которая желает отдаться вся, без остатка, утонуть в объятиях, умереть в них. Они страждали быть разорванными, поглощенными своими любовниками, перед ликами которых умирали в бешеном танце. Вот одна туника взлетела в воздух, другая. Алые блики огня заплясали на обнаженных телах.

Джарита тихо и незаметно увела своих барабанщиков, но разъяренный танец продолжался. Даже Найл ощутил, как его захватывает всеобщее сумасшествие, как нарастает желание и твердеет плоть.

Вот мужчина вырвался из общего водоворота, кинулся к плотному ряду пауков, упал на колени широко раскинув руки. Смертоносцы кинулись вперед, закрыли его собой, и спустя мгновение отскочили на свои места. Мужчина бесследно исчез, оставив после себя только короткий крик сладострастия. Еще один человек кинулся к паукам, еще — отдельные стоны слились в единый восторженный вой.

Захваченный всеобщим влечением Найл тоже швырнул волевой импульс в одну из женщин. Она кинулась к Смертоносцу-Повелителю — правитель опрокинул ее, рывком вошел, вкладывая в удары «нефритового стержня» все силы, какие только имел, он готов был пробить женщину насквозь, разорвать ее в клочья — а она лишь кричала от восторга, помогая мучителю всем телом, вдруг мелко задрожала, вонзив в спину Найла короткие крепкие ногти — и тут же обмякла, потеряв сознание.

Спустя несколько минут женщина зашевелилась, приподнялась. Некоторое время она над чем-то размышляла, потом резко вскинула к глазам свою ладонь. Внимательно ее рассмотрела в желтоватом свете Луны. Облизнула губы и поднялась на ноги.

Перед ней лежала совершенно пустая, тихая площадь. Все произошедшее могло показаться видением — но бегали по груде раскаленных углей синие огоньки, но белели пятна от разбросанных одежд. Женщина опять поднесла ладони к глазам, потом повернула их тыльной стороной. Потрогала бедра, грудь, ошеломленно огляделась.

— А как же я?

— Ты слишком рано собралась пройти обряд единения.

Голос правителя заставил женщину вздрогнуть и шарахнуться в сторону.

— Слишком рано,— повторил Найл.— В чреве твоем светится новая жизнь, подаренная Великой Богиней. Твой долг выпустить эту частицу в мир, помочь ей вырасти и возмужать. Завтра же ты вернешься назад, в Провинцию, расскажешь о случившемся советнику Борку. Он позаботится о том, чтобы ты смогла исполнить свой долг. Иди.

«Удачный ход,— внезапно пришло в голову правителю.— Она расскажет о том, какой чудесный праздник пережила, и люди успокоятся. В них появится уверенность в будущем перерождении, в сладостности этого события. А еще надежда на то, что это событие можно пережить, и остаться живым».

От окрестных домов отделились люди в темных туниках и стали собирать разбросанную одежду. Привратница смерти хорошо помнила — утром ничто не должно напоминать живым о мистическом таинстве ночи. Только угли продолжали гореть, словно отдавали дань памяти навсегда исчезнувшим жизням.

* * *

— Просыпайтесь, господин...

— У-а-а! — на миг Найлу показалось, что это мертвая Юккула ласкает его своими губами и истошный вопль правителя заставил девушку опрометью слететь с кровати.— Кто ты?

Однако сон уже отступил, и Посланник узнал свою мойщицу.

— Что тебе нужно?

— Советник Тройлек приказал разбудить вас, господин.

— Ты не могла просто потрясти за плечо?

— Нормальным мужчинам, прикосновение женских губ приятнее обычной тряски,— гордо передернула плечом служанка и вышла из покоев.

Правитель поднялся, накинул тунику, вышел в коридор.

— К вам явился с визитом Хозяин жуков-бомбардиров, правитель,— доложил поджидающий смертоносец.

— Подождал бы,— хмыкнул Найл.— Зачем будить в такую рань?

— Князь Граничный вышел к северным крестьянским полям и через четыре часа прибудет во дворец.

— Ты прав,— вздохнул правитель.— От Саарлеба нужно избавиться пораньше. Потом будет некогда. Пойдем.

Хозяин ждал в тронном зале.

— Рад видеть тебя, Посланник Богини,— торжественно приветствовал он правителя, однако на этот раз никаких попыток приседаний не предпринимал.

— Рад видеть тебя, Хозяин,— кивнул Найл.— Какие дела привели тебя в мой дворец?

— Мы обсудили твое условие, Посланник Богини,— торжественно объявил жук,— и решили пойти навстречу твоим пожеланиям! Отныне, если безопасности города станет угрожать опасность, жуки-бомбардиры войдут в состав твоей армию и будут защищать свою родину вместе с людьми и смертоносцами!

— До сих пор вы считали это необязательным,— кивнул Найл.

— Что ты имеешь в виду?! — попытался изобразить возмущение Саарлеб.

— Я знаю, вы считаете себя и только себя истинными детьми Великой Богини, а всех прочих никчемным прахом.— Нынешнее соотношение сил позволяло правителю города быть честным и прямолинейным.— Но мне не нравится, когда вы начинаете тыкать этим своим мнением мне в глаза и ставить в качестве условий нового Договора.

— Мы не пытались сделать ничего подобного! — попятился жук.

— Разве? — склонил голову набок Найл.— А кто предлагает мне союз, по которому я буду заботиться о безопасности ваших самок и их яиц, а вы сохраняете себе право сказать: «Совет считает, что городу никакой опасности не угрожает», и не вступать в войну, даже если город уже пылает, а по его улицам бегают вражеские воины! Мне не нужны ваши оговорки, Саарлеб, я требую безоговорочного исполнения приказов. А если вы предпочитаете сохранить свою полную независимость, то в этом я готов вам с удовольствием помочь. Тройлек,— обернулся Найл к управителю,— расставь вокруг квартала жуков посты. Отныне никто из обитателей анклава не имеет права входить в наш город. Независимость, так независимость.

— Подожди, Посланник Богини,— остановил правителя Хозяин.— Прошу тебя, выйди из дворца.

— Зачем?

— Пятьдесят молодых и сильных жуков выразили желание служить в твоей армии постоянно, без всяких условий и оговорок.

— Ого! — невольно выдохнул Найл.— Откуда у них возникло такое желание?

— Они думают, что жизнь в стенах квартала слишком скучна и бесполезна. Молодые считают, что в твоей армии им удастся возродить былую славу нашего рода и покрыть свои имена почетом.

— Что ж, в их решении есть здравый смысл. Я с радостью приму их в ряды своих воинов.

— Рад, что мы пришли к единому мнению,— гордо ответил Саарлеб.— Теперь ты покажешь нам безопасный путь в Дельту?

— Это совершенно излишне, Хозяин,— мило улыбнулся Найл.— Жучихам, на которых укажут мои воины, я смогу обеспечить безопасность на пути в Дельту сам.

— Как пожелаешь, Посланник Богини,— неожиданно легко согласился Саарлеб.— Не смею больше отвлекать тебя от государственных дел.

Хозяин развернулся и покинул тронный зал.

— Ты сломал его, правитель,— тут же поздравил Найла управитель.— Он уступил.

— Не думаю,— покачал головой Посланник.— Этих жуков вообще невозможно перехитрить. Слишком уж они ушлые и изворотливые.

Правитель, задумчиво поглаживая плечи, прошелся к дверям зала, обернулся, сверху вниз оглядел трон.

— У меня сложилось впечатление, что это именно Саарлеб в очередной раз получив все желаемое.

— Ты недооцениваешь себя, Посланник Богини,— подбежал к нему Тройлек.— Ты добился того, что жуки станут служить в твоем войске, но так и не сказал, где безопасный путь в Дельту.

— Ну да, разумеется,— развел руками правитель.— Как я сразу не понял! Шестилапый избавился от самой беспокойной части своей молодежи, спихнув ее мне. Теперь на его власть станет меньше претендентов. Мою власть над собой он так и не признал, а безопасность самок обеспечил. Ведь мои бомбардиры могут каждую неделю указывать на новых самок, пока в Дельте не перебывают все. Ну, и кто из нас выиграл?

— У тебя появилось пятьдесят новых воинов,— напомнил паук.— Разве это проигрыш?

— И это тоже правда,— кивнул Найл.— Пойдем, познакомимся с новыми бойцами.

Жуки-бомбардиры стояли неровной толпой между притихшим рынком и крыльцом дворца. Черные бронированные тела глянцем отливали на солнце, угрожающе шевелились жвалы, покачивались длинные усы. Одним видом шестилапые внушали уважение к своей неуязвимости и мощи.

— Я рад вашему решению, воины,— громко объявил им Найл.— Вместе мы перевернем мир. А пока выстройтесь в два ряда вдоль стен дворца, по обе стороны от крыльца,— и уже намного тише правитель добавил: — Князю будет интересно полюбоваться на это зрелище.

* * *

Зрелище и вправду произвело на князя сильное впечатление — мысли северянина заметно содрогнулись. Он попытался оценить ударную силу армии хотя бы из пары сотен подобных монстров, ощутил щемящую тоску, однако внешне ему удалось сохранить полное спокойствие.

Правитель смотрел на гостя из окна прихожей. Высокий, не очень широкоплечий человек — примерно как сам Найл. На вид ему было куда больше тридцати, но усталость и переживания всегда старят человека. Возможно, на самом деле он был куда моложе. Не доходя до крыльца дворца двух десятков метров, северянин остановился, широко расставил ноги, вскинул подбородок — точь-в-точь как княжна, положил руки на рукоять меча. Накинутый на плечи плащ разошелся, под ним блеснули доспехи и стал виден висящий на груди золотой медальон.

Один из сопровождающих князя воинов прошел вперед и вскоре послышался громкий стук в дверь. В прихожую тут же устремился один из поджидающих этого сигнала слуг.

— Князь Граничный, Санский и Тошский, человек, повелитель Серебряного Озера, Северного Хайбада, Чистых Земель и Южных Песков пришел к Смертоносцу-Повелителю! — зычным голосом объявил воин.

— Я доложу господину,— тихо ответил слуга, и дверь тихонько скрипнула, закрываясь перед носом северянина.

— Князь пришел, господин,— с поклоном передал слуга.

— Подожди,— поднял палец Найл.— Еще не время.

Князь Граничный явно имел опыт в сокрытии своих мыслей, и Посланнику никак не удавалось установить контакт с его сознанием. Однако, то ли настойчивость правителя, то ли беспокойство северянина, то ли все вместе сыграло свою роль, но скоро Найл начал ощущать, о чем размышляет гость.

Северянин проклинал тот день, когда решился начать войну в Южных Песках. Он узнал о существовании города в самом сердце пустыни в тот год, когда бароны наконец-то поуспокоились, убедившись в силе молодого князя, и в бесконечной череде войн наступило затишье. Идея еще немного раздвинуть границы государства показалась ему весьма заманчивой, и спустя неделю он уже перевалил горы Северного Хайбада. Разгромить толпу пауков, действующих без всякой поддержки, не составило особого труда, и он торжественно вступил в покоренные земли. Дальше все пошло наперекосяк. Все жители города сбежали, на улицах остались только ни на что негодные полоумные придурки. В отдельно стоящем квартале заняли круговую обороны жуки. Они воняли так, что никакие угрозы не могли заставить воинов пойти на приступ. Никаких сокровищ не нашлось ни в одном из крупных дворцов, а местные ободранные людишки нахально бегали за воинами и пытались всучить им свои уродливые поделки. В итоге вместо доходов захваченные земли начали сами вытягивать деньги из казны. Ему пришлось оставить здесь гарнизон — с первого дня к правителю стали поступать сообщения о бродящих вокруг бандах. Пришлось объявить об отмене налогов с тех, кто приедет поднимать эти заброшенные земли. Теперь он видел лавки, открытые его ремесленниками, мокриц, выращенных его крестьянами. И управлял во дворце его бывший управляющий. Вдобавок местные дикари на удивление быстро набрались опыта. В считанные месяца они полностью уничтожили сразу два гарнизона! Он потерял богатейшее Серебряное озеро — прорваться через ущелье, которое охраняет такая огромная армия пауков, невозможно. Чтобы вернуть Приозерье, понадобится уложить на горных тропах две, если не три армии.

И самое главное — он потерял свою дочь! Без нее существование княжества теряет смысл. Единственная наследница, единственное существо, в жилах которого течет его кровь.

Почему, почему он не попытался тогда договориться с местными пауками? Не послал на разведку посольство, поскупился на подарки? Даже при самом неудачном договоре он смог бы получить в обмен на своих мастеровых хоть что-то, и сохранил четыре сотни прекрасных бойцов...

— Это правильно,— согласился Найл.— Ты зря начинал войну.

Правитель спрыгнул с подоконника, поправил немного сдвинувшийся доспех, подозвал к себе слугу:

— Подожди, пока я дойду до поворота и впускай наших гостей.

На первый взгляд тронный зал казался пустым — но только на первый. Поскольку никого из двуногих братьев в городе не оставалось, Посланник приказал полусотне смертоносцев занять место на потолке.

Они не бросались в глаза, они не мешали спокойно перемещаться в зале, они были готовы в любое мгновение покарать каждого, посягнувшего на жизнь Посланника. К тому же, прежде чем доверять словам собеседника, Найл хотел узнать, насколько тот способен к вероломству.

— Князь Граничный, Санский и Тошский, человек, повелитель Серебряного Озера, Северного Хайбада, Чистых Земель и Южных Песков,— торжественно доложил слуга, и северяне вошли в тронный зал.

Пятеро против одного...

Они тут же обнажили мечи и кинулись вперед.

— Стоять! — успел приказать князь, прежде чем пауки нанесли волевой удар.— Мы с ним еще сквитаемся.

— Долго ты не проживешь, восьмилапая мразь,— пообещал один из воинов, вкладывая меч в ножны и возвращаясь за спину господина.— Встретимся.

— Не встретимся,— пообещал Тройлек, выходя из-за трона.

Только теперь Найл понял, что весь гнев северян предназначался пауку.

— Прости недостойный поступок моих подданных, Смертоносец-Повелитель. Ты сам воин, и должен понимать, как тяжко истинному воину видеть перед собой предателя и не иметь возможность уничтожить его.

— Понимаю,— кивнул Найл.— Но смерти Тройлека не хочу. Пусть твои воины подождут за дверью.

Князь, не поднимая руки, щелкнул пальцами. Его бойцы недовольно забурчали, но двинулись на выход и не очень естественно застряли в дверном проеме.

— Приветствую тебя, Смертоносец-Повелитель, благодарю за приглашение, и за гарантии моей безопасности,— князь замолчал, ожидая, подтвердит или опровергнет хозяин дворца обещание, которого не давал. Бойцы в дверях тоже притихли.

— В моих владениях ты в полной безопасности князь,— кивнул Найл, давая воинам возможность наконец-то покинуть зал.— Можешь звать меня не Смертоносец-Повелитель, а Посланник Богини. Это звание мне более привычно.

«Он что, еще и проповедник? — мысленно удивился князь.— Первый раз слышу, чтобы проповедник правил страной.»

Найл усмехнулся. В отличие от северянина он знал, что эта меркантильность — отличительная черта только христианского мира. На Востоке, среди более духовно утонченных и увлекающихся арабских народов именно проповедники сплошь и рядом становились властелинами. Что говорить — проповедник Христос был как раб распят на кресте, проповедник Мухаммед основал мощнейшую империю.

— Хорошо, Посланник Богини,— согласился князь, ничем не выказав того, помнит ли он пленника, жизнь которого разыгрывал в карты у озера Дира.— Меня привела к тебе горькая весть. Правда ли, что моя дочь Ямисса взята тобою в плен в честном бою у города Приозерье?

Каждое слово фразы имело двойной смысл. «Взята в честном бою» означало помимо всего еще то, что обращаться с пленной должны в соответствии с законами чести, что князь не считает постыдными действия противника, и тому не надо убивать пленников, чтобы скрыть нечто позорное.

— Это действительно так, князь.

— Жива ли она, Посланник Богини? — сглотнул князь. Война есть война, разгоряченные битвой воины, надругавшись над пленницей, вполне способны для развлечения перерезать ей горло.

— Она жива, князь.

— Я готов заплатить за нее достойный выкуп, Посланник Богини. Ты согласен вернуть мне мою дочь?

Этот вопрос тоже был важен. Военная добыча — собственность победителя. Он мог взять выкуп и вернуть пленницу, а мог оставить себе в качестве рабыни. Немало девушек, оцененных в тысячи золотых, отмывают полы солдатских казарм, теша самолюбие удачливых баронов.

— Да, князь.

— Мне хотелось бы увидеть Ямиссу,— голос северянина все-таки дрогнул.

В погоне за золотом жадный правитель вполне способен потребовать выкуп за давно умершего человека.

Теперь, когда победитель согласился начать торговлю за свободу пленницы, отец имел полное право требовать показать ее, доказать, что она жива и здорова.

— Тройлек, прикажи привести княжну,— кивнул Найл.

— Может, ее связать? — предложил паук.

— Зачем? — удивился правитель.

— Чтобы не сбежала.

— Куда она отсюда денется?! — тут Найла осенило: — Ты это в отместку княжеским воинам придумал? Если ты такой обидчивый, то просто выйди к ним, и сразись! А княжну приведи сюда без всяких веревок и охраны!

Тройлек отдал мысленный приказ. Спустя несколько минут низкая, ведущая в задние покои дверь отворилась.

— Папа!

Девушка стремительно промчалась через зал, буквально перепорхнув высокие ступеньки колоннады и оказалась в объятиях отца. Оба мгновенно забыли обо всем окружающем, быстро и сумбурно переговариваясь. Вот князь вскинул глаза на правителя, и Найл ощутил волну сильной, искренней благодарности и доброжелательности. Княжна успокоила отца, сказав, что ее за все время неволи так никто и не тронул. Наконец князь взял себя в руки, отодвинул Ямиссу себе за спину, словно закрывая своим телом, сделал шаг вперед.

— Благодарю тебя, Посланник Богини. Ты повел себя как благородный человек и истинный дворянин. После того, как я поступил с тобой с тобой у озера, ты имел полное право покарать меня куда более жестоко.

— Я поступил так, как подсказывала моя совесть,— произнес Найл классическую в таких ситуациях фразу.

— Чем я могу отплатить за спасенную честь и жизнь моей дочери?

— Давай, давай,— заторопил Посланника управитель.

— А что ты можешь предложить? — поинтересовался Найл.

9 Зак. 3231

— Ради моей дочери я согласен на любую цену! — заявил князь.

— Но что ты можешь заплатить? Мне хотелось завершить круг своих владений и получить Приозерье. Но его я взял сам. Ты можешь дать мне еще какие-то земли, но владения по ту сторону Северного Хайбада мне не интересны. Ты можешь дать мне оружие. Но его у меня и так больше, чем я могу набрать воинов. Ты можешь дать мне золото — но зачем оно в пустыне? Наверное, единственное, чего ты действительно можешь мне отдать, так это руку своей дочери.

— Нет! Никогда в жизни я не останусь с этим подлым, грубым, неотесанным дикарем! Да лучше мне умереть! Лучше скормить меня тараканам...

Князь схватил дочку за плечо и торопливо потащил к стене, подальше от ушей Посланника.

— С ума сошла?! И это после того, как он тебя за полмесяца пальцем не прикоснулся?

— Он пытался, он приходил! Опарыш с ногами, клопиный выкормыш...

— Открой глаза. Несколько тысяч боевых пауков, жуки, корабли, земли. Молодой, красивый.

— Бастард навозный, червяк песчаный...

— Один дворец с иное баронство размером...

— Вилкой в зубах ковыряет...

— Флот, как у Гондольского союза...

— Глушь несусветная...

— Твоих модниц вместе с мужьями, любовниками и портными в заколоченных ящиках пришлю...

Найл, даже не подозревал, что вызывает у девушки столь лютую ненависть, которая просматривалась в ее эмоциях. Он и представить себе не мог, когда и за что могла обозлиться на него Ямисса.

Князь, похоже, не терял надежды переломить сопротивление дочери, убедить ее доводами разума, дипломатии и интересов страны. Найл вдруг испугался, что северянин добьется своего. Ямисса пожертвует собой ради высших интересов, и рядом с ним на веки вечные окажется ненавидящая его женщина. Будет спать рядом с ним, есть за одним столом, стоять рядом во время встреч и переговоров и — ненавидеть. А может, и вредить, когда представится такая возможность.

— Князь! — услышал Найл свой голос, еще не успев понять, что делает.— Иди сюда.

Гость на миг крепко сжал руки дочери, отпустил и приблизился к правителю.

— Я вижу, ваш разговор протекает бурно,— грустно улыбнулся Найл.— Давай оставим его. Насильно мил не станешь. Я отпускаю вас без всяких выкупов и условий!

— Посланник... — князь поддался эмоциям, сделал еще один шаг и крепко обнял правителя.— Запомни, отныне ты мой друг и брат. Никаких войн, никаких разногласий. С этого момента я забыл про Приозерье. Оно твое навсегда, твоих детей и внуков. Клянусь, пока я жив, границы моего княжества и двери моего замка открыты для тебя. Ты будешь самым желанным гостем! Оставим ошибки и обиды в прошлом. Что скажешь?

Найл пожал плечами и коротко ответил:

— Да.

Князь снова крепко обнял правителя. Посланник увидел так и оставшуюся у стены княжну Ямиссу. Душу девушки разъедала невесть откуда взявшаяся жгучая обида.

* * *

По небу ползли крупные темно-синие облака, тяжело двигаясь в сторону далеких вершин Северного Хайбада. Почти все жители города время от времени с надеждой поднимали к ним глаза, мечтая о столь редком в здешних местах дожде. По широкой реке плясали мутные невысокие волны, и крепко принайтованный к пристани корабль жалобно поскрипывал, просительно притираясь к лохматым с внешней стороны доскам.

— Ты должен нанести визит в княжество,— убеждал Посланника князь.— Можешь сразу привезти посольство, или оценить его необходимость. Но нанести визит обязан. Можешь привести с собою все свое войско — я не боюсь армии честного друга. Всем найдем и кусок мяса, и крыша над головой. Только приезжай.

— Подожди ну хоть месяц! — взмолился Найл.

— Ладно. Согласен,— кивнул отплывающий гость.— Месяц, это как раз то, что нужно. Я тоже кое с чем разберусь и подготовлюсь. Значит, ровно через месяц. Через тридцать дней. Я пришлю к ущелью почетный караул.

— Сорок,— попытался Найл выторговать еще десяток дней.

— Хорошо, пусть сорок,— опять согласился князь.— Но только точно!

— Да, через сорок дней,— на этот раз решительно кивнул Посланник.

— И еще,— понизил голос князь.— Тебе в плен сдались триста моих воинов. Разумеется, они отдались на твою милость, и ты вправе делать с ними все, что пожелаешь. Но прошу тебя, согрей свое сердце. Они не питали к тебе ненависти, они всего лишь выполняли свой долг.

— Думаю, в ближайшие месяцы пленные обретут свободу.

— Я шел к врагу, а приобрел друга,— приложил руку к сердцу северянин.— Ты благородный человек. До встречи.

Князь взошел на выделенный Найлом корабль, который должен отвезти гостей до порогов, встал у борта и приветственно вскинул руку. Моряки заторопились отдавать швартовы. Княжна, которая еще час назад не прощаясь взошла на корабль и тут же спряталась в каюте, так и не выглянула. На душе отложился неприятный осадок — возможно, поначалу она испугалась, но ведь девушка прожила эти недели в полной безопасности и сытости, никто не оскорбил ее ни словом, ни действием. Могла хотя бы оглянуться. Судно сыто отвалилось от причальной стенки, выпростало длинные тонкие весла и решительно вспенило ими воду, уходя от прибрежных мелей.

Посланник с облегчением вздохнул. Похоже, в ближайшее время никому на этой земле проливать кровь не понадобится.

Вокруг быстро сгустился мрак. Недвижимо, словно в испуге, замер воздух. Две крупные сизые тучи повисли над крышами, почти касаясь друг друга боками, пару раз деловито громыхнули и внезапно обвалились ливнем. Первые минуты вода просто падала сплошной стеной, потом плотность дождя ослабла, он разбился на отдельные струи. Стало видно дома, по стенам которых стекали ручьи, деревья с мокрыми обвисшими листьями, улицы, обратившиеся в бурлящие потоки. На ведущем к причалу спуске десяток крепких, здоровых ребятишек с восторженными воплями бесстрашно кувыркался в этих водопадах. Дети переселившихся сюда ремесленников и крестьян. Здание на острове детей по-прежнему бессмысленно таращилось на реку своими безжизненными окнами.

Без людей этот мир мертв. Истина, понятная даже паукам. Неужели во владениях князя и вправду так запросто разбрасываются детскими судьбами, как это утверждает Тройлек?

Нужно выдергивать Шабра и девушек из Дельты и отправляться к князю в гости, пока соседний правитель настроен доброжелательно. Упускать столь редкостный шанс добыть двуногих малышей нельзя. Прихватить с собой как можно больше соли, которую столь ценят северяне, да обменять на ненужных им малюток.

С соли мысли Найла перескочили на хозяйку солеварни и ее затянувшуюся беременность. Впервые за много месяцев Посланнику не нужно было куда-то спешить, решать какие-то дела, лихорадочно собираться в дорогу. Тройлек, постоянно готовый озадачить правителя новой проблемой, на причал явиться не рискнул. Саарлеб почетного караула тоже не присылал. Самое время нанести давно назревший визит в Белую Башню.

* * *

Вверх уходила широкая беломраморная лестница, застеленная темно-бордовой ковровой дорожкой. Широкие перила внизу украшали широкие тяжелые вазы, а чуть выше, в конце пролета — стройные восьмигранные стеллы. Пролет упирался в высокое изваяние, выполненное в античном стиле, с характерной патиной — но слишком целое, нетронутое, чтобы быть подлинником. Выше лестница раздваивалась, круто выгибалась, поворачивая чуть ли не на сто восемьдесят градусов и пряталась за частую колоннаду. Справа и слева в два этажа шли широкие окна, украшенные позолоченной лепниной. Потолок украшал огромный единый плафон, с которого оседлавший грозовое облако Зевс задумчиво созерцал убранство огромного помещения.

Вокруг крутилось несколько полуобнаженных красоток, явно нашептывающих о перерасходе олимпийских денег, а натянувший свой лук Амур уже выцеливал прячущегося за легкое облачко Гермеса в крылатых сандалиях, по всей видимости виновного в безоглядном транжирстве.

Первый взгляд давал полное ощущение роскошного королевского дворца времен торжества абсолютизма, однако острый взгляд Найла тут же отметил сбоку от лестницы двери лифта — естественно, также отделанные лепниной и сверкающие от позолоты. Однако классическая световая шкала этажей и развилка из двух стрелок выдавали истинное предназначение сдвижной двери.

— Интересно, на «Титанике» лифты были? — попытался вспомнить Найл.— Или это какой-нибудь популярный отель конца двадцатого века?

Он подошел и нажал кнопку вызова лифта. Створка с мелодичным звоном отползла в сторону, Найл заглянул внутрь, изумленно присвистнул:

— Пятнадцать палуб и семь трюмов?! Нет, такого не было даже на «Куин Элизабет». К тому же три верхние палубы и четыре трюма числятся «служебными». На морском флоте, помнится, ничего подобного не было.

Найл отошел от лифта и огляделся:

— Все ясно, Стииг. Корабль, напоминающий вытянутое вверх копье, может работать только в одном океане — космическом. Это космический пассажирский корабль.

— «Леди Ди», Найл, «Леди Ди»,— одетый в длинный белый халат старец спускался по лестнице, поглаживая длинную бороду.— Самый крупный и комфортабельный космический корабль «Бритиш Эруэйс», который только выходил в межзвездное пространство. Дальние перелеты занимают по много месяцев, и люди желали путешествовать между светилами со всеми возможными удобствами.

— Кстати, о месяцах,— перехватил Найл инициативу в разговоре.— Сколько времени может длиться обычная беременность?

— Кого?

— Человека, естественно,— пожал плечами Найл. Компьютер Белой Башни чаще всего поражал его безграничностью своих знаний, но время от времени — совершенной непонятливостью.

— Беременностью называется физиологический процесс в организме самок любых живородящих животных, связанный с оплодотворением и развитием плодного яйца,— назидательно сообщил Стигмастер.— У женщины продолжается в среднем двести восемьдесят суток. Начиная с конца девятнадцатого века значительно увеличилось количество преждевременных родов. Развитие медицины позволило спасать детей, появившихся в свет на все более и более ранней стадии. В настоящее время возможно полноценное развитие здорового ребенка даже в случае выкидыша на двадцать пятой неделе.

— А случаи более позднего рождения?

— Этого не может быть.

— Одна из моих женщин вынашивает мальчика уже больше десяти месяцев

— Этого не может быть! — категорически заявил Стииг, усаживаясь на возникший возле стенки диван.— Все сведения о подобных случаях являются измышлениями представителей различных лженаук.

— У тебя есть подобные факты? — уточнил Найл. Садиться рядом со старцем он не рискнул: под красивой голограммой вполне могло не оказаться никакой опоры.

— Есть,— кивнул Стигмастер,— двадцать семь файлов.

В отличие от людей компьютеры не умеют «забывать» или игнорировать информацию, если она не согласуется с привычными им научными теориями.

— Приведи несколько фактов.

— По неподтвержденным данным, в середине девятнадцатого года, в Индии, в провинции Чхота-Нагпур местная жительница после двенадцатимесячной беременности родила сына. Жители города Бокаро утверждают, что в семь лет он мог успокаивать ветер, вызывать или останавливать дождь, что его никогда не кусали насекомые. В двенадцать лет он излечил переболевшую полиомиелитом девочку, спустя несколько дней еще троих детей, после чего бесследно исчез. Через двадцать четыре года он неожиданно пришел в дом своей матери, пробыл рядом с нею почти сутки, после чего опять ушел. На следующий день женщина погибла в результате несчастного случая.

Двенадцатого мая тысяча девятьсот двадцать второго года, в Сан-Франциско, у американки ирландского происхождения Сары Тредтон после неподтвержденной двенадцатимесячной беременности родился мальчик Энтони. От сверстников ничем не отличался. Служил на флоте матросом, после увольнения в запас продолжал работать матросом на судах торгового флота. Во время войны с Германией участвовал в арктических конвоях. Дважды отставал от своих судов, и оба раза корабли тонули в результате торпедных атак противника. В тысяча девятьсот сорок седьмом году, во время обычного рейса, исчез с борта сухогруза «Мустанг» в открытом море, в спокойную погоду.

Седьмого января тысяча девятьсот пятьдесят третьего года в городе Йеллоунайф, Канада, после неподтвержденной двенадцатимесячной беременности некая Мария Бэлд родила мальчика Томаса. От сверстников подросток ничем не отличался. За время его жизни в доме Бэлдов возникало семь пожаров. Получив диплом радиста, Томас служил на различных торговых судах в течение девяти лет. Трижды на его судах вспыхивали пожары. Во время последнего, в тысяча девятьсот шестидесятом году, он пропал без вести с борта сухогруза «Либерия».

Пятнадцатого сентября тысяча девятьсот пятьдесят девятого года в Советском Союзе, в Астрахани, после неподтвержденной двенадцатимесячной беременности у двадцати двух летней Татьяны Бойко родился мальчик Петр. В тысяча девятьсот семьдесят пятом году, после окончания мореходной школы, был зачислен на борт только что спущенного на воду танкера «Крым» помощником моториста. Танкер «Крым» горел пятнадцать раз, дважды команда получала приказ покинуть судно, во время одного из пожаров погибло три человека. Никаких сведений о дальнейшей судьбе Петра Бойко обнаружить не удалось.

Восьмого марта тысяча девятьсот семьдесят девятого года, в Сеуле, Корея, после неподтвержденной двенадцатимесячной беременности у двадцатилетней кореянки То Ван родился мальчик Соло. В возрасте шестнадцати лет эмигрировал в Соединенные Штаты Америки. Спустя год зарегистрировал в городе Каспер, штат Вайоминг фирму, производящую медицинское оборудование. За десять лет оборот фирмы достиг тридцати миллионов долларов. Пятого августа тысяча девятьсот девяносто шестого года вместе с тремя друзьями нанял в городе Юрика на тихоокеанском побережье США яхту для прогулки. Яхта вместе с командой и пассажирами бесследно исчезла.

— Достаточно,— вскинул ладони Найл.— Так почему ты утверждаешь, что беременность свыше двухсот восьмидесяти дней невозможна?

— Современная наука полностью отрицает такую возможность. Подобные факты специально измышляются создателями и сторонниками различных лженаучных теорий.

— Теорий много?

— Одна.

— Я могу с ней ознакомиться?

— Мне понадобится время для загрузки ее в память.

— В таком случае, уважаемый Стииг, вы не подскажете, где здесь, на лайнере, можно подкрепиться?

Часть лестницы с широкими перилами рассеялась, стал виден столик пищевого синтезатора. Найл подошел и заказал себе четыреста грамм фруктового мороженного — величайшего изобретения человечества за всю его историю. Посланник успел поглотить примерно половину порции, когда Стигмастер вновь появился на лестнице.

— Не застудись, Найл,— предупредил старец.— На улице жарко.

— Отогреюсь,— отмахнулся правитель.— Так что за теорию ты загрузил?

— Как ты уже и сам заметил, живые существа с наружным скелетом являются неестественными для нашей планеты,— начал Стигмастер.

— Эт-то как? — растерялся Найл. Умом он понимал, что компьютер, даже столь совершенный, как в Белой Башне, не способен иметь ни собственного мнения, ни собственных желаний, а целиком и полностью зависит от вложенной программы. Однако столь резкая перемена во взглядах Стиига для него все равно оказалась неожиданной.

— Как нетрудно заметить, мир насекомых и мир растений очень широко взаимосвязаны, вплоть до взаимопроникновения. Так, например, развитие некоторых личинок внутри растений вызывает образование так называемых галл, специально перестроенной ткани стеблей, листьев или цветов. Растения используют насекомых для своего опыления, для переноса семян с места на место. В то же время они выделяют для насекомых специальные питательные жидкости, нектары, предоставляют им убежища.

Становится совершенно ясно, что именно с насекомыми бок о бок растения прошли весь путь эволюционного развития. В то же время млекопитающие на нашей планете ведут себя как паразиты. Они только потребляют, ничего не давая взамен. Поедают траву и листву, поедают насекомых, поедают друг друга — и никакой обратной связи.

— Так ты хочешь сказать, Стииг,— понял Найл,— что этот класс существ занесен на Землю извне?

— Это можно легко доказать,— кивнул старец.— Если проследить процесс развития человеческого эмбриона, то мы увидим весь запас жизненных форм, который хранится в его генах — от китов с плавниками, до собачек с хвостиками. Это невозможно объяснить просто развитием эволюции, поскольку тогда пришлось бы допустить, что в процессе развития жизнь неоднократно выходила из океана на сушу и возвращалась обратно. В качестве самого яркого примера стоит упомянуть невероятное, вплоть до наличия пальцев на руках и черт лица, сходство эмбрионов таких разных животных, как человека и касатки. Резонно предположить, что все эти виды происходят из единого корня.

Скорее всего, в древние далекие времена, когда жизнь на Земле уже достигла достаточно высокого уровня, сюда попали некие споры, «семена», содержащие широкий набор генотипов. В зависимости от условий, в которые попали «семена», из них развились организмы различных, приспособленных именно к данной конкретной обстановке форм. В море — дельфины и рыбы, в лесах — олени и волки, в более сложной обстановке — Homo sapiens.

— Так вот почему излучение Великой Богини воздействует только на насекомых! —

понял Найл.— Все животные для нее кажутся никчемными паразитами!

— Вполне возможно,— кивнул старец.— Предоставь подобный выбор любому луговому васильку, и он наверняка оставит на планете только пчел и бабочек, а всех коров и оленей изведет под корень.

— Хорошо,— согласился Найл,— но какое отношение это имеет к срокам беременности?

— Самое прямое. На протяжении многих десятилетий двадцатого века в прессе появлялось значительно количество сообщений о похищениях у будущих матерей некими космическими пришельцами их эмбрионов на стадии развития в девять-десять недель. При этом давалось описание пришельцев — лысые головы, маленькие подбородки, неразвитые, рудиментоподобные носы, огромные глаза-линзы без зрачков. Описание пришельцев в точности соответствует облику зародыша на стадии развития семидесяти дней. Можно предположить, что данные действия совершали космонавты некого родственного нам вида, которым потребовалось срочно пополнить команду своего корабля. Они просто взяли у земных женщин детей, развившихся до стадии их расы, каким-то образом обеспечили их «пробуждение», обучили необходимым специальностям и продолжили путь. При космических расстояния подобный выход из аварийной ситуации можно считать вполне оправданным.

— Ну и что?

— Если в семьдесят дней со дня зачатия эмбрион становится разумным существом,— напомнил Стииг.— Значит, оставшиеся двести десять дней он «опробует» различные формы и виды существ разумных. Признав этот постулат, следует признать вероятность и такой ситуации, когда зародыш по какой-либо причине игнорирует форму Homo sapiens, и продолжит свое внутриутробное развитие, «перебор возможностей». Некоторые из младенцев просто «предпочитают» общепринятой стадии развития ту, которая достигается только на двенадцатый месяц. Поскольку внешне или по поведению «дети-переростки» ничем не отличаются от обычных, значит оба наших вида прекрасно адаптированы к сходным условиям.

— Не отличаются,— повторил Найл, с сожалением отодвигая от себя опустевшую вазу.— Если они не отличаются, то зачем лишних три месяца внутриутробного развития?

— Можно попробовать отследить тенденции,— предложил Стигмастер.— Кит, например, просто плавает в толще воды и открывает рот, поглощая центнеры планктона. Олень тоже имеет возможность легко находить себе еду — трава растет везде. Но ему необходимо перемещаться в условиях гравитации и защищаться от хищников. Организм усложняется, добавляются ноги и рога. Хищнику мало просто сильных ног и длинных клыков, ему нужно быть умнее добычи. Смотрим далее: развитой разум сразу дает расе огромное преимущество перед более простыми формами. Поэтому гуманоиды уровня развития в десять недель обходятся без клыков и сильных рук. Разум все равно позволяет им строить межзвездные корабли и обращаться с представительницами достаточно развитых рас, как с домашними кроликами. Однако условия Земли оказываются для них слишком тяжелыми. Двести десять дней развития уходят только на то, чтобы сделать ваши руки и ноги сильными, чтобы развить обоняние и слух, чтобы увеличить размеры челюстей и вырастить на них клыки для мяса и коренные зубы для растительной пищи, защитить волосами головной мозг и половые органы от перегрева и переохлаждения. Homo sapiens обладает значительно более высокой живучестью по сравнению со своими космическими братьями. По всей видимости, дополнительные три месяца развития делают организм ребенка... — Старец замолк, явно не зная, что предположить, и после долгой паузы закончил: — Во всяком случае, не слабее.

— Думаешь, мой ребенок сможет вовсе обходиться без воздуха, пищи и не замерзать даже ночью на леднике?

— Таких экспериментов над обследованными детьми никто не ставил.

— Разумеется,— кивнул Найл.— Я над своим сыном тоже не решусь. Но все равно спасибо, Стигмастер. Хоть буду знать, что можно ожидать от своей кровинушки... Я обязательно расскажу тебе о ребенке.

— Неужели тебе не интересно,— откинулся старец на спинку дивана,— почему я на этот раз загадал тебе именно космический корабль?

— Ты каждый раз загадываешь что-то неожиданное,— пожал плечами Найл, однако остановился.

— Интерьер «Леди Ди» не входил в стандартный общеобразовательный курс.

— И тем не менее, я угадал, что речь идет о космическом корабле.

— Угадал,— согласился Стииг.— Тогда ответь, что вот это...

Роскошные интерьеры бесследно исчезли. Правитель оказался внутри тесного, плавно закругленного коридора с покрытыми голубоватой эмалью стенами. Найл прошел немного вперед, увидел овальный люк, потянул створку на себя. Прямо перед глазами оказался вертикальный трап. Шахта полутораметрового диаметра уходила вверх и вниз метров на десять, подсвеченная слабым белым пунктиром.

— Похоже, лифтов здесь нет,— предположил Найл.

— Есть,— голос Стиига шел из-за стены.— Один. С обратной стороны.

Найл прикрыл створку и пошел дальше по коридору, вглядываясь в надписи на редких дверях:

«Внимание! Радиационная опасность!»

«Ангар техники высокой защиты»

«Ангар беспилотных зондов»

«Малый туалет»

Тут правителю стало любопытно, и он открыл дверь. Тут же зажглась лампочка, осветив тесную коробку двух метров высотой, полуметра в ширину и сантиметров сорока в длину. Каморка была абсолютно пуста, с гладкими ровными стенами. Пожав плечами, Найл двинулся дальше:

«Ангар внешний»

«Бионакопитель»

«Малый стерилизатор»

— Ну, если первой загадкой был межзвездный пассажирский лайнер,— остановился Найл.— То это, наверное, маленький исследовательский корабль?

— Средний разведчик по классификации Ллойда от две тысячи восемьдесят седьмого года.

Слева от Найла опустилась прямоугольная панель, и он увидел площадь, окруженную развалинами домов.

Вдалеке, возвышаясь между двумя высокими выступами обветренной кладки, сверкал подсвеченный солнцем стеклянный купол дворца Смертоносца-Повелителя. Ныне — обитель Джариты.

— Предки решили вернуться,— пришло понимание к Посланнику Богини.

— Ну, не совсем,— уточнил Стигмастер.— Один средний разведчик из системы Новой Земли начал торможение для входа в Солнечную систему.

— Не прошло и тысячи лет, как люди решили навестить свою прародину.

— Меньше двухсот,— поправил Стииг.— Ты забываешь про релятивистский эффект. Они разгонялись до субсветовых скоростей, шли на них несколько месяцев по бортовому времени, тормозились. На Земле прошли столетия, прежде чем они ступили на почву новой родины. Потом им пришлось обустраивать новую планету, восстанавливать технологии, осваивать месторождения, строить заводы и города. Согласись, восстановить цивилизацию на новом месте всего лишь за сто пятьдесят лет не так просто. Потом они начали получать тревожные сигналы от оставшихся здесь Белых Башен и решили снарядить экспедицию. Для них с момента отлета прошло всего два века. При средней продолжительности жизни в сто семьдесят лет — одно поколение. Сюда летят представители третьего, а то и второго поколения переселенцев. Скорее всего, они мало отличаются от обычных людей двадцать первого века.

— Двадцать первый век,— недоверчиво покачал головой Найл.— Когда они приземлятся?

— Все зависит от графика торможения, который они избсрут. Срок сближения от трех до шести месяцев.

— Ого! — усмехнулся правитель.— За такое время планету можно трижды перевернуть с полюса на полюс.

— Ничего,— утешил Стииг.— Средний разведчик, это надежная и неприхотливая машина. Они смогут сесть в любых условиях.

* * *

Вывезти братьев из Дельты труда не составило — корабли поднялись по течению Ближней реки до ивовых рощ, бросили якорь неподалеку от первых перекатов, на безопасной глубине. Найл установил мысленный контакт с Шабром. Ученый смертоносец поначалу хотел задержаться у деревьев-падальщиков еще хотя бы на месяц, но известие о приглашении в земли князя Граничного заставило его поторопиться. Матери с детьми добрались до реки за пять дней. Этого времени вполне хватило десятку жучих, чтобы исполнить свой священный долг перед Великой Богиней и вернуться на борт.

Как и год назад, юные мальчишки и девчонки весело играли с молодыми паучатами, не очень задумываясь, почему те имеют восемь ног, не произносят ни звука и заматывают еду в кокон, прежде чем всосать ее в себя. Дети воспринимали это как данность: так было всегда, с самого их дня рождения. А разговаривать — разговаривать можно и мысленно. Разве это сложно?

На вид подросткам можно было дать лет по десять-одиннадцать. Разумеется, идти в бой, как довелось их отцам и матерям, ребятам рановато. Но пока этого и не требуется. Пусть наберутся ума-разума, хоть немного порадуются беззаботному детству. Да и с оружием пусть научатся обращаться заранее, а не стоя лицом к лицу с более опытным врагом.

Вниз по течению корабли скатились за день. Великая Богиня по-прежнему благоволила к братьям, и ни одного чудовища, ни одной ловушки на пути судов не встретилось. Через день, ближе к полудню, мокрые от морских волн носы взбороздили прибрежный песок неподалеку от ведущего к солеварне канала.

— Назия,— окликнул морячку Найл, собираясь выпрыгнуть на берег.— Мне понадобится твоя помощь. Захвати нескольких матросов. Шабр, ты идешь?

От полосы прибоя в глубь пустыни все еще вел только один канал. Однако, пройдя вдоль него сотню шагов, они наткнулись на небольшой водный перекресток: вправо и влево уходили новые, недавно выкопанные протоки. От старых они отличались ровными, словно вылизанными стенками. Правитель не поленился, присел, мазнул ладонью.

— Глина.

Перепрыгивать канаву не пришлось — невдалеке, рядом с еще одним ответвлением, лежал импровизированный мостик из трех связанных вместе стволов акации. Найл первым поднялся на ближайший бархан и с удовлетворением убедился, что вместо одного пруда вокруг оазиса блестят на солнце целых четыре. Посланник стал неторопливо спускаться, давая надсмотрщицам время заметить себя и подготовиться к встрече. Однако у северян были совсем другие обычаи по встрече правителей — шериф, бросив вместе с несколькими подчиненными ковыряться в песке, кинулся ему на встречу, остановился в нескольких шагах и громко выкрикнул:

— Приветствую вас, господин!

— Рад видеть тебя, Поруз,— кивнул Найл, косясь на оазис. Под пальмами визита Посланника еще не заметили.— Рассказывай, что вы тут успели сделать?

— Мы восстановили задвижку на старом пруду,— показал рукою северянин.— Хотели распорки сделать для надежности, но под песком, на глубине, оказалась глина. Мы направляющие длиннее сделали, и на два метра вогнали. Сто лет стоять будут. Остальные каналы, стенки, глиной замазали, стенки новых прудов ею покрыли. Если не мутить, будет держаться. И цепочки все наладили. Вчера в последнюю яму рассол пошел. Теперь его только успевай на подносы вычерпывать.

Северянин замолк, ожидая реакции правителя. Остальные пленные тоже потихоньку подтянулись ближе, прислушиваясь к разговору.

— Не ожидал, что столько работы можно сделать так быстро,— признался Найл.— У меня тоже есть для вас известие. Князь Граничный приезжал в мой дворец. Мы договорились о вечной дружбе, в залог которой он признал все мои права на Приозерье и Серебряное озеро. Теперь мне понадобится дорога через пустыню. Вы знаете, как строить каменные колодцы. Если цепочку таких колодцев с интервалом хотя бы в треть дневного перехода поставить от города до оазиса Дира, и оттуда к перешейку у Серебряного озера, пустыня станет проходимой для всех. Понятно?

— Да, господин,— шериф скрыл разочарование, склонив голову в поклоне.

— И еще. Теперь, когда Приозерье принадлежит мне, вы становитесь моими подданными. Своих людей глупо держать в рабстве. Поэтому, когда дорога дойдет до перешейка, вы сможете возвратиться в свои дома.

Несколько молчаливых мгновений северяне переваривали это распоряжение, потом шериф вскинул руку над головой и громко прокричал:

— Улла нашему князю!

— Улла-а-а! — прокатился над барханами грозный боевой клич.

— Благодарю вас, господин,— приложил шериф правую ладонь к сердцу.— Ваша дорога будет самой надежной от Южных песков и до Ледового побережья.

Теперь свобода пленников зависела только от них. При той энергии, которую северяне проявили при благоустройстве солеварни, со строительством колодцев они управятся месяца за три.

— Мы сможем взять их всех на борт? — оглянулся Найл на Назию.

— Нет,— покачала она головой.— У нас слишком много пассажиров.

— Ну что ж, шериф Поруз,— пожал плечами правитель.— Придется вам подождать, пока флот за вами вернется.

— Забегали,— сообщил Шабр.— На солеварне нас заметили только сейчас.

— Дадим им пару минут,— ответил Найл.

— Это не страшно,— не заметил короткого мысленного диалога шериф.— Мы как раз закончим с некоторыми мелочами.

— Подожди,— спохватился Найл.— А кто тут без вас все это будет поддерживать в исправном состоянии? Нужно оставить хотя бы двух-трех мастеров.

Северянин прикусил губу.

— Я знаю, о чем ты думаешь,— кивнул правитель.— Сделаем так: тот, кто захочет остаться, может прямо сейчас сесть на корабль. Они доплывут до Приозерья, заберут свои семьи и вместе с ними вернутся сюда. В качестве свободных работников. Такой вариант устроит?

— Да, господин.

— Ухлик,— тут же отреагировала Назия.— Пойдешь с этим северянином. Отведешь людей, которых он выделит, на корабль Цноры. Выполняй.

На солеварне выстраивать слуг наконец-то закончили. Посланник спустился с бархана, прошел вдоль строя застывших, боящихся даже дышать мужчин, вдоль стоящих на коленях надсмотрщиц, остановился напротив хозяйки солеварни.

— Встань, Райя. Я рад тебя видеть.

— Приветствую вас, Посланник Богини,— торжественно произнесла хозяйка солеварни.

— Отлично,— похвалил Найл, оглядывая ее подтянутую фигуру.— Просто здорово. Отпусти своих слуг на работы и пойдем к тебе.

Райя громко хлопнула в ладоши, привлекая к себе внимание женщин, а потом жестом дала команду расходиться.

— Ну же, пойдем,— поторопил женщину правитель.— Покажи мне его.

— Кого?

— Как кого? — рассмеялся Найл.— Сына!

— Какого сына?

— Нашего! — встретив недоумевающий взгляд надсмотрщицы правитель уже тише спросил: — Ты родила ребенка?

— Како...

— Живот у тебя был большой,— с вкрадчивой злостью перебил Посланник.— Большой живот. Сейчас ты стройна, как девочка. Где ребенок?

Испугавшись гнева правителя, женщина промолчала.

— Шабр! — оглянулся на паука Найл.

— У тебя в чреве был ребенок, мальчик, совершенно здоровый,— начал объяснять смертоносец.— Где он сейчас?

Райя молчала.

— Хорошо, давай иначе,— подавил в себе эмоции правитель.— У тебя был большой живот. Очень большой. Ты помнишь?

Райя кивнула.

— Сейчас его нет,— развел руками Найл.— Где он?

Женщина пожала плечами.

— Подожди. Такую потерю трудно не заметить. Вспоминай, Райя, как можно подробнее. В какой момент ты заметила, что его нет?

— Приходил корабль,— прошептала надсмотрщица.— Они взяли немного соли, оставили взамен вяленую рыбу. После этого мне стало заметно легче ходить. Наверное, тогда...

— Поздравляю, Шабр,— холодным, как рука покойника, голосом произнес Найл.— Кажется, мы остались еще и без соли. Показывай, Райя, каковы твои запасы.

Хозяйка солеварни торопливо зашагала в сторону пальмовых зарослей, подошла к стоящим под навесом из широких листьев кувшинам, заглянула в горлышки нескольких из них, растеряно оглянулась на Посланника:

— Все на месте...

Найл не удержался, тоже бросил взгляд в высокие глиняные сосуды. В семи из них лежали мелкие сероватые кристаллы.

— Назия! Прикажи грузить соль на борт, пока не исчезла! — крикнул правитель и тихонько спросил Райю: — А куда ты дела рыбу, хозяюшка?

— В погреб.

— Пойдем посмотрим, как бы не протухла.

Перед пустыми полками женщина надолго застыла, потом принялась лихорадочно шарить по корзинам.

Найл вышел из прохладного полумрака на свет, огляделся, поймал за плечо торопящегося мимо мужчину:

— Стой! Скажи, за последние дни к солеварне подходили корабли?

— Нет, Посланник Богини,— замер живой статуей двуногий.

— Иди, пришли ко мне надсмотрщицу, что у кухни командует.

На призыв правителя женщина отреагировала стремительно — с разбегу упала на колени, ткнулась лбом в песок:

— Надсмотрщица солеварни Стисса, мой господин.

— Ответь, Стисса, за последние дни здесь появлялся хоть один корабль?

— Нет, мой господин.

— Хорошо, иди.

Из погреба выбралась Райя.

— Ничего не понимаю. Я совершенно точно помню, как клала рыбу на полку!

— Посланник, простые слуги могли не знать,— остановил уже открывшего рот правителя Шабр.— Нужно спросить у охраны пленников. Смертоносцы не могли не заметить чужого корабля.

— Спроси,— согласился Найл.

Через несколько минут со стороны моря примчался, оставляя за собой двойную строчку ямок от острых когтей, крупный молодой смертоносец.

— Это Торн, Посланник,— представил его Шабр.— Ответь правителю, Торн, что ты здесь видел три дня назад?

— К берегу причалил большой корабль. На него поднялась надсмотрщица с двумя слугами. Потом спустилась назад, и корабль уплыл.

Настала очередь задуматься Найлу. Он долго мял свое предплечье, потом решительно направился к работающим у нового пруда северянам.

— Шериф!

— Да, господин,— выпрямился пленный.

— За последние дни сюда причаливало хоть одно судно?

— Нет, господин.

— Ты уверен?

— Да у меня восемьдесят человек рыбу вдоль берега ловят! Чайку бы, и ту заметили.

— Двуногий смеет со мной спорить?! — попытался возмутиться паук.

— Хватит,— пресек споры Найл.— мне нужно знать правду, а не то, кто из вас честнее. Торн, вспомни для нас, что ты видел на берегу?

Паук вступил в прямой контакт с сознанием правителя — и в тот же миг прохладный ветер ударил Найла по глазам. Над линией горизонта появилась белая точка, которая быстро росла, росла, пока не превратилась в стройный двухмачтовый парусник, над носовым бушпритом которого выгибались под напором ветра белые квадраты, а пространство от кормовой мачты к палубе перечерчивали вытянутые косые треугольники. Среди такелажа по-блошиному заскакали темные точки, паруса стали подтягиваться к реям, скорость заметно упала. Парусник плавно ткнулся носом в пляж, причальная команда посыпалась на берег, подхватила судно и вытянула его примерно на треть корпуса. С борта на берег опустились сходни.

От солеварни подошла Райя, следом за которой двое мужчин с трудом тащили тяжелый кувшин. Они поднялись на корабль. Послышались веселые голоса, смех. Вот мужчины выволокли уже легкий кувшин. За плечами у обоих высели объемные мешки.

Сходни поднялись. Опять прыткие фигурки моряков заскакали на песок. Они навалились на нос, сталкивая корабль в воду, а когда тот закачался на волнах, ловко перемахнули на палубу. Упали с рей и моментально наполнились ветром паруса. Судно легло на борт, выпрямилось, и устремилось назад, к горизонту.

— Бригантина,— покачал головою Найл.— Прекрасный корабль. Ходкий, маневренный. Передние паруса прямые, задние косые. Метров сорок длиной, полтораста человек экипажа, не считая матросов. Отличный боевой корабль. Я готов поверить, что где-то существует страна, способная спускать на воду таких красавцев, снаряжать и отправлять за сотни и тысячи миль ради горстки соли. Но никогда в жизни я не поверю, что найдется команда, способная столкнуть на воду судно водоизмещением, на глазок, в полторы тысячи тонн. Это вам не наши баркасы, которые туда-сюда по пять раз на день пихать можно.

— Я видел его своими собственными глазами! — клятвенно заявил Торн.

— Разумеется,— кивнул Найл.— Даже если бы ты очень захотел, то не смог бы столь точно описать корабль, последний из которых спустил свои паруса тысячу двести лет тому назад. Эту картинку нарисовал для тебя кто-то другой. От мифической бригантины не осталось ни следов на пляже, ни свидетелей, ни рыбы. Не исчезло ни крупинки соли. И я хотел бы знать — где мой сын?

Ответом была тишина.

— Посланник,— неожиданно вспомнил Шабр.— Когда мы проходили через солеварню из Дельты в Провинцию, надсмотрщица Райя упоминала про корабль, заходивший сюда за солью...

— Двухмачтовый, белый? — вскинул Найл глаза на женщину.

— Да, мой господин,— кивнула она.

— Какая это была неделя?

Увы, при всем уважении к Посланнику Богини, хозяйке солеварни и в голову не пришло считать дни с момента его визита.

— Ты хоть помнишь, что происходило на борту?

— Зашла... Отдала... Взяла... — не очень уверенно ответила Райя.

— Слишком уж много отдала,— вздохнул Найл, усаживаясь на песок.

Бригантина не вызывала у него особого интереса. С самого начала стало ясно — это видение, призрак. Кто-то хотел казаться куда могущественнее, чем есть на самом деле и выдал глупым туземцам изображение могучего корабля, превосходящего их воображение. Вот только свойства корабля этот некто не знал, а потому тяжелый двухмачтовый парусник команда вытаскивала на берег точно так же, как моряки Назии выволакивают свои простенькие баркасы. Однако определение эфемерности корабля никак не объясняло исчезновение вполне материального ребенка.

Кроме того, Найла мучил еще один вопрос: как, каким образом на всей огромной планете «бригантина» смогла найти, вычислить, определить, угадать именно Райю с ее двенадцатимесячным малышом!

— Собирайся,— выпрямился правитель.— Поедешь со мной. Посмотрим, какие кораблики поплывут за тобою в середину материка.

* * *

Вечером у стен Приозерья запылал костер. Теперь Найл уже сам предупредил смертоносцев, чтобы они перед началом действа слегка

10 Зак. 3231

подкачивали энергией приготовившихся к единению людей. Этот нехитрый ход быстро и легко доводил последователей религии советника Борка до полного экстаза. Они сами рвались в лапы пауков, явственно ощущая, что смерти не будет, что происходит нечто великое, возвышенное.

Найл, будучи Смертоносцем-Повелителем, опять присутствовал на празднике, но на этот раз сдержался и никого к себе не подзывал. Остальные люди несли службу на стенах и улицах города, обеспечивая строжайший приказ правителя — с наступлением темноты жителям не выходить на улицу под страхом смерти.

После полуночи, когда поляна вокруг угасающего костра опустела, из темных зарослей выступили неясные силуэты Джариты и ее барабанщиков. Они быстро собрали белые туники смертников, побросали их на раскаленные угли. Пламя ненадолго вспыхнуло вновь, чтобы спустя минуту опасть, уничтожив последние следы существования полутора сотен человек.

Потом хлынул дождь. До самого рассвета барабанил он по крышам, по тропинкам, по полянам, смывая следы, отпаивая утоптанную траву, растворяя пятна крови, и в свете первых солнечных лучей окрестности города весело сверкали яркими каплями воды, сочной луговой зеленью, красочностью множества цветов. Только полутораметровый круг от кострица могучим силам природы спрятать не удалось.

Жители Приозерья выходили из домов с некоторой опаской — но ничего не происходило. Вооруженные люди с улиц исчезли, обосновавшиеся на крышах сторожевые пауки в глаза не бросались. Все было как всегда. Вот только бесследно исчезло множество людей, что еще вечером старательно отмывали в реке свои и без того чистые тела, а потом одевали явно новые, пахнущие свежестью туники и выстраивались вдоль стен, опасаясь даже присесть, чтобы не испачкаться землей или соком раздавленной травы.

Ночь ушла — однако в воздухе витало ощущение некоей беспричинной мрачности. Горожане чувствовали себя подавленно, дети не устраивали обычных веселых игр, не бегали по улицам, не рвались на поляну плести себе венки. Рыбаки здоровались друг с другом с натужными улыбками, торопились спустить на воду свои баркасы и уйти в чистое спокойное озеро. Пастух погнал маленькое стадо куда-то за опушку, вдоль горы.

Но это ничего не значило. День-два — и мрачная аура развеется, жители опять начнут веселиться и шутить, дети станут беззаботно резвиться, рыбаки торопиться домой, и никто из них так и не поймет причину давешнего плохого настроения.

— Я уезжаю, мой господин,— подошла к Найлу Джарита.

Глаза служанки смотрели холодно и пусто. Казалось, что именно она умирала ночью на поляне сто пятьдесят раз, что именно в ее взоре собралась та самая мука, которую не ощутили утонувшие в блаженстве смертники. Посланник хотел подбодрить ее, и еще хотел предупредить, что вскоре корабли привезут из Провинции еще двести человек в ее дворец для подготовки к празднику... Но так ничего и не сказал.

Впрочем, Джарита и не ждала от него никаких слов. Она вообще мало с кем теперь общалась. За все время пути от города пауков до Приозерья Найл не услышал ни звука из ее уст.

Она не поздоровалась, поднимаясь на корабль, как не стала прощаться сейчас. Просто сообщила об отъезде, развернулась и пошла в сторону реки. Следом заторопились четверо ее помощников. Сейчас на них были серые, немного поношенные туники и простенькие деревянные сандалии.

Самые обычные, ничем не примечательные слуги. Однако правитель знал, что лежит в их объемных, но легких котомках — гулкие барабаны и темные ночные балахоны.

— Ты! — Джарита показала пальцем на укладывающего в одномачтовый баркас сети рыбака.— Ты отвезешь нас к порогам.

— Но... — вскинул голову рыбак, встретился глазами со взором девушки и моментально поник.— Слушаюсь, госпожа.

— Привратница смерти,— шепнул Найл.

Джарита его слов услышать не могла.

— Идите завтракать, мой господин,— тронула правителя за плечо Нефтис.

— Спасибо, иду.

Даже одну-единственную ночь не удалось ему провести со своей старой соратницей — не присутствовать на празднике он не мог. А теперь он уходил еще дальше, на север.

Найл с удовольствием взял бы верную телохранительницу с собой, во владения северного князя, но опять же — кто останется править городом? Особенно теперь, когда Посланник уводил почти всю армию. В столице оставалась Сидония с тремя своими охранницами и сотня пауков под командой Торна. Здесь — четыре сотни смертоносцев во главе с Дравигом и Нефтис. Одна. Молодого и неопытного подростка вместо нее не поставишь. Люди, люди — где взять людей?

В высокой белой стене, перекрывающей ущелье, смертоносцы прогрызли небольшую дыру, в которую только-только пролезал жук или паук. Братья по плоти по одному пробирались через брешь и скапливались на дне ущелья, у подножия высокой круглой башни, которая должна была защищать Приозерье от забредших в эти земли баронских отрядов. Бойницы, разбросанные снизу доверху, позволяли вести прицельную стрельбу по осаждающим, однако оказывались слишком узкими для проникновения через них боевых пауков.

Широкие ворота позволяли гарнизону быстро выбежать для нападения на какой-нибудь мелкий отряд, и столь же быстро спрятаться за толстыми стенами от преследования. Не смотря на заверения о вечной дружбе, отряд в крепости северяне все-таки увеличили до полусотни воинов и четырех пауков, но для войск Найла подобный противник не представлял ни малейшей опасности.

Князь Граничный перед отплытием предлагал нанести ответный визит хоть со всей армией. За недолгое время своего правления Найл успел усвоить, что в таких ситуациях случайных оговорок не бывает, а потому и направлялся в столицу дружественной страны с отрядом из полутора тысяч смертоносцев, пятидесяти жуков и тридцати людей при полном вооружении.

Первыми вперед устремились молодые, энергичные пауки. Они бежали по стенам ущелья на несколько сот метров впереди основой колонны, проверяя, нет ли опасности камнепада, оползня или просто банальной засады. Однако ловушек гостям никто не приготовил, и войско Посланника Богини быстро двигалось вперед по извилистой тропе между высоких отвесных стен. Привалов не делали. Стараниями правителя, историю своего народа знали все братья по плоти, и все помнили, как сгинула в бурном водном потоке многотысячная армия Касиба Воителя, шедшая покорять Серые горы. Напряжение среди воинов спало только тогда, когда стены ущелья раздвинулись, стали более пологими, на них зазеленела трава и мелкий кустарник. Было ясно, что никаких бурных потоков по этим землям не протекало по крайней мере несколько лет.

Каменистая дорога достигла ширины, достаточной для движения бок о бок двух смертоносцев, и забралась на скальный карниз, идущий на высоте трех метров над мелким, тихо журчащим ручейком. Найл никак не мог отделаться от ощущения, что проложена она была не в новое время, а далекими предками, улетевшими к звездам. Однако старое покрытие, если оно и имелось, давно вытерлось, вытопталось тысячами ног и колес. Остались только серые скалы и каменная крошка.

Вскоре встретился первый житель княжества. Вернее, сперва путешественники увидели недавно стриженных, почти голых овец, ощипывающих травку на крутых склонах. Ничуть не хуже гусениц они забирались на узкие площадки на макушках скал, пробирались по щелям, запрыгивали на покрытые зеленью уступы. Излишне крутые или опасные места овечки мудро обходили стороной. Уже потом, присмотревшись, Найл заметил сидящего высоко на стене смертоносца. Восьмилапый пастух внимательно следил за поведением подопечных и, вступая в мысленный контакт, заставлял или забираться на полную сочной зелени возвышенность, или отходить в сторону от крутых обрывов.

Через несколько километров, когда между гор встретилась первая достаточно широкая ровная расселина, Найл увидел фруктовый сад, немного в стороне от которого тянулось несколько свежевскопанных грядок. Здесь стоял скромный одноэтажный домик, сушилось на веревке несколько рубах и полотенец — явно люди обитали. Однако выше, за домом, на пологом склоне, за овечьей отарой присматривал опять же, крупный паук с металлическим ромбом на спине.

Горы снова сошлись, раздвинулись, глазам путешественников предстали широкие, любовно возделанные поля. Топтать чужие посевы Найлу не хотелось — отдых он объявил только когда увидел достаточно широкую, нетронутую сохой и лопатой поляну.

Сытые после ночного праздника смертоносцы в еде не нуждались, жуки намедни тоже смачно хрустели чем-то в лесах Приозерья. Поэтому отдых ограничился тем, что люди подкрепились вчерашней печеной рыбой, да Райя на всякий случай проверила котомки. Гужевых мужиков или слуг в распоряжении правителя не имелось, поэтому драгоценную соль пришлось поровну распределить по котомкам воинов. Хозяйка солеварни всерьез опасалась, что безалаберные подростки попытаются втихаря избавиться от тяжелого груза.

Расступившиеся вершины сделали ущелье похожим на узкую горную долину. Возделанные поля, на которых согнувшиеся земледельцы тяпками ковыряли сухую почву, сменялись скальными нагромождениями, среди которых под присмотром пауков паслись овцы. Человеческие дома, к изумлению правителя, ютились на высоких, неприступных скалах, взобраться на которые казалось совершенно невозможным. Поначалу Найл думал, что подобные жилища предназначались для восьмилапых пастухов, однако кое-где на поднебесных дворах полоскалось по ветру стиранное белье — а пауки, как известно, штанов и рубах не носят.

Наконец, горные склоны разошлись далеко по сторонам, земля выровнялась, дорогу окружили ароматные сады и сиротливое жнивье. Крестьянские дворы и отдельные дома исчезли с поля зрения — словно сады росли, а хлеба убирались сами по себе, без участия человеческих рук.

Но вот череда яблочных, грушевых, персиковых садов оборвалась, в стороны от дороги устремились низкие виноградники и далеко впереди, на высоком холме, открылся город.

Высокие бревенчатые стены сверху были прикопаны землей, отчего создавалось впечатление, что склоны холма естественным образом круто вздымаются и прорастают частоколом, а дорога уводит в темное подземелье. В отличие от Приозерья, ворота здесь имелись только одни. Зато для секретных нужд горожане прорубили пару тайных калиток с обратной стороны — к ним вели хорошо утоптанные тропинки. На двух угловых вышках торчало по копью и островерхому шлему — только слепой может перепутать одетый на палку шлем с живым воином.

Когда до города оставалось совсем немного, из ворот вихрем вырвались десять всадников и помчались навстречу братьям. Лошадей им заменяли крупные, рыжие, ромбовидные насекомые с ровными спинами. В свое время Белая Башня классифицировала их как рыжих домашних тараканов, они же — русские тараканы.

Человечество боролось с ними всеми доступными способами с незапамятных времен, а они, вон, только разжирели до размеров коровы. Правда, теперь их уже не истребляли, а разводили, воспитывали, объезжали.

На ровных спинах насекомых стояли на коленях люди и сжимали в руках длинные копья. Головы людей и тараканов были закрыты ярко начищенными металлическими шлемами, сияющими в утренних лучах, словно маленькие солнышки. Зрелище завораживало: ровные плотные ряды, пыль из-под лап, поднятые вверх широкие наконечники копий, усеянные мелкими зубчиками, а под ними развеваются синие, оранжевые, фиолетовые, зеленые, желтые флажки — то ли личные вымпелы всадников, то ли просто куски тряпок, привязанные для красоты.

Жуки-бомбардиры быстро выдвинулись вперед и сомкнули ряды.

Увидев перед собой плотную стену из прочной глянцевой брони, всадники осадили тараканов, рассыпав строй.

Один из них неторопливо подъехал вперед и громко провозгласил:

— Князь Граничный, Санский и Тошский, человек, повелитель Серебряного Озера, Северного Хайбада, Чистых Земель и Южных Песков приветствует Посланника Богини, Смертоносца-Повелителя, властителя Серебряного озера и Южных песков, человека, в своих землях!

Найла несколько удивило присутствие Серебряного озера и Южных песков сразу в двух титулах, но спорить он не стал.

— Я рад услышать приветствие князя Граничного, Санского и Тошского, человека, повелителя Серебряного Озера, Северного Хайбада, Чистых Земель и Южных Песков,— Великая Богиня, неужели весь этот набор придется повторять при каждом упоминании здешнего властителя?

— Князь оказал мне, Закию, рыцарю Синего флага, великую честь, приказав проводить вас в его замок!

— Я рад, что эта миссия поручена именно тебе.

Закий, услышав все, что требовалось, вскочил в седле во весь рост, секунд пять постоял, демонстрируя свое мастерство, затем спрыгнул на землю и направился к Найлу. Жуки расступились.

Рыцарь Синего флага подошел на расстояние шага, приложил руку к сердцу, четко и коротко, одной головой, поклонился и тихонько спросил:

— Твои пауки голодны, Посланник Богини?

— Сыты.

— А... жуки?

— Тоже.

— Я счастлив показать вам дорогу, Посланник Богини! Пусть ваши воины следуют за моим эскадроном.

Закий отбежал к своему таракану, небрежно хлопнул его по кончику длинного уса. Шестилапый «конь» присел, позволив рыцарю забежать в седло. Рыцарь отъехал к своему отряду, дал какое-то распоряжение. Шестеро всадников пустили тараканов в карьер и скрылись впереди, остальные разбились по двое и неторопливо потрусили по дороге, примеривая свою скорость к скорости пеших братьев.

Незадолго до сумерек, когда Найл начал подумывать о ночлеге, всадники неожиданно повернули на свежескошенный луг, уставленный высокими стогами и проскакали к натянутому между шестов синему матерчатому навесу. Ни одного человека в округе видно не было, однако под навесом стояло три длинных стола, уставленных подносами с фруктами, овощами, дичью. От еще горячих запеченных целиком барашков, мокриц, кроликов, гусениц шел соблазнительный запах. Имелись здесь и пухлые кувшины, и блестящие стаканы.

— Да ты просто волшебник, рыцарь Синего флага,— искренне воскликнул Найл.

— Это мой долг,— скромно ответил, спешиваясь, Закий. Однако похвала явно пришлась ему по душе.

Посланника же порадовало то, что никаких тарелок, вилок и ложек на столах не имелось. «Ужин по-походному» — братья со своими вульгарными привычками перед сверкающими всадниками опозориться не должны.

Случайно, или преднамеренно, но всадники и братья разместились за столом вперемешку. После первых выпитых стаканов начали возникать разговоры. Привыкшие мысленно переговариваться с друзьями-пауками, братья, не смотря на разницу в языке, кое-как понимали и мысли северян. А разобраться в значении отдельных слов и понятий при некотором опыте будет нетрудно. В этом Найл успел убедиться на собственном опыте.

Сидящий рядом с Посланником Закий вина не пил, а к разговором прислушивался внимательно.

— Скажи, Посланник Богини,— внезапно поинтересовался он,— а как твои амазонки относятся к мужчинам других рас?

— Не знаю,— пожал плечами Найл.— девушкам с ними ни разу не доводилось встречаться. Может, полюбопытствуют, а может и шею свернут.

— Угу,— сделал вывод рыцарь, поднялся из-за стола и пошел вдоль пирующих, похлопывая своих всадников по спинам и отпуская им негромкие замечания.

На чем поладят братья и всадники, Найл выяснять не стал. Бессонная ночь, длинный переход и сладкое вино сделали свое дело: веки стали тяжелыми, мысли медленными и ненужными, ноги налились тяжестью. Посланник вышел из-за стола, отошел к одному из ароматно пахнущих стогов, протиснулся между двумя смертоносцами в мягкие уютные травы и мгновенно уснул.

Утро началось с призывного клича трубы.

Разбуженный громким переливистым воем Найл поначалу испугался, но быстро разобрался в чем дело и выбрался из стога. На первый взгляд, всадники спали все-таки отдельно, а братья отдельно. Однако высокие кипы травы стояли слишком тесно. Со своего места правитель мог увидеть всего пять-шесть «спальных мест», а что творилось на других краях поля — только Шабру известно. Восьмилапый селекционер наверняка проследил за каждым и каждой из присутствующих.

— Вы готовы, Посланник Богини? — нашел Найла Закий.

— Готов, рыцарь Синего флага.

Про завтрак правитель заикаться не стал, и правильно сделал: когда путники вышли к дороге, то обнаружили там расстеленные вдоль обочин полотенца и выложенные на них горки фруктов и холодные мясные закуски. Там же стояло множество кувшинов с водой для умывания.

Поскольку прислуга, опять же, отсутствовала, то за дело взялись всадники. Сперва они полили воду на руки друг другу, потом принялись помогать братьям, особенно — воительницам...

Путь к столице княжества занял три дня. Каждый шаг, каждый переход был рассчитан, места отдыха приготовлены, столы накрыты. Найл вспоминал, как заставил князя продираться к нему пешком через пустыню, и его начинали грызть муки совести.

Братья свыклись со всадниками, сдружились, и теперь нередко то часть северян шла в походной колонне Найла, то северяне, посадив кого-то из воительниц на спины своих скакунов, с ветерком проносились по полям, скалам, стенам и крышам встречных домов. К концу дороги правитель начал подозревать, что теперь только очень весомые аргументы смогут заставить его ребят скрестить оружие с веселыми, дружелюбными северянами и превратить их в мертвый никчемный прах.

Столицу князя Граничного окружал трехметровый земляной вал с частоколом. Найла несколько удивила столь слабая линия обороны, но говорить он ничего не стал. Да и некому стало: неизменно шествующий рядом рыцарь Синего флага теперь горделиво гарцевал во главе своего отряда. На широкой дороге

всадники перестроились по трое и строго держали строй.

Армия Посланника Богини красоваться перед праздной публикой не умела. Отряд просто шел вперед спокойным, неспешным шагом. Однако лавина черных бронированных тел, катящаяся впереди братьев, сама по себе внушала местным обывателям трепет. Более привычные смертоносцы жителей не очень пугали, но численность восьмилапого воинства производила весомое впечатление.

Они вошли в распахнутые ворота и двинулись по улицам, застроенным двухэтажными домами. Больше всего правителя поразил тяжелый, гнетущий дух, пропитывающий все вокруг. Судя по запаху, город стоял на огромной груде кухонных отбросов, экскрементов и мертвечины. Сплошь и рядом поперек дороги висели флажки, изображающие аппетитные крендельки, булочки, окорока, колбасы — но от одной мысли, чтобы положить в рот хотя бы лапку кузнечика в таком облаке вони Найла начинало тошнить.

К счастью, вскоре сплошная стена жилых домов оборвалась, и отряд вышел на чистый, ровно постриженный газон. Впереди стоял замок: ворота защищали широкие круглые надвратные башни с мощными контр-форсами, на сотни метров в стороны расходились двойные стены. Теперь стало понятно, почему внешний вал города предполагал защиту только от немногочисленного слабого противника — в случае появления сильного и опасного врага все население столицы вполне могло укрыться внутри этой цитадели.

Рыцарь Синего флага подал знак — переливистый звук трубы предупредил обитателей замка о появлении гостей. Путники, стремясь выбраться из затхлого воздуха города, растекались по газону, ширина которого составляла примерно два арбалетных выстрела — пустое пространство явно оставлено, как зона уверенного обстрела для обороняющихся.

— К воротам не подходите,— на всякий случай предупредил Закий,— стража решетку сбросить может.

Вскоре от ворот докатился ответный горн. Рыцарь Синего флага спрыгнул на землю, хлопнул своего таракана по спине. Отряд тут же устремился вперед, а его командир подошел к Найлу:

— Приветствую вас в доме моего господина, Посланник Богини. Прошу вас, я покажу вам ваши комнаты.

От ворот замка навстречу уже торопился пожилой человек в кожаной шапке с наушниками, белой рубахе, темных шерстяных штанах и высоких сапогах.

— Наш коннетабль,— предупредил Закий. — Вечно мерзнет старик.

— Все готово, рыцарь,— поклонился старик Закию.

Тот кивнул в ответ и повел гостей к воротам.

Как выяснилось, за первыми воротами находились вторые. Туда рыцарь не пошел, а повернул направо — между низкой, примерно десятиметровой, внешней стеной и пятнадцатиметровой внутренней имелось свободное пространство метров двадцать шириной.

— Если эту стену возьмут,— указал рыцарь на внешнюю сторону,— то до этой еще добраться надо. А мы их сверху стрелами пощекочем.

Они прошли до шестиугольной угловой башни, повернули налево.

— Князь приказал выделить вам все правое крыло. Если смертоносцы пожелают, между стенами можно натянуть навес от солнца и дождя.

— Если будет дождь, навес не помешает,— согласился Найл.— А воздух здесь намного свежее.

— Там озеро,— указал вперед рыцарь,— сейчас увидите.

Они дошли до следующей угловой башни. Она была двойной — большая, толстая круглая башня и прилепившаяся сбоку худенькая, снизу которой имелась узкая дверь.

— Прошу вас, Посланник Богини,— толкнул рыцарь створку и отодвинулся, пропуская гостя вперед.— Смотрите, эта дверь закрывается изнутри, сверху можно опрокинуть камни и завалить ее насмерть. Слева дверь ведет на первый этаж замка. Ее тоже можно завалить. Других проходов в замок нет, и если туда прорвутся враги, то в этой башне можно легко держать оборону. Внизу запасы солонины и еще одна дверь, к озеру. Ее можно завалить, а можно наружу выбраться. Как карты лягут.

Найл вздрогнул.

— Нет, не беспокойтесь,— рыцарь не знал истории взаимоотношений Посланника и князя, а потому истолковал его реакцию по-своему.— У нас перемирие, все бароны в гостях, ничего случится не должно. Да и с отрядом вашим вы тут год обороняться сможете. Разрешите, я покажу вам ваши покои?

«Тощая» башенка оказалась витой лестницей со стенами. После каждых трех витков спирали ее соединяла с башней толстая деревянная дверь.

— Это жилая комната,— неизменно показывал Закий.— Несколько постелей и стол.

Только на пятом этаже они добрались до предназначенного Посланнику помещения.

Найлу приготовили широкую постель, на которой могло разместиться человек пять, не менее обширный стол, шесть стульев, резной шкаф, бюро с удобным креслом и стеллаж, на котором стояло несколько статуэток и ваза со свежими цветами. Центр каменного пола укрывал густой ковер. Окна заменяли пятнадцать узких бойниц, пять из которых закрывались створочками со стеклом, а у остальных имелись плотные деревянные ставни. Со своего места Найл мог оглядеться на все стороны света: он видел и обширный внутренний двор, и заполненное пауками межстенное пространство, и город вдалеке, и ровный зеленый газон за внешней стеной, и обширное озеро, посреди которого стояла еще одна, самая высокая башня, кладка которой вырастала прямо из воды. С замком башню соединял узкий, длинный перекидной мостик. Именно она, похоже, являлась последним оплотом защитников твердыни.

— У вас есть еще пожелания, Посланник?

— Нет, спасибо.

— А вот,— рыцарь вывел спрятавшегося за дверью мужчину,— наш камергер, Елог. Он каждое утро будет являться за распоряжениями. Если вы пожелаете еще вина или еды себе или воинам, женщин для согревания постели или баранов для ваших смертоносцев, прикажите ему, он выполнит все.

— Я рад, что познакомился с тобой, Закий,— вместо благодарности сказал Найл.

— Я тоже, Посланник,— улыбнулся рыцарь.— И еще одно, самое последнее. Прошу вас со мной.

Они поднялись на самый верх витой лесенки и вышли под шатер кровли, закрывающей верхнюю площадку. По кругу шли высокие зубцы, прячась за которыми, воины князя могли стрелять в наступающих врагов. Со стороны озера в полу имелось несколько овальных дыр, пахнущих вполне определенным образом.

— Некоторые потребности человека...— тактично начал рыцарь.

— Отхожее место?

— Да. Мы не знакомы с вашими обычаями, Посланник Богини. Если пожелаете, можно вызвать плотника, и разгородить их щитами. Или сделать полностью закрытыми.

— Мои воины почти никогда не жили в домах,— пожал плечами Найл.— Не думаю, что им потребуются какие-то «щиты».

— В таком случае, отдыхайте, Посланник Богини. Я зайду за вами через два часа.

Когда рыцарь вышел, Найл заглянул в одно из отверстий. В зеве короткой трубы играла водяная рябь. Человеческие испражнения просто сбрасывались в озеро с высоты шестиэтажного дома. Купаться после дальнего перехода Найлу почему-то расхотелось.

Воду для умывания принесли в кувшинах. Посланник полоскал руки и гадал, откуда зачерпывалась эта вода. Из озера, или какого-нибудь колодца? Во всяком случае ополаскивать ею лицо он не решился. Впервые ему пришло в голову, что саженцы деревьев-падальщиков, которые он так и забыл взять из Дельты, могут здесь стать очень неплохим товаром.

Если в княжеском замке все «излишки» запросто сбрасываются в озеро, то местные жители вполне могут, по примеру городов эпохи Возрождения, выливать свои отходы просто на улицу.

* * *

За два часа рыцарь Синего флага успел избавился от доспехов. Теперь на нем была отороченная кружевами свободная белая рубаха с длинным рукавом и плотно облегающие ноги шерстяные штаны, больше похожие на чулки. Штаны подвязывались к рубахе через специальные прорези множеством коротких ремешков с золотыми наконечниками.

— Не жарко? — участливо спросил Найл.

— Этикет,— притворно вздохнул рыцарь. Правитель прекрасно чувствовал, что Закий привычен к своей одежде и считает ее наиболее удобной.— Идемте, Посланник Богини, князь ждет вас.

Они спустились до первого этажа, проникли в замок, по угловой лестнице поднялись до третьего этажа и пошли вдоль стороны, обращенной к озеру. У одной из дверей рыцарь остановился, отворил обитую толстой кожей створку, пропустил Найла внутрь, и бесшумно закрыл дверь позади него.

— Здравствуй, мой дорогой друг,— князь шагнул к нему, раскрывая объятия, крепко сжал своими сильными руками, похлопал по спине.— А я все волновался, приедешь или нет.

— Рад видеть тебя, князь.

«Перешли на «ты», все идет как надо» — мелькнуло в голове хозяина, и он тут же приветливо указал на глубокие кресла:

— Присаживайся.

Здесь скорее всего было нечто вроде кабинета властителя. Небольшая комната, с обитыми коврами стенами, два больших окна — не бойниц, открытое бюро, четыре кресла и стол. На стеклянных тарелочках лежали с порезанное ломтиками копченым мясо, вино краснело в толстостенном хрустальном графине.

— Во время приема совершенно невозможно говорить о делах,— посетовал князь.— Поэтому давай решим их сейчас. Ведь наверняка у тебя есть некоторый интерес в моих землях?

— Разумеется, есть,— кивнул Найл.— По дошедшим до меня слухам, в здешних местах случаются обстоятельства, когда матери отказываются от своих детей?

— Бывают... — осторожно ответил князь. Он ожидал, что речь зайдет о ремесленниках, оружии и почтовой связи.

— Неужели и вправду бывают? — не поверил-таки Найл.

— Разумеется,— пожал плечами северянин.— Жизнь не всегда такова, как нам хочется. Побалуются, бывает, молодые. Вот вам и карапузик. А кому он нужен? Парень, глядишь, и забыл о давней встрече, девке замуж охота, да за другого. Куда ей этакая обуза? Хорошо, если на крыльцо кому подкинет, а то ведь может и просто в лес снести. Али наоборот — семья большая, кормилец один. Лишний рот ни к чему. Уложат новорожденного в колыбельку, отнесут на реку, и пустят вниз по течению. Не поверишь, друг, но в войну такого не случается. Зачистишь, бывает, город. Всех молодых кого вырезали, кого с собой увели. Останется только бабка какая, да десяток сосунков — и ни одного не бросит, всех на ноги поставит. А тут — как на охоту поедешь, по оврагам хоть пару скелетиков, да найдешь. Что еще? Жены от мужей роды скрывают, служанки от хозяек, дочери от родителей. Не перечесть. Хуже, когда брюхо вытравливать пытаются. Сплошь вместе с приплодом девки дохнут. Самое больное — это дети праздников. Когда вина оба насосутся, да в кусты плоть тешить завалятся. И рождается потом то ли человек, то ли овца. Пользы от него никакой, а зарезать грех. Вот и корчатся по домам призрения.

— Что же вы делаете с ними?

— Подкидышей в семьи раздаю. Есть у меня на востоке лесачи. Живут в дебрях, набегов не боятся. Я им из казны за каждого такого мотылька приплачиваю, они и растят. Да только мрут ребята сильно. То молока у них не хватает, то с голодухи отраву какую в лесу сожрут. Кто вырастает, в пехоту забираю. Или в прислугу отдаю.

— Скажи, князь,— предложил правитель, — а если за каждого принесенного ребенка я выкуп платить стану. Солью. Перестанут люди младенцев по болотам топить?

— Зачем выкупать? — северянин мысленно прикинул экономию для казны.— Я тебе и так могу байстрюков отдать.

Князь потянулся к бюро, приподнял колокольчик и тихонько его встряхнул. Послышался нежный, низкий, бархатистый звон. Почти сразу приоткрылась дверь.

— Сенешаля сюда,— распорядился северянин.

Дверь закрылась.

— Вот только среди Приозерья, помнится, тоже слухи бродили,— откинулся в кресле хозяин замка.— Будто вы в своей пустыне пауков людьми кормите.

— Но ведь не детьми? — как можно искреннее улыбнулся Найл.

— Дети, не дети,— покрутил рукою князь.
— Да, пожалуй, барана вырастить проще.

Дверь приоткрылась:

— Вы звали меня, господин?

— Сколько у нас казенных детей на воспитании?

— Сто пятьдесят золотых,— вошел в кабинет невероятно похожий на Стиига старец.— Больше пятисот получается.

— У лесачей? — удивился князь.

— Вместе с призренными, господин.

— А нормальных?

— Каждый третий, получается. Полтораста.

— Ну? — повернулся князь к Найлу.

— Это хорошо,— тщательно скрывая восторг, ответил Посланник,— но мне все равно трудно жить, сознавая, как много крохотных, беспомощных существ, умирает...

— Подожди за дверью,— кивнул хозяин сенешалю, дождался, пока тот выскользнет, и поинтересовался: — Ты отказываешься от моего подарка?

— Нет, князь.

— Значит, ты хочешь увезти отсюда полторы сотни моих детей, да еще вдвое больше выкупить за деньги?

— Я готов забрать у вас столько детей, сколько смогу найти,— признался Посланник Богини.

— Куда тебе эта орава?

— Когда я представляю, как этот маленький живой комочек, который целиком и полностью зависит от материнского тепла, от родительской любви, тянет свои ручонки, и натыкается на жвалы жужелицы или пасть стрекозы...

— Тц-тц-тц,— защелкал языком князь, покачивая головой.

Найл замолк.

— Ты обманываешь меня, Посланник Богини,— констатировал северянин.— Что ж, среди правителей это обычное дело. Однако для тех, которые «тянут ручонки» выкуп может и вправду значить куда больше нашей с тобой честности. Поэтому будем считать, что я тебе поверил.

Князь взялся за колокольчик:

— Кост, отдашь приказ вернуть детей от лесачей и передашь их моему гостю. Проведешь правителя по местам призрения и отдашь ему всех казенных людей, которых он выберет. Возвестишь во всех селениях и развесишь объявления о том, что отныне любой может принести подкидыша, найденного где бы то ни было, или своего ребенка и сдать его за плату...

— Куда? — переспросил сенешаль.

— Да, это вопрос,— потер князь затылок.— Не сюда же их нести? У меня есть дома в городе?

— Месяц назад взят в казну двухэтажный дом торговца Сороса на Кривуле. Пострел молодой на его вдове женился, а потом поганками накормил. Ну, мы его три дня как самого лошадям отдали.

— Хорошо, укажешь его адрес, а дом перепишешь на Посланника Богини.

— Во сколько прикажете оценить? — намекнул сенешаль.

— Ценить не будем! Мой друг, Посланник Богини, выделит хороший дом для нашего посольства в своей столице. Раз уж он у нас обосноваться решил, так и мы к нему руку дружбы протянем. А теперь,— князь поднялся с кресла,— пора нам в парадный костюм облачаться. На сегодня у нас малый прием назначен. Без пауков. Сам понимаешь, друг, когда твои мысли никто не читает, чувствуешь себя легче, раскованней. Можно и вина выпить, и с чужой женой о погоде поговорить. А большой прием назначим завтра. Это уже для всех.

* * *

Найл ничуть не удивился, когда за полчаса до малого приема к нему в покои постучал Закий:

— Вы готовы, Посланник Богини?

— Судя по тебе — нет.

Рыцарь успел еще раз переодеться. На этот раз на нем было бархатное платье до пят, прихваченное на талии тонким, но длинным ремешком, обмотанным вокруг тела много, много раз. Голова тонула в белом стоячем воротнике до самого подбородка, от плеча до плеча тянулась широкая плетеная золотая цепь, на которой висел округлый медальон с гербом — пауком с человеческой головой.

— Этикет? — соболезнующе спросил Найл.

— Этикет,— согласился рыцарь.— А еще у меня кираса одета. И меч вдоль левого бедра.

— Хорошие у вас приемы,— рассмеялся Найл.

— Это только сейчас все при оружии,— оправдался Закий.— С баронами хоть и перемирие, а мира все одно нет. Они боятся в ловушку попасть, мы их нападения опасаемся. Вот и ходим все, как на ножах.

— Понятно,— кивнул правитель.

— Вам в доспехах явиться можно,— объяснил рыцарь,— вы только что из похода. Копья с собой не берите, не принято. Да и неудобно. Шлемы тоже на балу не приняты. И еще... — Закий замялся.— Если ваши амазонки захотят кого-нибудь... обидеть. Пусть постараются не делать этого сами... Пусть своим товарищам скажут, или моим всадникам. У нас не принято, чтобы женщины мужчин... М-м-м... Следы побоев оставляли.

— Вот тут, Закий, ты меня извини,— покачал головой Найл.— Мои девочки сперва наносят следы побоев, а уж потом решают, нужно ли обращаться за помощью.

— А в общем,— пожал плечами рыцарь Синего флага,— женщин обижать тоже нехорошо.

— Правильно!

Длинными полутемными коридорами Закий довел братьев до высоких двустворчатых дверей.

— Первыми входят воины,— предупредил он,— раздвигаются в стороны. Следом Посланник Богини. Не перепутайте ребята, засмеют.

Створки торжественно раздвинулись, на братьев упал луч яркого, почти солнечного света.

— Посланник Богини, Смертоносец-Повелитель, человек, властитель Серебряного озера и Южных песков!

Братья вполне уверенно вышли вперед двумя колоннами и развернулись по сторонам, словно готовясь наброситься на гостей. Найл тоже двинулся вперед, разглядел у дальней стены восседающего на высоком троне князя. Хозяин замка изумленно вскинул голову, вскочил, устремился на встречу, широко раскрыв объятия.

— Навстречу, навстречу идет,— зашептались вдоль стен.

— Как я рад, мой друг! Как давно мы не виделись!

— Они на «ты», на «ты»... — эхом откликнулись стены.

Князь обнял гостя, повел его к стоящей у стены за троном обтянутой бархатом скамеечке.

— Как равного, как равного усадил...

— Как ты добрался, Посланник Богини?

— Спасибо, хорошо.

— Погода спокойная выдалась?

— Да, без дождей.

— Люди не устали?

— Да нет, бодрые.

В незнакомой обстановке восприятие Найла резко обострилось. Ведя вежливый, но абсолютно пустой разговор, он воспринимал мысли даже не одного, не двух человек, а сразу многих, отчего в сознании возник глухой шум, из которого вырывались отдельные фразы:

— Полторы тысячи пауков привел... А людей у него мало, мало... Первый раз боевых жуков вижу...

— Вот, дочь моя тоже рада тебя видеть.

Княжна стояла шагах в десяти, в уголке рядом с приоткрытой дверью, замаскированной под дверную панель.

— Так это он тебя в плен брал? — поинтересовалась дама справа от нее.

— Какой роскошный самец! — добавила другая.

— Ну же, скажи, каков он в постели? — игриво толкнула в бочок первая.

— А я бы такому тоже сдалась,— решила вторая.

— Он тебе надоел? — пыталась узнать первая.

— Отдай его мне,— просила вторая.

— Сколько он за тебя запросил?

Княжна краснела и молчала. У нее не имелось даже мыслей — только окрашенное в цвета обиды бешенство. По случаю малого приема на девушке было темно-синее платье с глухим, застегнутым на шее воротником. Руки скрывали свободные рукава до запястий, ноги прятались под длинным подолом. Зато талию подчеркивала изящная серебряная цепочка, а на груди лежало серебряное колье. Скромное, неброское платье заставляло обратить внимание на лицо — точеный носик, алые губы, изящно выгнутые брови. Волосы зачесаны набок, полностью открывая любопытным взорам розовое ушко, на котором висела серебряная же сережка с небольшим изумрудом. Пожалуй, сейчас княжна Ямисса выглядела даже красивой.

— Извини меня, друг,— похлопал князь Найла по руке.— Нужно исполнять обязанности хозяина дома.

Князь встал, вынудив правителя поступить точно так же, еще раз дружески похлопал его по плечу и стал подниматься на трон. Найл наконец-то получил возможность оглядеться. Почти все мужчины выглядели примерно одинаково — как рыцарь Синего флага — и различались только цветом платья. Наряды дам имели куда большую фантазию: кто-то позволил себе глубокое декольте, кто-то вырез на спине. У одной леди рукава оказались распороты вдоль, и обнаженные локотки то и дело выглядывали, соблазняя на безумства собравшихся вокруг мужчин. Большинство женщин носили разнообразные уборы — в виде полумесяца, в виде увенчанных двумя рогами колпаков, конусовидные с вуалями, или просто широкие береты с обвисшими краями. Впрочем, многие рискнули похвастаться хитроумными прическами и высокими лбами — почти все особы отличались огромными залысинами.

Над воинами Найла взяли шефство все те же всадники рыцаря Синего флага. Они водили их по залу, знакомили с дамами полусвета, развлекали разговорами.

— Леди Луара, разрешите представить Тиана, воина из Южных песков. Вы знаете, в долине Парящей Башни он голыми руками задушил трех жуков-оленей.

— Ах, как это романтично! А что это за Парящая Башня?

— Обычная башня. Просто висит в воздухе.

— Ах, как это таинственно!

Разговаривая о жуках, башнях или просто о погоде, леди даже не подозревали, что братья поддерживают с ними полноценный мысленный контакт и отлично ощущают все их эротические фантазии. Всадники же, подбросив дамам иноземных кавалеров, целеустремленно возвращались к воительницам, испытывая вполне естественные эмоции. Посланник начал подозревать, что ночевать воинство будет где угодно, но только не в комнатах под его покоями.

— Княжна ушла,— с сожалением сообщил проявившийся рядом Закий.— Поприветствовать ее у вас не получится. Вам нужно еще раскланяться с другими властителями, иначе они могут воспринять это как оскорбление. Идемте.

Они двинулись вдоль зала.

— Этот молодой человек с толстой золотой цепью — барон Делийских просторов. Можете поклониться ему и забыть. На этих просторах у него всего два селения и сотня воинов. Никому не охота лезть в буреломы, а то бы сидел он давно на цепи и ждал выкупа. Вот этому старцу желательно улыбнуться. Князь Золотого берега и Вороньих лесов. Наш единственный союзник. Восемь городов, три замка, восемьсот воинов. Девять лет назад именно он разбил армию регента у Ледовой реки. С тех пор больше никуда не встревает. Стар, покоя хочет. Вот этого смерда в расшитом золотой нитью платье замечать не нужно. Он представитель торгового союза. Ни капли дворянской крови. А бородатому бугаю нужно поклониться и впредь держаться от него подальше. Барон Весеннего холма. Триста мечей. Здоров, как таракан, булавой мух на деревьях бьет. Постоянно всех задирает, устраивает поединки. Уже почти три десятка рыцарей изувечил. Силы много, и щиты, и доспехи проламывает, копьем, как пушинкой играет. Мужчине в простом черном платье тоже поклониться нужно. Барон Зеленого омута. Это долина в горах на востоке. Четыре города, замок и крепость в ущелье. Скряга, скряга, а шесть сотен воинов содержит.

— Сто, триста, шестьсот,— фыркнул Найл. — Думаю, твой князь тысячи три-четыре бойцов набрать сможет. В чем же дело?

— Так они, как крысы, с разных сторон кусаются. Только одного в логово шуганешь, с другого края двое лезут. Этих отгонишь, другие высовываются.

— А между собой?..

— Нет,— качнул головой рыцарь.— Союзники.

— Все равно я не понимаю,— вздохнул Найл.— Раз бароны, то вассальную клятву приносили, должны власти сюзерена подчиняться?

Рыцарь Синего флага замялся.

— Ага,— понял Посланник.— Значит, как раз королевской власти они и подчиняются?

— Да никто за короля и вилку не поднимет,— отмахнулся Закий.— Просто они хотят себе вольности отбить. Баронский совет, без согласия которого ни один указ силы не имеет. Что же это за князь будет с таким советом?

— Король здесь?

— Нет, конечно,— даже испугался рыцарь. — Кто его пустит? Пока он с трех лет-то рос, регент Стипень все его королевство разбазарил. Осталось только Небесное плато, да замок один. Воинов тридцать выставит, не больше. Если на замок никто пока не покусился, так только из-за штандарта королевского на башне. Князь Граничный новую страну по кусочкам собрал, она теперь его по праву.

«Стало быть,— мысленно прикинул Найл, — силы примерно равны. У князя мощный кулак, он хочет абсолютной власти. У баронов примерно те же силы, но они распылены. Зато есть прекрасное прикрытие — вассальная присяга. Они как бы не бунтари, они своего господина защищают. На деле: просто хотят урвать кусок пожирнее от раздраконенного королевства».

Посланник начал немного понимать, в какой муравейник попал, и ему стало тоскливо — не хватает еще кровь братьев за чьи-то присяги, штандарты и советы проливать. Нет, его они в свою кутерьму не затянут.

— Закия, мне пора уходить.

— Что вы, Посланник Богини? Прием еще только начинается.

— Ты забываешь, рыцарь Синего флага, что со мной полторы тысячи бойцов. Пока я тут развлекаюсь, они на улице между стен давятся. Если я буду здесь, в тепле, а не там, с ними, они могут этого не понять.

— «И добычу, и невзгоду рыцарь должен делить со своими воинами»,— продекламировал Закия.— Я передам ваши извинения князю.

* * *

Подаренный Посланнику дом был не то глиняным, не то деревянным: каркас из прочных вертикальных и горизонтальных балок, в образовавшиеся пересечениями квадраты вставлены более тонкие, скрепленные крест-накрест доски, а все остальное пространство плотно забито какой-то грязью и оштукатурено. Впрочем, не смотря на оригинальность методики возведения стен, здание выглядело опрятно, даже симпатично — четкий геометрический рисунок деревянной основы на белом фоне.

Хотя дом считался двухэтажным, в нем имелся обширнейший подвал пятиметровой глубины, разделенный продольными перекрытиями на три секции, обширный сухой чердак под островерхой крышей разделенный на две горизонтальные части и, собственно, сами жилые этажи. Первый — на уровне трех метров над землей.

— У вас налоги за количество этажей берут? — поинтересовался Найл.

— Да,— кивнул сенешаль.

— Тогда все понятно.

На улицу выходили окна трех маленьких конурок — видимо, помещений для прислуги, а господские комнаты смотрели во двор. Не очень обширный, где-то десять на десять метров. Тут имелось еще несколько построек: продуктовый лабаз — сарайчик на сваях, с резными, свободными для вентиляции стенами, сарай вкопанный в землю — видимо, вход в погреб, и сарай просто стоящий на земле — то ли курятник, то ли крольчатник. Еще вдоль стен стояло несколько широких вазонов с цветами, а под окнами спальни был разбит широкий газон.

— Раз уж мы решили держать здесь детей,— сказал правитель,— нужно привезти и посадить хотя бы десяток деревьев-падальщиков.

— Не вырастут,— покачал головой сенешаль.— В городе ничего не растет.

— Вырастут,— пообещал Найл.— Им земля нужна только как опора. Все остальное они другим путем получают.

— Как скажете, господин,— пожал плечами северянин, всем своим видом показывая, что его дело предупредить...

— Ну-с, Райя, располагайся,— повернулся правитель к бывшей хозяйке солеварни.— У тебя у единственной некоторый опыт торговли есть. Дальше придется учиться на ходу. Обживайся. Шабр оставит несколько смертоносцев, умеющих обращаться с малютками. Твое дело малышей покупать и отдавать им.

Два десятка пауков уже рыскали по новым владениям Посланника Богини, пытаясь прикинуть, как наиболее рациональным образом устроить филиал острова детей.

— В дома призрения пойдете? — отвлек их от приятных хлопот сенешаль.

— Да,— спохватился Найл.— Шабр, свои советы дашь потом, у нас есть еще дела.

Втроем они еще раз пересекли весь город. Приюты располагались на самом берегу озера, но тем не менее от них разило вонью еще сильнее, чем от городских кварталов. Еще издалека правитель увидел, что перед каждым из стоящих бок о бок трех бараков сидит на цепи по ребенку лет пяти-семи.

— Это еще зачем?

— Что бы люди добрые милостыню подавали,— пожал плечами сенешаль.— Если старших сажать, подают меньше. Совсем малые на цепи мрут, жалко. И без цепи нельзя: они ведь недоумки. Убредут куда, потом и не найдешь. Вы, господин, знайте, я вас обманывать не собираюсь. Здесь только полудурки собраны, ни на что негодные. Выбирать не из кого.

— Да, хорошо,— кивнул Найл, открывая дверь.— Я помню.

В лицо упруго, словно ударили подушкой, дохнул смрад. Правитель понимал, что держат под крышей и кормят этих бесполезных существ только из милости, но все-таки... Дом делился на несколько обширных комнат, вдоль стен в два яруса стояли деревянные топчаны. Вот, пожалуй, и все, чем снабдили подростков. Обитателей здесь ютилось явно в несколько раз больше, чем имелось топчанов. Где и как они спали — составляло неразрешимую загадку. На полу лежал слой влажной грязи толщиной в два пальца. В ней ползала всякая малышня, поднимая какие-то козявки, разглядывая, суя в рот. Если их до сих пор не затоптали более старшие обитатели приюта, то только потому, что в большинстве своем они просто сидели на полу или на топчанах, тупо смотря перед собой или сосредоточенно ковыряясь пальцами в носу. Над всеми витало ощущение хронического голода.

Найл почувствовал тошноту и отвернулся.

Он сразу вспомнил свою первую ночь в городе пауков. Тогда его, пленного дикаря, кинули в общую казарму слуг. Помещение было сухое и чистое — ладно, пускай в пустыне другой климат и подобной грязи в принципе быть не может. Но: двухэтажные топчаны — с запасом, несколько лежанок всегда свободны. Соломенные матрацы — несколько запасных всегда лежало у стены. В каждой казарме в углу всегда стоял котел с едой — каждому до отвала. В квартале рабов Найлу тоже приходилось прятаться. Представители десятого, выродившегося поколения слуг пс представляли для смертоносцев никакой ценности. У них в комнатах не имелось ни матрацев, ни топчанов. Но котел с сытным варевом — обязателен для всех!

— А чего вы ожидали увидеть, господин? — посочувствовал сенешаль.— Полудурки.

Из тех знаний, которые вкачала в память Найла Белая Башня, болезнь детей называлась несколько иначе: олигофрения, от олиго- — нехватка, и греческого phren — ум.

Врожденное или приобретенное в младенческом возрасте недоразвитие психической деятельности, разделяющееся на три степени: дебильность, имбецильность и идиотию. Так что, избранное сенешалем слово «недоумки» можно было счесть почти научным термином. Характеристика князя: «дети праздников» тоже находилось на уровне знаний двадцать первого века. Пить надо меньше перед зачатием.

— Ну что, Шабр,— повернулся к ученому смертоносцу правитель и вдруг осознал, что восьмилапый селекционер чуть не светится от возбуждения.— Что с тобой Шабр?

— Это же лучшие из людей! — состояние паука можно было сравнить разве что с экстазом какого-нибудь крестьянина, ковырнувшего мотыгой свою землю и обнаружившего сундук с драгоценностями.— Самые великолепные, чистопородные работники! Высшая стадия развития двуногих!

— Ты уверен? — Найл покосился на сенешаля, но тот мысленного диалога правителя со смертоносцем не замечал.

— Еще бы! Самые усидчивые, самые тщательные, самые работящие из слуг! Сшивка воздушных шаров доверяется только им. Ни одного стежка не пропустят, нигде размеров не изменят. А уборщики? Прикажешь заглянуть в каждый угол, в каждый и заглянут. Обмануть не попытаются, на то, что не заметят в темной комнате, не понадеются. Прикажешь выкопать яму глубиной по пояс — выкопают как надо. Ни короче сделать не попытаются, ни мельче. Золотарем назначишь — выгребут каждую яму начисто и в указанный срок. Юлить не станут, что еще не полная, или уже загадили. Эта порода слуг — единственная, которой дозволялось работать без надсмотрщиц! И все всегда выполнено было! Над людьми твоей породы обязательно с кнутом кто-то стоять должен, приглядывать, а эти... Моряки из них получаются никудышные, разнорабочие тоже. Земледельцы не то, ни се... Но если нужно однообразную работу делать — им цены нет. Один раз хорошо объяснить...

— Достаточно,— остановил разошедшегося соратника Найл и повернулся к сенешалю: — Ты сам-то внутрь заглядывал?

— Каждую неделю проверяю...

— И ты считаешь, что детям можно в этой мерзости жить?

— Они же ничего не понимают. Уроды.

— Но ты-то понимаешь?! — повысил голос Найл.— Как ты спокойно жить можешь, каждую неделю такое наблюдая?! — и коротко подвел итог: — Я забираю всех!

— Хоть сегодня,— хмыкнул сенешаль, сопроводив слова яркой эмоцией, означающей «нашел чем испугать».— Но не забудьте, господин: только в нашем городе таких призренных детей около двухсот.

— Сегодня? — выстрелил Найл в сторону Шабра коротким вопросом.

— Да-а! — обрадовался тот.— Накормить, закинуть пауку на спину, и к вечеру он будет в Приозерье. Еще раз накормить, и можно переправлять на остров детей.

«Смертоносцу, бегущему со всех ног целый день, нужно много еды» — отметил про себя правитель и специально для сенешаля горестно вздохнул:

— Ничего себе! Целых двести? Ну да, ладно. Посланник Богини никогда не откажется от своего слова! Все равно заберу всех. Кто-нибудь за ними присматривает?

— Да, по воспитателю на каждый дом. Сейчас я позову.

Сенешаль ушел, а Найл закрыл глаза, отдаваясь захлестнувшему его чувству щенячьего восторга. Двести детей! Ткачей, пошивщиков воздушных шаров, воспитателей порифид, золотарей, земледельцев. Он физически чувствовал, как жилы гигантского организма по имени «город пауков» наполняются свежей, здоровой кровью. Пусть пока не будет моряков или разнорабочих — дойдет очередь и до них.

— Вот они, господин.

Перед Найлом стояло трое обрюзгших, бородатых, грязных мужчин, внешне не очень отличающихся от обитателей бараков.

— Слушаете меня,— приказал Найл.— Сейчас вы берете детей, начиная с самых маленьких, каждого купаете в озере, кормите до отвала и отдаете этому пауку...

— Чем кормить-то? — перебил один из мужиков.

— Что?..— зловеще прошептал сенешаль.— Князь дает по золотому на каждых трех полудурков, а вам их кормить нечем? Я лично прослежу, как вы готовите к отправке детей, и спаси вас семнадцать богов, если вместо парной баранины в котле окажется соленая рыба. Смерти вам придется ждать не дома в постели, а на крепком сосновом колу!

Никаких возражений не последовало.

— И еще одно,— попросил северянина Найл.— Уносить малышей станут смертоносцы, а им перед дорогой нужно поесть. Хотя бы по барану каждому. Я заплачу.

Сенешаль едва не застонал от желания пополнить карман — не свой, княжеский, но чувство долга победило:

— Господин велел кормить ваших воинов за счет казны. Через час отару пригонят сюда,— северянин подавил вздох.— Бесплатно.

* * *

Большой прием проходил на свежем воздухе, в обширном внутреннем дворе замка. Окруженная высокими стенами земля за долгие годы и десятилетия утрамбовалась до состояния камня и даже не пылила. Вдоль стен извивались обложенные округлыми валунами клумбы. Они явно выписывали некие символы, но какие именно, правитель понять не мог. Впрочем это отнюдь не мешало ему восхищаться высокими разноцветными гладиолусами, пышными астрами, разлапистыми георгинами. Поначалу Посланник опасался, что роскошные заросли во время приема вытопчут, но пространства во дворе хватало на пять таких армий, как у Найла, и толкучки не возникло.

На большой прием мужчинам полагалось приходить без доспехов. Как объяснил Закия — присутствие большого количества смертоносцев давало всем полную гарантию от любого неожиданного нападения. Коварных мыслей от восьмилапых не спрячешь.

Дворяне принарядились в свободные льняные рубахи всех цветов радуги и шерстяные штаны, щеголяя перед дамами золотыми цепями, вычурными наконечниками на ремешках штанов, заколками в волосах, расшитыми туфлями и богатой отделкой ножен и эфесов мечей. Прикрепленные двумя ремешками к бедрам короткие и широкие мечи прихватили все, кроме барона Весеннего холма. У бородатого гиганта с пояса свисала на толстой полуметровой цепи огромная булава — увенчанный острыми шипами чугунный шар. По всей видимости тот самый, с помощью которого барон бьет на деревьях мух. Наверняка — сшибает вместе с деревьями.

Рядом с каждым из правителей маячил один, а то и пара пауков. Впрочем, еще больше восьмилапых бегало «неприкаянными». Всех их как магнитом тянуло к паукам Посланника, а еще больше — к разбредшимся по сторонам жукам. Смертоносцы северян «знакомились» со своими собратьями из Южных песков, разговаривали об их обычаях, привычках. Но каждый раз все заканчивалось расспросами о том, куда исчезло из замка двести боевых пауков.

Уход такого количества смертоносцев не мог остаться незамеченным. А если вспомнить о том, что армиях северян восьмилапые использовались в основном в качестве легких патрулей, разведчиков, сторожей и насчитывались где-то по трое-четверо на сотню двуногих воинов — двести пауков казались огромным отрядом.

Бароны нервничали, князь тихо радовался. Вложенные в Посланника Богини золотые начали окупаться — в рядах бунтарей появилась неуверенность. Найл всем своим разумом осознавал нарастающее напряжение, предчувствовал некий взрыв... Но пока не понимал, что и где должно произойти. Он прогуливался по двору, раскланивался с баронами, улыбался женщинам.

Под теплым солнцем дамские наряды отличались таким же разнообразием, как и под сводами парадного зала. Но если в стенах замка доминировали тяжелая плотная материя, то здесь соблазнительные формы прикрывали — а чаще открывали — легкие, воздушные, полупрозрачные ткани.

Кое-кто из молодых леди позволил себе явиться в коротких, выше колен, коттах без рукавов, но большинство все-таки предпочитали сюрко, от шеи до пят, с длинными рукавами. В самых неожиданных местах — и в этом, по всей видимости, состояла основная изюминка последней моды — оказывались вставки из невесомого шелка. Проходя мимо дамы можно было неожиданно увидеть обнаженное бедро, спину, а у некоторых, самых отважных девушек — даже грудь.

Впрочем, имелись и сторонники классического платья, без вставок и вырезов, к которому полагался низкий рогатый чепец.

Простое белое платье, украшенное всего лишь вышивкой на груди и жемчужным ожерельем выбрала для себя и княжна. Правда, она опять пришла с непокрытой головой. Каштановые волосы небрежно рассыпаны по плечам, чуть выше лба сверкает изумрудная диадема. Найл снова отметил про себя, что в таких нарядах Ямисса не столь уж и страшна. Княжна в свою очередь обдала его презрением и поторопилась в сторону.

— Дай хоть познакомиться! — шептали ей на ухо товарки, но девушка была неумолима.— Сама развлеклась, а другим жалко?

Правитель хмыкнул, пошел дальше, раскланялся с князем Золотого берега и Вороньих лесов. Старик, кивнул в ответ, приблизился, взял под руку:

— Хорошие у вас ребята в отряде, хорошие. У меня глаз наметанный. Но вы лучше скажите, где они бегают целыми сотнями, не дразните людей. Люди у нас памятливые. А больше злопамятные,— голос старика звучал вполне молодо, словно седой парик и сморщенную кожу одел на себя молодой паренек, не желающий привлекать внимания.

— Так я не о войне думаю, князь,— улыбнулся правитель.— Больше по хозяйству. Иногда про хозяйство нужно молчать крепче, чем про армию. Не то не будет ни того, ни другого.

— Золото, золото,— покивал старик, и совсем неожиданно закончил: — Вы запомните, юноша: регент Стипень был дурак. А каков король, пока неизвестно. Но сюзерен молод, и жизнь у него впереди долгая.

Найл снова улыбнулся, мгновенно задавив в себе все мысли. Слишком много вокруг смертоносцев, кто знает, куда убегут сокровенные раздумья правителя о внутренних делах соседней державы.

— Это правильно,— еще раз кивнул старик, видимо получив печальный ответ от своего восьмилапого соглядатая.— Так и нужно.

Князь Золотого берега и Вороньих лесов отпустил локоть Найла и Посланник двинулся дальше. С бароном Весеннего холма, памятуя советы Закия он попытался раскланяться издалека, однако великан тут же двинулся на сближение, волоча с собой подхваченную за талию даму с «окошком» на животе.

— А правду ли говорят, любезнейший Посланник Богини, что ваши дрессированные жуки не бывали ни в одном сражении?

Правитель насторожился, вслушиваясь в эмоции барона, но вскоре немного успокоился. Великан отнюдь не собирался затевать ссору с желанным гостем хозяина замка. Просто могучее телосложение и слава жестокого бретера позволяли ему задавать щекотливые вопросы не очень опасаясь грубостей со стороны собеседника. Боевыми качествами бомбардиров интересовались все, но мало кто рискнул бы наступать на их военачальника столь прямолинейно.

— На жуков, сами понимаете, охотился каждый. Блеску в них много, но ведь тупы они невероятно! Да еще и глухи. Этого никакие жвалы не заменят.

— Они не дрессированные, барон. Они столь же умны, как и мы с вами.

— Бросьте, правитель! Разумных жуков не существует.

Пожалуй, любой уважающий себя дворянин после таких слов просто обязан был возмутиться и потребовать сатисфакции... Но только не в разговоре с владельцем Весеннего холма. Никто из прислушивающихся людей ничуть не удивился, когда вместо ссоры Посланник Богини предложил:

— Вы можете сами побеседовать с любым из них.

— Хм-м,— барон немедленно воспользовался предложением. Он отпустил жалобно пищащую даму, двинулся в дальний угол. Миновал одного жука, другого, третьего, вдруг резко повернулся и хлопнул одного из них по морде: — Ты как, разумный или дурак?!

Непривычный к таким выходкам со стороны двуногих жук резко качнулся всем корпусом — от удара бородач коротким «вя!» выдохнул воздух, взметнулся ввысь, перевернулся через голову и шумно рухнул оземь.

— Вот это да! — Репутация жуков мгновенно подскочила до высоты полета барона Весеннего холма.

Статус Найла как командира могучих боевых существ тоже пополз вверх. Правители удовлетворили любопытство, дамы порадовались зрелищу, и лишь один-единственный человек оказался недоволен произошедшим.

Бородач поднялся на ноги, тряхнул головой, потопал ногами, словно выясняя, где именно находится земля, а потом рванул из-за пояса булаву.

— Барон! — предупреждающе вскинул руку князь.

— Назад! — крик Найла относился к жуку. Посланник отлично понимал, что хитиновый панцирь перед ударом булавы не устоит.

— Дарю платок, кто победит жука! — звонко прозвучал голос княжны.

Как ни странно, но именно последняя фраза заставила великана остановиться. Барон засунул булаву обратно за пояс и широким шагом направился к дверям, ведущим в левое крыло замка. Среди присутствующих прошла волна равномерного движения, в результате которого последи двора очистилось свободное место. Ямисса очутилась среди первых рядов, Найл поймал ее злорадный взгляд. Увидел он и то, как побледнел и прикусил губу князь Граничный, Санский и Тошский, человек, повелитель Чистых земель и Северного Хайбада.

Двое рыцарей принесли большие деревянные чурбаки, поставили их на расстоянии метров трехсот друг от друга.

— Посланник Богини,— окликнул Найла барон Делийских просторов.— Ваш жук принимает вызов?

— Какой?

— Барона Весеннего холма — на поединок.

Найл послал бомбардиру вопросительный импульс:

— Двуногий, которого ты толкнул, желает с тобой сразиться.

— Пускай,— небрежно согласился жук.

— Мой воин принимает вызов! — повернулся Посланник к барону.

— Тогда пусть он займет свое место у ближнего чурбана, а все остальные воины пусть отойдут к стенам.

Издалека прозвучал призыв трубы. Дрогнули, и стали медленно отворяться ворота. Во двор въехал всадник, внушительные размеры которого легко заменяли визитную карточку.

Глядя на длинное копье, Найл облегченно вздохнул. Он совершенно не представлял, куда оно могло вонзиться на гладком, обтекаемом теле жука.

Всадник подъехал к своему чурбаку, остановился.

«На жуков, сами понимаете, охотился каждый...» — всплыла в сознании правителя недавняя фраза бородача.

Как? Что может сделать копье против совершенно гладкой, покатой брони?

Найл вскинул голову, вперил взгляд в далекого всадника, пытаясь уловить ответ в его разгоряченном сознании. Голова, грудь, спина-надкрылья.

— Вот мой платок! — услышал Найл звонкий голос Ямиссы.

Всадник начал разбег. Сверкающий наконечник копья опустился и нацелился... Да! В спину! В узкую щель между грудью и основанием надкрыльев. При той легкости, с какой обращается с копьем великан, ему не составил ни малейшего труда вонзить иззубренное острие точно в двухдюймовую щель и нанизать бомбардира до самой рукояти.

— Голову подними! — попытался предупредить правитель.— Когда копье будет над пастью, голову поднимай.

Всадник промчался почти половину дистанции. До жука наконец дошло, что и ему тоже нужно двигаться навстречу. Он зашевелил лапами, придавая ускорение тяжелому телу.

Барон мчался с быстротой молнии — Найл с ужасом увидел, как острие приближается, проходит над усами жука, жвалами...

— Голову!!! — Посланник не столько предупреждал, сколько сам пытался сократить бомбардиру затылочные мышцы.

Голова и вправду пошла вверх, коснулась копья, подталкивая его — всего лишь чуть-чуть, на считанные сантиметры. Но этого хватило, чтобы смертельное жало промахнулось по цели, ударило вдоль покатой спины и скользнуло дальше. Легкий таракан на всем ходу врезался в бронированную грудь жука-бомбардира и, ломая лапы, покатился дальше, переворачиваясь и громко скрипя.

Жук развернулся боком и остановился, а таракан продолжал кувыркаться, разбрасывая в стороны живые, шевелящиеся обломки. Барон катился рядом, с боку на бок, вытянув перед собой руки и ноги. Трудно было представить, чтобы в этой кутерьме мягкое человеческое тело могло уцелеть — но нет. Могучий бородач резко раскинул руки, остановив вращение, поднялся на одно колено. Некоторое время стоял так, тяжело дыша, потом выпрямился во весь рост.

— Ты прав, шестилапый, настоящие воины должны общаться лицом к лицу!

Барон буквально вырвал из-под широкого ремня свою булаву, и принялся легко, словно сыромятным ремешком, играть ею перед собой. Смертельно опасный шар со свистом рассекал воздух, легко рисуя круги и восьмерки.

Жук ждал.

Бородач поравнялся с чурбаком и походя, без всякого усилия, одним ударом разнес его в щепки.

Демонстрация произошла как нельзя вовремя: поняв, что его ждет через минуту, жук-бомбардир подпрыгнул, согнулся пополам — мощная коричневая струя ударила человека в грудь, опрокидывая его на спину.

Найл тут же ощутил, как у него перехватило горло, защипало лицо, начало разъедать глаза. Он развернулся и кинулся бежать.

По счастью, большой прием проводился на открытом воздухе. Спустя несколько минут основная вонь развеялась, дышать стало можно. Люди приходили в себя, вытирали слезы, начинали обмениваться впечатлениями. Кое-кто уже смеялся над неожиданным приключением. Чего уж там — красивый поединок, ни одного пострадавшего.

Барон Весеннего холма шевелится и пытается встать — значит жив. Не каждый раз удается присутствовать на столь удачном приеме.

— Вы часто используете так своих жуков? — заинтересовался Князь Золотого берега и Вороньих лесов.

— Нет, только в крайнем случае.

— Случалось?

— Да, в битве у плато,— Найл оглянулся на князя Граничного.

— Но ведь этот дух непереносим!

— Когда от этого зависит ваша жизнь, князь, он кажется вполне терпимым.

— И вы победили с помощью этой вони?! — вклинилась в разговор какая-то дама.

— Нет,— развел руками Найл.— Зато нам удалось уйти от погони.

— И вы все время нюхали это амбре?

— Что вы, леди. Всего лишь полдня. Зато конница врага вообще не смогла войти в это облако, и мы спасли остатки своего отряда.

— Это настоящий подвиг, правитель! Я бы предпочла сдаться в плен.

— Очень хорошая мысль, леди. Конница противника осталась бы с вами как минимум до утра.

Найл увидел Ямиссу, улыбнулся ей и помахал рукой:

— Княжна! Вы уже отдали жуку свой платок? Кажется, он его вполне заслужил!

В первый миг мысли девушки оставались разочарованно-холодны, однако вдруг в них затеплился огонек надежды. Найлу это очень не понравилось.

— Это был бесчестный поступок, правитель,— опустилась ему на плечо тяжелая рука.— Вы должны наказать своего воина!

— Прежде чем обращаться к благородному человеку, барон,— оглянулся Найл,— могли бы и помыться. От вас воняет.

У великана округлились глаза. Он взревел, как врезавшийся в развалины ураган, размахнулся, и Найл увидел падающий прямо на голову чугунный шар.

«Кто меня за язык дергал?» — подумал правитель и торопливо нырнул под руку.

— Барон! — вскинул руку хозяин дома.— Если желаете сражаться, извольте сделать вызов!

— Какой вызов? — откликнулся Найл.— У него же все мозги в носу! А там заклинило...

— А-а! — сбоку прошелестело чугунное ядро и врезалось в землю.

— Барон...

— У барона перед глазами слишком много мух! Он так любит на них охотиться!

— У-а!

Найл наклонился, и ядро разорвало воздух у него над головой.

Идея князя на счет честного боя — в доспехах и одинаковым оружием — Посланнику совсем не понравилась. Вряд ли ему удалось бы столь же легко орудовать тяжелой булавой, как барону. А легкий меч в руках бородача мелькал бы, как крылья стрекозы. Великан изрубил бы Найла быстрее, чем тот понял, когда начался бой. А пока — разум барона затмевает ярость, он бегает за врагом, как за надоедливой мухой, размахивая своим орудием в слепом стремлении как можно сильнее замахнуться и вложить все свое бешенство в один смертельный удар.

— Барон, перед вами мой гость и друг! — предупредил князь.

И в этот миг Найл понял все!

Князь нашел «джокера»!

Князь нашел никому незнакомого союзника, с которым общался на «ты» и называл своим другом, князь продемонстрировал силу нового союзника — тысячи его пауков, десятки неведомых никому бронированных монстров, десятки воинов и воительниц. Сейчас, на этом ристалище, Найл дрался не с бароном Весеннего холма, он заканчивал разгром королевской власти. Он показывал слишком жадным баронам, что баланса сил больше нет. Что у князя Граничного есть новый могучий союзник, в боеспособности которого все только что убедились, и теперь при желании князь уничтожит любого. Того, захочет Найл сражаться бок о бок со своим «другом» на чужих землях или нет, спрашивать никто не станет. Ведь правду в таких случаях все равно не говорят — а кто захочет устраивать проверку ценою собственной шкуры? Важно только то, что у князя есть «друг», с которым он на «ты», и этот «друг» очень силен.

Дело сделано: князь вытащил из рукава «джокера», предъявил миру и выиграл гражданскую войну.

— Давайте заканчивать, барон,— предложил Найл, повернувшись к бородачу.

Он ощутил, как у великана напряглись грудные мышцы, мышцы рук, мышцы брюшного пресса. Ядро начинало свой новый полет. Посланник, не дожидаясь, пока станет поздно, отступил в сторону, и булава, содрогнув землю, врезалась в грунт.

— Х-ха!

— Остановитесь, барон.

Напряглись бок, плечо, левая рука — горизонтальный удар слева направо. Найл сделал шаг вперед, пригнулся, поднырнул и вышел у противника за спиной. Успокаивающе постучал по плечу:

— Достаточно, давайте обойдемся без крови.

— А-а! — опять прошелестела булава.

— Да убейте же его, барон!

Найл обернулся на крик, увидел горящие глаза княжны. Великая Богиня, откуда в ней столько ненависти?

— Убейте его, барон!

Правитель ощутил жуткую усталость. Ему вдруг надоело разбираться в хитросплетениях интриг, причинах любви и ненависти, надоело рисковать собой и жалеть дураков. Он сделал широкий шаг вперед, избегая очередного удара, развернулся лицом к врагу и вытянул из ножен меч.

— Остановитесь, барон. Я не хочу вас убивать.

— А-а! — радостно взревел бородач, поняв, что Посланник больше не станет уворачиваться. Он со всей ярости размахнулся из-за спины...

Возможно, барону часто приходилось охотиться на мух ради своего развлечения. Но никогда в жизни не приходилось ему сглатывать голодную слюну, наблюдая за полетом жирной твари, никогда его ужин не зависел от того, удастся ли острию копья пробить в полете жужжащую дичь. Муха хитра и вертлява, а тяжелое ядро булавы умеет летать только по прямой.

Найл прикоснулся к смертоносному снаряду кончиком меча и немного подтолкнул его в сторону. Теперь шипастый шар летел уже не в голову, а проскакивал рядом с плечом, увлекая за собой руки северянина. Посланник сделал шаг вперед — основание клинка уперлось барону в горло — потом отвернул лицо и рванул рукоять меча к себе.

Вот и все.

Он не стал смотреть, что происходило дальше с упрямым врагом. Он неторопливо добрел до переполненной цветами клумбы и вытер меч о траву. Позади послышался глухой стук падающего тела.

Найлу пришла в голову смешная мысль. Он провел клинком над землей, потом спрятал меч, собрал в букет опавшие цветы.

— Это тебе, прекрасная леди,— подошел он к княжне сквозь расступившуюся толпу.

Душа Ямиссы рванулась, как попавшая в силки бабочка, и ослабла. В сознании наступил провал — ни единой мысли. Ошеломленная, она молча приняла букет. А Найл пошел дальше, к дверям в правое крыло. Большой прием ему изрядно надоел.

— Какой великолепный поединок! — устремился навстречу князь.— Подобного я не припомню за всю свою жизнь. Сила против ловкости, хладнокровие против ярости! О тебе станут рассказывать легенды, мой друг!

Князь запнулся, вглядываясь в суровые черты победителя.

— Да что с тобою? Лица на тебе нет. Ты ранен?

Найл посмотрел хозяину замка в глаза. В глаза человека, который даже спасая жизнь своей дочери, умеет думать балансах сил и психологии вассалов, в глаза человека, который даже позорное поражение способен превратить в победу.

— Что-то не так, Посланник Богини?

А еще Найл вспомнил о двухстах детях, которые уже сейчас находятся на пути в Приозерье, еще ста, которые вот-вот прибудут из ближних городов, о полутора сотнях, что должны прибыть от лесачей и еще многих сотнях, которых удастся выкупить у нерадивых матерей. О парусах, которые станут подниматься на мачты, о воздушных шарах, взмывающих в небо, о топорах, которые застучат на верфи. И Найл... Улыбнулся.

— Мне стыдно, князь, что я пролил кровь на твоем празднике.

— Брось, друг мой! Такой красивый поединок! Какое изящество, выдержка. А кровь...

Что значит кровь одного человека по сравнению тысячами жизней, исчезающих в пекле войны? А? — хозяин замка вопросительно поднял брови.

Найл понял, что гражданскую войну выиграл все-таки не он. Он — «джокер». А войну выиграл князь.

— Благодарю тебя, князь. Мне хочется отдохнуть.

— Да ты что, правитель? — искренне возмутился князь.— Герой праздника хочет сбежать в укрытие! Да придворные дамы разорвут меня в клочья! Ты мне друг, Посланник Богини, но жизнь дороже. Идем.

* * *

Услышав, как отворилась дверь, Найл сунул руку под подушку, сжав рукоять меча, и поднял голову. Княжна Ямисса, по-прежнему одетая в скромное белое платье, поставила кувшин на пол, задвинула засов и показала подаренный Найлом букет.

— Цветы. Их нужно поставить в воду.

Она подошла к стеллажу, выдернула из вазы старый букет, швырнула его в окно. Выплеснула туда же старую воду, налила из кувшина свежей и, наконец-то, водрузила туда букет, поставив его на стол.

— Красивый, правда?

Княжна подошла ближе, села на край постели.

— Ой, что это?

Она взялась двумя пальчиками за выступающий из-под подушки кончик клинка и вытянула меч целиком.

Ямисса прыснула в кулак:

— Ой, дамы так замучили героя своими приставаниями, что он спит с обнаженным акинаком под подушкой! Много пришлось отбиваться?

— Если бы тебе хоть раз пришлось проснуться от шорохов крадущегося скорпиона, ты тоже научилась бы спасть с оружием.

— Может быть, тебе просто запирать дверь? — указала на задвижку княжна.

— Да? — хмыкнул Найл.— Ты знаешь, детство я провел в пещере, где никогда не имелось дверей, юность провел в походах, где дверей тоже не встречалось, пауки держали меня в казарме, которая запиралась снаружи, а потом я жил во дворце, где запоров тоже нет. Мне как-то и в голову не пришло, что ее можно закрыть.

Княжна опять рассмеялась, встала, выбрала на столе один из стаканов, полнила его из своего кувшина, залпом осушила.

— Хочешь воды?

— Нет.

Ямисса выпила еще один стакан, потом вернулась на край постели.

— Ты знаешь, Посланник Богини, по законам турнира дама, выставившая свой платок, обязана стереть им пыль и пот с тела победителя. Мне очень неприятно тебя огорчать, правитель Южных песков и Серебряного озера, но победил именно ты.

Княжна наклонилась вперед, взялась за край одеяла, отогнула, обнажив Найла до пояса, потом неторопливо расстегнула ворот платья, достала спрятанный на груди платок и начала тщательно выполнять свой долг.

Хотя вытирать пыль и пот полагалось платком, Найл чувствовал, что по коже его лица, щекам, губам, шее скользят теплые и мягкие подушечки пальцев. Они коснулись плеч, ямочек ключиц, груди, добрались до соска левой груди, потом правой. Правитель понял, что всю процедуру до конца все равно вынести не сможет, вскинул руки и привлек девушку к себе.

Ее губы пахли свежими яблоками, они были горячими, ласковыми, зовущими. Найл опрокинул ее на спину, попытался забраться под юбку и долго путался в длинном подоле платья. Девушка тихонько хихикала, но не сопротивлялась. Наконец он смог добраться до цели своих изысканий, и она притихла, вслушиваясь в собственные ощущения. Найл хотел ласкать ее как можно дольше, готовя к первому в жизни акту любви, но Ямисса сама попросила:

— Скорее... А то мне немного страшно,— и он выполнил ее просьбу.

Найл боялся причинить ей какую-либо боль в первую ночь, отвратить ее от близости, он старался быть нежен, нетороплив, но волна чувств захватила девушку, и уже она торопила его, заставляя стать более смелым, энергичным, решительным, и именно для нее первой этот вечер взорвался букетом наслаждений.

— Где ты раньше был, опарыш соленый,— прошептала она, зарываясь носом ему в шею. — Саранчуг безногий.

Дыхание ее стало спокойным и размеренным, оно пахло цветущим садом, навевая на мысли солнце, прозрачном воздухе, чистоте. Княжна зашевелилась, поднялась, отошла к столу и налила себе еще стакан воды.

— Посланник Богини, давай закроем окна? А то прохладно.

— Называй меня Найл,— попросил правитель.— Это мое человеческое имя.

— Очень приятно,— полуприсела княжна. — А меня зовут Ямисса. Так как насчет окон?

— Может быть, просто ляжешь под одеяло?

— В платье?

— Так сними!

— А тебя никогда не учили, правитель Южных песков, что настоящий рыцарь должен помогать своей даме?!

— Извини.— Найл вскочил, распустил шнуровку у нее на спине.

— Теперь отвернись, я стесняюсь.

Найл лег в постель ничком. Вскоре одеяло шевельнулось.

— Здесь еще холоднее,— обиженно заявила девушка.

— Так двигайся ко мне, здесь тепло.

Княжна тут же прижалась к нему всем телом.

— Горячий какой. Интересно, а второй раз это так же приятно, как в первый?

Найл, которому в первый раз немного не повезло, с огромным удовольствием удовлетворил ее интерес.

— Сейчас было немного иначе,— немного отдохнув, подвела итог девушка.— Даже не знаю, когда лучше.

— Наверное, нужно попробовать в третий раз? — предположил Найл.

— Мне начинает нравиться в твоей постели,— предупредила Ямисса.— Тебя это не пугает?

— Нет.

— Тогда ответь, Посланник Богини, почему ты подарил мне цветы?

— Не знаю,— пожал плечами Найл.— Захотелось.

— Просто так?

— Просто так.

— Надо же,— она перекатилась на спину.— Просто так. Ты знаешь, мне очень часто дарили цветы. Поклонники, гости, друзья. Но еще никогда мне не дарил цветов человек, которому я за минуту до этого столь откровенно желала смерти. И я подумала, может быть, тебя не стоит убивать? Мне очень захотелось понять, почему ты подарил мне цветы после того, как я пожелала тебе смерти? Почему ты подарил мне цветы, Найл?

— Просто так.

— Просто так... — Ямисса перекатилась к Найлу и стала целовать его губы.

* * *

Утренние лучи били Посланнику прямо в глаза. Некоторое время он мужественно пытался терпеть, но вскоре сдался и встал. Ямисса продолжала безмятежно спать — руки раскинуты в стороны, волосы разметались по подушке. Одеяло сползло ей до поясницы, обнажив чуть смугловатую спину, родинку под лопаткой, маленький шрам чуть ниже плеча. Найл долго смотрел на нее, пытаясь понять, почему раньше она казалась ему такой уродливой, потом осторожно поцеловал ее возле поясницы и отошел к окну. Далеко внизу катило мелкие серые волны озеро, резвилось у самой поверхности несколько мелких рыбешек.

Найл не испытывал ни малейшего сожаления по поводу того, что вчера произошло. Правда, восторга тоже. Просто в душе появилось твердое убеждение — именно так и нужно. Рано или поздно нечто подобное должно было произойти, и нынешнее положение дел его вполне устраивало. Пожалуй, он был даже рад.

Послышался шорох. Он ощутил легкое прикосновение губ к своей спине.

— Не оборачивайся,— шепотом попросила она.— Я без одежды.

12 Зак. 3231

Найл покорился, и княжна еще долго целовала его спину, шею, уши, оглаживая ладонями руки и плечи. Потом девушка отступила, послышался досадливый вскрик:

— Ну вот, платье испортили! Посмотри сюда.

Посланник развернулся. Ямисса сидела в постели, прикрывшись одеялом, перед ней лежало вывернутое платье. На подоле темнело небольшое пятно.

— Вот, видишь? Я досталась тебе девственницей. Говорят, я должна этим гордиться, а ты радоваться. Ты рад?

— Рад.

— Врешь,— вздохнула княжна.— Так не радуются. Ладно, полюбуйся озером. Я сейчас оденусь.

Девушка облачилась. Найл помог зашнуровать ей спину, разгладил складки.

— Ну, до свидания,— кивнула Ямисса.

Она отодвинула засов, открыла дверь. Остановилась на пороге.

— Чуть не забыла! — она расстегнула ворот, достала платок и протянула его Найлу.— Вот, возьми. Теперь он принадлежит тебе.

* * *

Найл налил себе бокал вина, и долго пил его маленькими осторожными глотками, вглядываясь в озерные глубины. Когда бокал опустел, правитель решительно распахнул дверь и побежал вниз по лестнице.

В коридоре замка он неожиданно наткнулся на скучающего камергера.

— Вы куда, господин? — удивился он раннему появлению гостя.

— Мне нужно увидеть князя.

— Разрешите, я вас провожу.

Елог поспешил вперед, уверенно петляя по коридорам, и вскоре вывел правителя к высоким дверям зала малых приемов. Камергер с трудом распахнул обе створки и громко доложил:

— Посланник Богини, Смертоносец-Повелитель, человек, властитель Серебряного озера и Южных песков!

Найл вошел в огромный пустой зал, и увидел, что хозяин замка сидит на своем троне у самой дальней стены. Долгие минуты шел правитель по глянцевому паркету, и гул его шагов эхом отражался от стен и потолков, возвращаясь и улетая снова. Наконец до подножия трона остались считанные метры.

— Я рад видеть тебя, Посланник Богини, Смертоносец-Повелитель, человек, властитель Серебряного озера и Южных песков! — громко объявил князь.— Что привело тебя сюда в столь ранний час?

— Я прошу,— начал было Найл, но ощутил, что обычный тон звучит в таком зале неестественно тихо. И он поправился, громко и четко произнеся во весь голос: — Князь Граничный, Санский и Тошский, человек, повелитель Чистых земель и Северного Хайбада!

Я, Посланник Богини, Смертоносец-Повелитель, человек, властитель Серебряного озера и Южных песков пришел сюда, чтобы просить руки твоей дочери!

Князь встал, неторопливо спустился с трона и хлопнул в ладоши. Моментально подбежал слуга с подносом, на котором стояло два бокала.

— Я раз за вас, дети мои.

— Что? — не понял Найл.

— Неужели ты, Посланник Богини, считаешь, что в моем замке может произойти хоть что-то, о чем я не буду знать? Я рад за вас, дети мои. Рад, что вы нашли друг друга, так долго ходя бок о бок. Ты показал себя, как мудрый правитель, как храбрый и искусный воин, как честный и благородный дворянин. Я не могу и думать о более достойном муже для своей дочери. Мне приятно, что в жилах внуков, один из которых рано или поздно займет этот трон, моя кровь смешается с твоей, мой друг. Природа распорядилась так, что нашим странам практически невозможно воевать друг с другом. Судьба сложилась так, что мы можем помогать друг другу. В этом перст свыше! Никуда я не мог бы отдать свою дочь с таким легким сердцем, как в Южные пески. Давай выпьем за это!

Князь осушил бокал, со всего размаха жахнул им об паркет и поднялся обратно на трон:

— Елог, пригласи сюда мою дочь, княжну Ямиссу.

Девушка уже переоделась из белого платья в темно-синее, с глухим, застегнутым на шее воротником. На левом плече отливала темно-красными рубинами золотая брошь.

— Дочь моя,— могучим, хорошо поставленным голосом вопросил князь.— Посланник Богини, Смертоносец-Повелитель, человек, властитель Серебряного озера и Южных песков пришел сюда, чтобы просить у меня твоей руки. Что ты ответишь этому благородному человеку?

— Чтобы я вышла замуж на какого-то неотесанного пустынного дикаря? — громко фыркнула девушка.— Да никогда в жизни!

В наступившей тишине княжна покинула зал.

Найл почувствовал себя так, словно на него вылили ушат раскаленного кипятка. Он не представлял, что говорить, куда деваться, как действовать. Прошло довольно много времени, прежде чем первый ступор прошел. Посланник Богини развернулся, четко чеканя шаг пересек зал и со всех своих сил захлопнул двери.

Братья по плоти уже успели ощутить и гнев своего правителя, и его решение. Смертоносцы первыми пришли в движение, перекатываясь через низкую внешнюю стену и широким потоком устремляясь в сторону города. Застигнутые врасплох двуногие воины выбегали из дверей самых различных помещений и башен замка, торопились за копьями и шлемами, оставленными в своих комнатах еще в первый день. Найл не торопясь двигался от центрального крыла прямо к воротам, давая людям время собраться в дорогу. Сам он заходить в свои покои не захотел.

К тому времени, когда Посланник вошел под барбакан, воины уже подтягивались сюда.

— Твое копье, Посланник,— протянула Кавина Найлу его оружие.

— Ну, и кто это был? — внезапно спросил правитель.

— Всадник,— губы девушки растянулись в улыбке.

— Что, даже имени не спросила?

— Антуан,— нараспев произнесла она, и побежала догонять своих.

Найл бросил прощальный взгляд на двор замка.

«А ведь князь Ямиссу убьет,— со внезапным злорадством подумал он.— Убьет своими собственными руками. Только что у него был джокер, и больше нет. Пустышка.»

Отход прикрывали жуки-бомбардиры, однако братьев по плоти преследовать никто не стал. Отряд двигался медленно. Ведь люди не способны, подобно жукам или паукам бежать сутками напролет с короткими остановками для еды, как не способны неподвижно замирать на целые месяцы, довольствуясь одним обедом за год. Армии Найла приходилось сдерживать себя до скорости своего самого слабого звена — людей.

На втором привале их догнал всадник.

Закий спрыгнул с таракана не доезжая до крайних пауков, положил на землю копье, скинул перевязь с оружием, и торопливо пробежал между путниками до Найла. Остановился, приложив ладонь к сердцу:

— Князь приносит свои извинения, Посланник Богини. Он не желал позорить тебя. Он просит тебя по-прежнему считать его своим другом. Придворный смертоносец сообщил, что княжна таила личную обиду к тебе, о которой не сообщала даже отцу.

— Ты хочешь сказать, княжна Ямисса специально побудила меня к подобному... поступку, чтобы опозорить перед придворными князя и вольными баронами?

— Но князь... — рыцарь опустился на колени.— Но князь не знал об этом, Посланник Богини. Он честен с тобой.

— Князь честен, княжна довольна, позор достался мне одному,— выпрямился Найл.— Ты знаешь, как поступают с вестниками, которые приносят дурные новости, рыцарь Синего флага?

— Да, Посланник Богини,— склонил голову Закий.— Их зажаривают на костре.

— Тогда какой дурной дух принес тебя в мой лагерь?! Убирайся отсюда!

Видно, здорово переломала месть княжны планы здешнего повелителя, что он попытался откреститься от собственной дочери. Однако для Найла это уже не имело никакого значения — до Приозерья оставался только одни переход.

Теперь отряд шел со всеми военными предосторожностями — с патрулями из пяти-шести пауков, которые прочесывали местность на два-три километра впереди и по сторонам от колонны, с плотной группой прикрытия из жуков немного позади. Местные жители отвечали той же опасливостью — закрытые двери селений, вооруженная стража на стенах, брошенные людьми одиночные хутора, начисто исчезнувшие отары овец. Никто не стремился выражать дружелюбия, никто не желал нападать первым.

В таком полном взаимопонимании братья по плоти без единого привала миновали последний отрезок пути. Поздним вечером последние из жуков втянулись в отверстие перегораживающего ущелье белого покрывала, и Посланник Богини с облегчением вздохнул — дома!

Дома. Запах цветов, шелест деревьев, журчание воды. Все здесь казалось иным — более ароматным, более веселым, более громким.

Однако засела в сердце игла — и ныла, как забытая в ладони заноза, от которой постоянно хочется избавиться, но не за что зацепиться. Остается только наблюдать, как накапливается вокруг тяжелый гной, как немеет еще живая ткань, как сочится слизью нарыв, вызывая отвращение к частице собственного тела.

— Я рада вам, мой господин,— поспешила навстречу верная Нефтис.

— Я тоже рад тебя видеть. Как тут?

— Как всегда,— пожала она плечами.— Когда прибежали смертоносцы с детьми, народ поначалу начал беспокоился. Думали, что пауки хотят их съесть. Жалели, кормили, пытались выкупить за другую еду. Но Дравиг объяснил, что они взяты на воспитание, а я разрешила нескольким женщинам проводить их до города. Трое уже вернулись, еще две остались там. Сейчас все спокойно.

— Ты молодчина, Нефтис.

— Благодарю вас, мой господин.

Тут Найл увидел сидящих вдоль стены людей в белых туниках.

— Это кто?

— Джарита привезла.

Посланник двинулся к ним. Телохранительница отстала.

Найл мог дать голову на отсечение, что никто из посторонних не знает об истинной цели служения привратницы смерти, об истинном смысле религии людей в свежих туниках — однако простые смертные тем не менее сторонились уроженцев Провинции, а простой взгляд бывшей служанки вызывал в них животный страх.

Люди не обратили на правителя никакого внимания, и единственным, кто поднялся ему навстречу, была Джарита, собственной персоной.

— Сегодня,— коротко сообщила она, глядя Посланнику прямо в глаза.

— Почему ты здесь? — впервые не отвел взгляд правитель.

— Кто уходит, всегда должен возвращаться,— лаконично объяснила служанка.

— Ты вовремя,— кивнул Найл.— Смертоносцы голодны.

— Тебе что, больно? — удивилась Джарита столь долгому разговору, и тому, что собеседник не прячет глаз. Она быстро угадала причину такой отваги: — В твоей душе поселилась сильная боль...

— Да.

— Тогда умри,— посоветовала служанка и неторопливо отправилась к своим людям.

Умри...

Темнота сгущалась. Несколько мужчин торопливо складывали на поляне высокий костер. Нефтис вместе с людьми отправилась в город обеспечивать категорический запрет выходить из своих жилищ.

Умри... — а что это вообще такое?

Найл прошел по мягкой, податливой траве и занял свое место — то самое, на котором он сидел в прошлый раз. Пробежал глазами по белым пятнам, сгрудившимся у стены, сосредоточился на одном из них.

...Рассвет. Неужели она больше никогда его не увидит? Что останется от нее самой, когда она станет частью всемогущего восьмилапого бога?

Закат. Сегодня был очень красивый закат. На светлом небе вытянулись цепочкой облака. Белые-белые. Потом они начали розоветь, словно наливающиеся спелостью персики, краснеть, стали темно-бордовыми — и тут над ними начали загораться искорки звезд. Она и не знала, что это последний закат в ее жизни, что больше их не будет. Совсем. Ни одного.

В душе стала нарастать щемящая тоска, почему-то показавшаяся кислой на вкус.

Она станет бессмертной. Ее тело сольется с телом могучего восьмилапого существа, и больше ему никогда не будут угрожать ни боль, ни тлен. Ее тело обретет вечность — но что станет со всем этим? С прохладным воздухом, который вливается в легкие, с солнечным лучиком, который утром отражался в капельке воды на листе шиповника. Что будет с памятью о ее первом поцелуе, со сморщенной мордашкой Пипиля, завернутого в чистые тряпки, с его закрытыми глазами и шевелящимся носиком, учуявшим запах грудного молока и ищущего теплый материнский сосок. Неужели это исчезнет навсегда?

Мимо неторопливо прошествовала женщина в темной тунике, и стало ясно — пора. Где-то во мраке застучал барабан, и ноги ощутили внезапную слабость. Они отказывались повиноваться, хотя душа молила об одном — бежать!

Но от смерти убежать невозможно. Она приходит ко всем. Бегство от нее заканчивается на куче отбросов в огородной яме, где станешь пухнуть и смердеть, как это случилось с дедом Пилуком, и в конце концов под этим Солнцем от тебя не останется ничего. Можно спасти хотя бы тело. Можно слиться в единое целое со своими повелителями, со своими отцами и дедами, со своими матерями и бабушками, которые тоже прошли этот путь.

Смертнице удалось выпрямиться и вместе со всеми двинуться в центр поляны. Она увидела смертоносцев — и сердце ее неожиданно наполнилось радостью, тело — энергией. Ей захотелось петь и танцевать. Метнулось в ночное небо пламя костра, застучал барабан — и она закружилась в восторженном упоении, широко раскинув руки отдаваясь этому небу, звездам, воздуху, деревьям и травам, речной воде, растворяясь в них, даря им свою жизнь, свои воспоминания, своею душу, очищаясь перед последним часом, перед последней минутой, последней секундой, перед своим последним святым долгом, который осталось выполнить в этой жизни. Очищаясь от всего — руки рванули узел пояска, отшвырнули в сторону тунику. Вот она осталась одна, обнаженная, безгрешная, кружатся перед лицом звезды, рисуя последнее видение этой жизни.

— Вот она я! Я вся! Я ваша!

Коснулся завороженного сознания требовательный призыв — и она метнулась навстречу отражающим огненные сполохи глазам, пала пред ними на колени.

— *Неужели это все?!!*

Острая мгновенная боль.

* * *

— Вы проснулись, мой господин?

Нефтис стояла у его ног, сжимая копье.

Найл рывком сел. Перед ним, до самой реки, простирался луг. Он пах молодой свежестью, медом, мускусом, влагой. Он переливался синими, желтыми, красными, оранжевыми цветами, он шелестел густой, хрусткой и мягкой зеленью. Правитель взял пальцами ближний цветок, осторожно, чтобы не оборвать, потянул к себе.

— Пахнет.

На руках осталась желтая пыльца. Найл осторожно сдул ее, наблюдая, как развеиваются нежные крупинки, потом сжал между ладонями травяную кочку, провел ладонями вверх, до самых колосков. Поднес руки к глазам:

— Смотри, роса еще здесь. Осталась.

Он попробовал влагу кончиком языка. Усмехнулся, протянул телохранительнице руку.

— Иди сюда!

Нефтис наклонилась — он обхватил ее, рванул к себе, опрокинул на колени и впился в сухие губы долгим поцелуем. Сознание стражницы смешалось. Воспользовавшись минутной слабостью рассудка, чувства женщины взяли верх, и она получила от неожиданной ласки не меньшее удовольствие, чем Посланник.

Найл немного отодвинулся, вгляделся в ее лицо, пошевелил рукой ее волосы. Потом помог сесть рядом.

— Что с вами, мой господин? — рискнула спросить телохранительница.

— Сегодня удивительно красивое небо, Нефтис. Чистое, высокое, голубое. Правда?

— Небо как небо,— пожала плечами женщина.

— Нет, сегодня оно особенно красиво,— покачал головой Найл.— Хотя, в одном ты права: оно такое всегда.

Правитель встал, сбежал к реке. Опустился коленями на прибрежный камень. Долго вглядывался в струящуюся перед ним воду, потом медленно, не нарушив ровной глади поверхности, опустил в нее руки. Оперся ладонями в песчаное дно, сжал кулаки. Крупнозернистый кварцит, приятно гладя ладони, потек между пальцев. Найл разжал ладони, дал течению их омыть, потом зачерпнул горсть воды и окунул в нее лицо. Потом еще и еще, чувствуя прохладу и влажность, любуясь, как переливаются на каплях радужные узоры.

— Великая Богиня! Как прекрасен мир!

От города к вытянутым на берег баркасам спускались, ведомые рыбаком, несколько слуг в белых туниках, с объемными, но легкими котомками. Последней шла женщина.

— Джарита,— окликнул ее Найл.

Она повернула лицо, вопросительно приподняла брови.

— Спасибо тебе, Джарита.

— За что?

— За смерть. Она действительно лечит все.

— Мне ли этого не знать,— грустно покачала головой девушка.— Чтобы почувствовать вкус жизни, нужно заглянуть в глаза смерти, Посланник Богини. Не благодарите меня, мой господин. Я всего лишь привратница.

Молчаливые барабанщики помогли рыбаку столкнуть лодку на воду, запрыгнули внутрь. Последней села Джарита. Поднявшись во весь рост, хозяин оттолкнулся веслом от берега, сел на корме и сильными гребками повел лодку вниз по реке.

— Вы готовы? — спросил правителя Шабр, так же собравшийся отплывать в город.

— Я пройдусь пешком,— отрицательно покачал головою Найл.— Хочу почувствовать, как поддается песок под ногами.

— Что? — не понял смертоносец.

— Знаешь,— улыбнулся Найл.— Ты делаешь шаг, и нога начинает проваливаться вниз, горячий песок заполняет сандалии. Кажется нет опоры, утонешь, пропадешь. Но пустыня передумывает и отказывается тебя поглощать. Ты делаешь новый шаг, и начинается новое размышление. И так от дюны до дюны, бархан за барханом.

— Я прикажу кораблю ждать вас ниже порогов,— сказал Шабр.

Он не понял ни-че-го, но спорить с Посланником Богини не стал.

* * *

Как ни хотелось Найлу поднять в небо величавые воздушные шары, но почти все покинувшие остров детей слуги стали ткачами. За неспокойные месяцы обтрепалась одежда слуг и надсмотрщиц, еще считавших себя верными слугами Смертоносца-Повелителя, истерлась оснастка кораблей, прохудилась обувь. Именно эти нужды требовалось обеспечить в первую очередь. Слуги «высшего качества» отбивали и теребили лен и коноплю, пряли нити, набивали ткани, кроили и шили по раз и навсегда заведенным еще пауками выкройкам и размерам. Шерсть мохнатых гусениц укладывалась в еще сохранившиеся формы и отбивались, сваливалась в мягкие одеяла или теплые островерхие шапки. Хозяйки дальних ферм, до которых не успели добраться северяне со своими нововведениями, впервые за долгое время начали получать туники и одеяла для своих хозяйств, новые кирки, вытребованные Найлом у Демона Света, свежую рыбу для разнообразия меню. Они оживились, стали охотнее везти в город выращенное у себя продовольствие. С разрешения Найла — и вопреки желанию Тройлека — во дворец Посланника Богини женщины сдавали только две трети урожая, а на остальное могли свободно выменивать у городских ремесленников и мастеровых все, чего их душенькам хотелось — чеканную посуду и простенькие лампады, ожерелья и кастрюли, шкатулки и сундуки. Рынок расползся до соседних улиц, стук молотков доносился теперь даже по ночам.

Город оживал на глазах.

С огромнейшим удовольствием Посланник Богини восстановил для молодых слуг законы времен паучьего рабства: в казармах должны всегда иметься свободные топчаны, тюфяки и одеяла, в каждой комнате обязан стоять котел с едой, чтобы любой мог наедаться досыта.

Люди, которых в соседнем княжестве звали полудурками, чувствовали себя совершенно счастливыми, округлялись, розовели и честно отрабатывали свои двенадцать часов в сутки, потихоньку вытягивая гигантский организм города из полуобморочного состояния.

Разумеется, чтобы добиться такого результата не за годы, а за недели, всех подаренных князем Граничным малышей пришлось вывезти в Дельту, окунув в самое пекло ускоряющей рост энергии. На этот раз Найл не растерялся и выкопал с собой несколько саженцев деревьев-падальщиков. Правитель приказал посадить одно из них у окна своего кабинета, а остальными заменить отхожие места слуг и кухонную помойную яму.

Без живительной энергии Великой Богини деревья здорово потеряли в росте, став низкими и толстыми, как насосавшиеся клопы. Однако «сытая» жизнь позволила им сохранить пышную чашеобразную крону и здоровье.

Только падальщик Найла поначалу чах, но вскоре и он окреп и «оживился». Как чувствовал правитель, дереву, чтобы не сдохло, в его отсутствие корзинами таскали всякую тухлятину с рынка, но факт этот почему-то тщательно скрывали.

Дважды флот уходил к Дельте уже специально за саженцами — для острова детей, для нелюдимой Джариты и ее дворца Праздника, для рынка, над которым вечно витали запахи, напоминающие боевую вонь бомбардиров. По своей наивности Найл хотел еще раздать саженцы жителям, дабы раз и навсегда решить вопрос с нечистотами, однако меркантильный Тройлек вовремя успел наложить на них свои волосатые лапки и объявил монополию правителя на всю торговлю падальщиками, как раньше на торговлю солью. В итоге жители деревьями все-таки обзавелись, но надолго оказались должниками казны.

Наконец, Шабр сдержал слово, и вырастил молодых пауков-капитанов. Впервые за долгое время флот мог плавать не только плотной толпой. Теперь корабли получили возможность далеко расходиться друг от друга, поддерживая между собою надежную ментальную связь. Казалось, еще немного, еще две-три недели — и былое величие окруженного пустыней города возвратится к прежним высотам.

* * *

— Это может привезти к разорению честных, трудолюбивых крестьян, господин, а после их исчезновения к голоду в городе и необратимому запустению,— заканчивал свое выступление седовласый мужчина.— Вы обязаны принять меры, мой мудрый господин, пока еще не стало слишком поздно.

Перед троном стояла огромная корзина, полная фруктов и овощей — дар крестьян Посланнику Богини. После того, как надсмотрщицы дальних ферм вновь проторили тропинку в город, цены на рынке заметно упали. Владельцы ближних земель, теряющие доходы, избрали самый простой путь сохранить благополучие — нажаловались правителю.

Они пугали всевозможными будущими напастями и просили или запретить снижать цены ниже существующих, или обязать женщин сдавать во дворец весь урожай. Тройлек всячески ратовал за второй вариант. Найлу же нравился третий:

— Странно,— удивился он, обходя корзину и присаживаясь перед ней на корточки.— Не вижу.

— Чего? — не понял крестьянин.

— В замке князя Граничного меня угощали небольшими алыми ягодами, очень сладкими на вкус. Их здесь нет. А еще меня угощали округлыми черными хрустящими орешками со съедобной шелухой. Тоже не вижу. А еще угощали странной, очень большой ягодой с хвостиком на макушке и очень острым, но сладким и приятным вкусом. Где это все?

— Это капризные растения,— объяснил крестьянин.— Мы их здесь не выращиваем.

— А-а,— кивнул Найл.— Вы выращиваете, что попроще, но плату желаете получать, как за то, что потруднее. Да?

— Без труда на земле не вырастет ничего,— возразил крестьянин.

— Труд без мастерства, это печальное зрелище,— согласился правитель.— Взять бедных надсмотрщиц. Трудятся день-деньской, стараются, а вырастить им удается только... — Найл опять присел перед корзиной.— Только яблоки да груши, картошку да огурцы, лен да коноплю. Но ведь они и платы большой за свое неумение не спрашивают.

— Кстати,— выпрямился правитель.— Вы тут говорили о голоде. Может отдать вас и ваши земли в распоряжение этих женщин? Раз уж у них с урожаями проще и дешевле получается?

— Нет, зачем... — попятился крестьянин.

— Тогда докажите мне, что вы не только яблоки со старых деревьев обрывать умеете, но и клубнику выхаживать. А уж за клубнику уже и цену другую спрашивать сможете.

Недовольный крестьянин поклонился и вышел к своим товарищам. Вместо него появилась Сидония:

— Мне не хотелось говорить при этих мужчинах, Посланник. Во время последнего обхода границ я обнаружила смерть еще двух надсмотрщиц на дальних участках. Их земли взяли на обработку соседние хозяйки, но они не справляются. Следует выделить для обработки земель шестерых хозяек с земледельцами и поставить охрану от стрекоз, клопов и скорпионов.

— Я прикажу Дравигу выделить часть пауков для охраны земель,— согласился правитель.— Но людей пока нет.

Охранница кивнула и вышла из зала. Женщина только что вернулась с обхода и хотела отдохнуть.

Двери опять распахнулись, вошедший слуга громко доложил:

— Рыцарь Синего флага, господин!

— Кто? — не поверил Найл.

Слуга не ответил, сдвинувшись в сторону, а в тронный зал, позвякивая доспехами, вошел Закий.

— Рад видеть тебя, рыцарь Синего флага. Какие вести ты привез на этот раз?

— Ничего не привез, Посланник Богини,— весело взмахнул руками рыцарь.— Я сейчас сам по себе. Так, путешествую.

— Если сам по себе, то нечего в тронном зале париться,— решил Найл.— Поговорим в моих покоях, за обедом.

Закий испросил позволения ненадолго отлучиться, и пришел в личные покои правителя уже без доспехов и оружия, в обтягивающих штанах и полностью расшнурованной рубахе. Показывая обнаженную грудь, рыцарь как бы демонстрировал свое полное доверие к хозяину дома. Они сели к столу, выпили по бокалу вина за правителя Южных песков и

Серебряного озера, за его гостя, после чего Закий вдруг вспомнил:

— А ведь я перед отъездом к вашей посланнице заходил. Той, что детей покупает.

— Райя? — насторожился Найл.— Что с ней?

— С ней все хорошо,— кивнул рыцарь.— Вот только закрутилась так, что и не заметила моего визита. Сенешаль ведь к ней двести недоумков привез, как обещал. Кое-кого крестьянки принесли, кого прокормить самим невмоготу. Этих, правда, мало. Но слышал я краем уха, через неделю еще сто пятьдесят подростков от лесачей должны привезти.

— Да,— Найл отставил бокал и задумался. Триста пятьдесят детей есть уже точно, еще кого-то Райя выкупит. Можно считать, четыреста детей.— Где же они все помещаются?

— В бывших домах призрения,— ответил рыцарь и тут же добавил: — там сейчас чисто. Все убрали, воспитателей поменяли, чтобы старые ворюги прежними привычками не заражали. Пока все хорошо.

— Четыреста детей... — задумчиво повторил Найл.

— Я, конечно, частное лицо,— откинулся в кресле рыцарь,— но проходя коридорами замка слышал, как князь поклялся, что если пауки из Южных песков прибегут за детьми, то у них даже пылинки на лапах никто не тронет. Слово дворянина, правитель. Ваши пауки в полной безопасности.

— Интересно,— улыбнулся Найл.— А чего еще ты услышал в коридорах замка?

— Что князь поручился за долги вашей представительницы,— Закий взял со стола бокал и снова откинулся в кресле.— Он, конечно, понимает, что вы от него даже ломаного тараканьего уса не примете, но ведь речь шла не о вас, а об этой милой даме.

— Много долга?

— Вы же понимаете, правитель,— развел руками рыцарь,— это не мое дело, я специально не интересовался. От силы там полсотни золотых. В конце концов, ей, кажется, обещали прислать соль для торговли? Вот и расплатится.

— Когда нужна соль? — забеспокоился Найл.

— Это не мое дело,— пожал плечами Закий,— но если вы просто пошлете по открытой почте обещание покрыть ее задолженность, это успокоит всех.

— Кому сообщение?

— Ей, разумеется,— удивился рыцарь.— Нужно успокоить женщину. Кстати, о соли. Несколько крупных торговцев в нашем княжестве заинтересовались новым источником этого товара. У вас, кажется, на нее монополия?

— Да.

— Я так и сказал, что с вами нужно договариваться, но они ехать боятся. Знаете, как это бывает, Посланник Богини. Ссорятся правители, а головы рубят купцам. Между прочим, цена на соль заметно упала. Если вы ее транзитом дальше повезете, или оптовый договор с торговцами заключите, дело можно поправить, но взамен многие советники предлагают просить право на беспошлинный транзит по вашей реке к морю.

— Зачем он вам? — удивился Найл.— Известные нам побережья моря мертвы, торговать не с кем.

— Когда найдется с кем торговать, от пошлины никто так просто уже не откажется,— парировал Закия, но тут же спохватился: — Чего это я? Такие вопросы между странами должны решать посольства. Мудрые, специально уполномоченные для этого дела старикашки. Много вопросов, много решений. С наскока не решить. Вот, например, раньше с Серебряного озера княжеской пехоте рыба копченая шла, а сейчас их бараниной кормят. Если договориться о пошлине, то княжеству рыба будет, рыбакам доход, казне вашей прибыль. Но ведь не я же все это буду обсуждать? Клянусь семнадцатью богами, я лицо частное, приехал только для того, чтобы на Белую Башню посмотреть, да в реке здешней искупаться. А до всего остального мне дела нет.

Найл задумчиво почесал подбородок.

Рыцарь Синего флага невинно улыбнулся и приглашающе поднял бокал.

— Только не говори,— попросил Посланник,— что это самое посольство сейчас совершенно случайно сидит на лавочке у соседнего дома.

— Нет! — во весь голос расхохотался рыцарь.— В столице не уверены, что мне вообще удастся договориться об обмене представительствами.

— Ты молодец, Закий,— Найл взял свой бокал и чокнулся с гостем.— Давай я тебе тоже присвою какой-нибудь титул?

— Нет, не нужно,— замотал головой Закий.— скромный рыцарь может тихо странствовать по свету не привлекая ничьего внимания. Его мысли не щупают смертоносцы, на него не смотрят стражники, его любят женщины любых званий. Нет, Посланник Богини, пышные титулы для дураков. А у меня дел много.

— Чего тогда ты хочешь?

— Не посылайте своей женщине мысленной почты дней пять. Пусть думают, что я вас уломал с не-ве-роятным трудом. Больше ценить будут.

— И все?

— А еще я хочу посмотреть на Белую Башню и искупаться в реке.

* * *

Дни опять затянулись в плотную кутерьму. Найл начал понимать, что Райе в далекой чужой столице одной невероятно трудно, снял с солеварни двух женщин, нескольких мужчин и отправил к ней. В качестве охраны пошло двадцать пауков, которым удалось удачно поохотиться в Приозерских лесах. Остальных смертоносцев перед дорогой требовалось кормить. Правитель впервые пожалел и одновременно порадовался, что привратницей смерти стала именно Джарита. Бывшая пугливая служанка уперлась, как тарантул, защищающий нору, и не позволила скомкать своим подопечным последний обряд. Пауки вышли на два дня позже, чем рассчитывал Найл, но и на этом хлопоты не закончились. Требовались еда и одежда для четырехсот детей — не все ведь они младенцы. Требовалось молоко хотя бы на первое время — летающие тли за границами Дельты быстро погибали. Требовалось привезти из Провинции во дворец Праздника не меньше трехсот человек — пауки вернутся в город голодными.

Единственным приятным моментом за все время была встреча на реке с двумя женщинами. Как оказалось, две пожилые, одинокие и бездетные рыбачки из Приозерья так и остались на острове, чтобы помогать ухаживать за малютками. Найл приказал Тройлеку отремонтировать для них две комнаты, купить мебель и одежду. Паук выполнил все.

* * *

В этот день, возвращаясь от острова, и чувствуя, как скатываются из-под мышек капельки пота, Найл решил разок забыть о своем высоком титуле и положенных к нему тазиках, кувшинах, губках и мойщицах. Просто повернул к реке, скинул тунику и прыгнул в прохладные воды. Плавать он так и не научился, но возможность подрызгаться, побарахтаться на мелководье доставляла ему, в течении первых четырнадцати лет жизни видевшему воду только в пиалах или выемках лепестков уару, непередаваемое наслаждение. К тому же, он точно знал, что вот уже неделю в реку не сбрасывается никаких фекалий или отходов, а значит ее можно спокойно глотать, полоскать рот, лить себе в глаза — и ничего не бояться.

Посланник наслаждался свободой не меньше часа, и лишь почувствовав легкий озноб выбрался на берег. С явным сожалением он отдел поверх свежего, чистого тела запыленную тунику и двинулся в сторону дворца.

Слуги перехватили его метров за сто.

— Простите, господин, пройдите здесь,— и повели через кухню, через какие-то кладовки, по узкой черной лестнице.

— Что происходит? — возмутился правитель, обнаружив, что этакими «тайными тропами» слуги довели его до собственных покоев.

— Простите, Посланник,— наконец-то появился Тройлек.— Вам следует переодеться.

— Зачем?

— Внизу вас ждет посольство.

— Большое?

— Четыре человека.

— Ну вот,— вздохнул Найл, переодеваясь и подпоясывая свежую тунику широким ремнем.— Без обеда оставили.

— Вы можете отобедать с ними,— предложил паук.— Это будет вежливо, можно обсудить предварительные вопросы.

— Ладно,— Найл надел перевязь с мечом. — Пошли.

В тронном зале он встал рядом с креслом — правитель так и не привык сидеть, пока окружающие стоят. Оглянулся на Тройлека. Тот дал мысленную команду и створки дверей распахнулись. Посольство состояло из четырех человек. Трое мужчин зрелого возраста в походных архалуках, и одна-единственная женщина в синих атласных шароварах и атласной же рубахе, по покрою неотличимой от мужской.

— Вот,— шагнула вперед княжна Ямисса, и протянула небольшой, обшитый тонкой голубой замшей тубус.— Это вам, Посланник Богини.

Найл открыл цилиндрическую упаковку, вытянул свернутый в трубочку листок шелестящего пергамента и прочитал:

«Я, волею Семнадцати Богов князь Граничный, Санский и Тошский, человек, повелитель Северного Хайбада и Чистых Земель, посылаю...»

И тут правитель понял, какую огромную ошибку только что совершил. Он взял верительные грамоты. С этой минуты княжна

Ямисса считалась послом князя Граничного при его дворе.

— Тройлек! — рявкнул он.— Найди мне Закия!

— И приготовь мои комнаты,— добавила девушка.— Пока Посланник Богини не окажет нам любезность подыскать соответствующий нашему рангу дом, желательно равноценный предоставленному его поверенной, нам придется пользоваться его гостеприимством.

Они почти одновременно повернулись друг к другу спиной и разошлись.

Рыцарь Синего флага явился через полчаса.

— Ну? — коротко спросил его Найл.

— Даже не представляю,— развел он руками.— Как она отца уговорила, чем уломала? Совершенно не понимаю.

— Все-таки жаль, что я не дал тебе никакого титула,— вздохнул правитель.

— Почему?

— Я бы тебя его лишил!!!

* * *

Вечером они с княжной и ее посольством снова встретились, за ужином. Молча выпили вина, съели целиком запеченного кузнечика, попробовали несколько рыбных блюд. Двое из мужчин постоянно хотели начать разговор про откуп на торговлю солью и про известные здешним морякам обитаемые земли в южном море, но посол молчала, а сами начинать разговор они не имели права согласно принятому этикету. Третьего мужчину больше интересовали количество и расположение войск, наличие укреплений, тайных складов, дороги — в общем все то, о чем прямо не спрашивают. Найл это запомнил, но как поступить с соглядатаем, пока не решил.

Утолив голод, все так же молча раскланялись. Первая деловая встреча окончилась.

Спустя час в покои правителя вежливо постучали.

— Кто там?

— Это я,— вошла княжна.

— Что ты здесь делаешь в такое время?

— А чего мне бояться? — удивилась девушка, с независимым видом прогуливаясь по комнате.— Я посол, лицо неприкосновенное.

Она заглянула в спальню, вернулась, подняла со стола кувшин, понюхала.

— Вино. А воды у тебя нет?

— Чего тебе нужно?

— Нужно, собственно, не мне, а приехавшим со мной купцам. Хотят они скупать всю соль прямо здесь, на месте. Избавят тебя от хлопот, а себя от убытков. Они во всех ближних странах соляной торговлей заведуют. Цену держат.

— Ты пришла ночью поговорить о соли?

— А что мне остается делать, Найл?

Правитель вздрогнул, услышав, как она называет его по имени, но промолчал — сам ведь разрешил. Спасибо, хоть не на людях так обращается.

— Судя по нашему ужину, Найл, с тобой особо не разговоришься. А они сюда приехали не жарким отъедаться.

— Пусть завтра зайдут к Тройлеку. В принципе, я не против, а в ценах он разбирается лучше.

— Вот так бы сразу,— кивнула княжна, покидая комнату.

На следующий день правитель встречал вернувшийся из Провинции флот. Выслушав жалобы Назии на нехватку людей, Найл в очередной раз отправился к острову детей и тут впервые услышал заветное: «Все готово». Новое пополнение ждали. Пауки с драгоценной ношей могли возвращаться домой.

Дважды за день он сталкивался на улицах с княжной. Слуга, на лице которого была написана полная покорность судьбе, водил ее по улицам и показывал дома.

— Да это же развалины! Развалины! — возмущалась девушка, и они отправлялись дальше.

Найл понял, что Ямисса поселилась у него над головой очень надолго. Что он мог поделать, если город пауков состоял из развалин целиком?

* * *

Детей начали приносить с самого утра. Назия поставила семь кораблей поперек протоки борт о борт, и смертоносцы могли бежать прямо на остров, разнося малюток по комнатам многоэтажки. Восьмилапые возвращались с совершенно обвисшими брюшками, с исчезнувшим со спин рисунком. Это означало уже самую крайнюю степень истощения. Найл сам, лично, ходил между своими уставшими соратниками и просил сделать последнее усилие — дойти до Черной башни и ждать на площади ночи.

После полудня весь город знал, что эта ночь станет запретной для людей. Смертоносцы, не участвовавшие в переносе детей, занимали позиции на улицах и стенах в городе, вставали в круг оцепления около Башни.

А дети все прибывали и прибывали, предрекая стране Смертоносца-Повелителя великое будущее. Поток иссяк только к сумеркам. Найлу едва хватило времени, чтобы вместе с последними пауками дойти до мощеной площади до того часа, как начнет бить ритуальный барабан.

* * *

— Что тут происходит?! — ворвалась разъяренная княжна в покои Посланника.— Всю ночь у моих дверей стояли два вооруженных до зубов бугая и не выпускали меня из комнаты!

— Разве ты не знала? — как можно спокойнее ответил Найл.— Это была ночь праздника мертвых. В эту ночь люди не имеют права выходить из дома.

— Но я посол!

— Ты двуногая.

— Я посол, фигура неприкосновенная! А меня держали под замком, как будто беглого вора!

— Охранники спасали твою «фигуру» от возможных неприятностей.

— Но я посол!

— Послушай, Ямисса, природе совершенно наплевать на дипломатические игры человечества и красивые бумажки. Для нее ты всего лишь мягкое и вкусное двуногое существо. Поэтому в ночь праздника ты должна сидеть в четырех стенах. Иначе — смерть.

— И что, ночью кто-нибудь умер?

— Около трехсот человек.

Княжна осеклась и наконец-то перестала бегать и кричать.

— Это правда?

— Разве я похож на обманщика, Ямисса?

Девушка села в кресло.

— И что с ними случилось?

— Ночью был праздник единения. Их просто не стало.

— И часто у вас случается... такое?

— По-разному... Все зависит от обстоятельств.

— Как же вы здесь живете?

— Выставляем охрану у дверей излишне любопытных людей.

— Но как же... — Ямисса не заметила шутки.— Что с ними случается, почему?

— Тебе не нужно этого знать.

13 Зак. 3231

— Нет! — потребовала она.— Если уж начал, то рассказывай до конца!

— Ты узнала вполне достаточно, княжна, чтобы в следующий раз не попытаться обмануть охранника или вылезти в окно. Запомни: любой двуногий, который окажется на улице в ночь единения, умирает. Остальное неважно.

— Нет, я должна знать,— она схватила кувшин, налила себе вина, но, сделав пару глотков, поморщилась и отставила бокал.— Вдруг он начнется неожиданно? Вдруг я буду на улице и ничего не пойму?

— Этого не может быть,— покачал Найл головой.

— Почему?

— Потому, что ничего подобного быть не может. Ты всегда будешь в безопасности, тебя заранее предупредят.

— Почему ты так уверен?

— Этого тебе тоже лучше не знать.

— А я хочу! — она требовательно стукнула ногой.

Найл пожал плечами и развел руки.

— Я знаю! — внезапно осенило девушку.— Вы убили детей! Их привезли как раз вчера...

— Все дети живы и здоровы. Ты можешь сходить на остров и убедиться.

Княжна вскочила, но тут же остановилась. Она поняла, что столь нагло ее обманывать не станут — слишком легко проверить.

— Подожди. Месяц назад вы забирали еще триста детей из домов призрения. Где они?

— Работают в ткацких мастерских.

— Там, за площадью? — указала она.— Я вчера осматривала там дома. В мастерских работают только взрослые люди, я же не слепая.

— А ты спроси их, кто они, откуда. Знаешь, избавившись от вашей опеки, они стали чувствовать себя куда лучше, и многие даже начали говорить.

В новый ответ Ямисса поверила куда меньше, чем в первый. Но и здесь проверить правоту Найла особого труда не составляло. Некоторое время девушка размышляла. В конце концов сомнения пересилили, княжна кивнула и ушла.

Вернулась она ближе к вечеру. Душу ее продолжали терзать сомнения, хотя разум, похоже, уже начал поддаваться перед неопровержимыми фактами.

— Как ты это сделал?

— А вот этого тебе знать не нужно,— покачал головой Найл.

— Не нужно, не нужно,— раздраженно мотнула головой девушка.— О чем тебя не спросишь, все знать не нужно.

— Не совсем,— поправил Найл.— О детях тебе знать не нужно, потому что это тайна моей страны. А про праздник тебе лучше не знать, потому, что некоторые тайны не так приятны, как можно подумать.

— А ведь ты был на празднике,— прищурилась Ямисса.— Был, и остался жив.

— Ты забываешь, княжна, что я не совсем человек. Я — Смертоносец-Повелитель.

— Вот как? — девушка придвинулась и неожиданно просунула руку в разрез туники сбоку.— А казался самым настоящим человеком.

— Перестань,— оттолкнул Найл ее руку.

— Не смей меня трогать! — отчитала его княжна.— Я посол! Ты не имеешь права.

— Тогда веди себя прилично!

— Вот как,— хмыкнула девушка.— Тебе стали неприятны мои прикосновения. Ой, смотри, а что это?

Она шагнула в спальню, к подоконнику.

— Надо же, платок. Интересно чей? Похож на мой,— она поднесла его к носу.— А пахнет мужчиной.

— Можешь забрать назад,— шагнул правитель следом за ней.

— Да? А хочешь я поменяю его на свежий? — она произнесла это шепотом, почти прикоснувшись губами к его лицу, и Найл ощутил соблазнительный запах свежих яблок.

— Нет? Ты уверен? — она провела платком по его лицу.— И не смей меня трогать...

Опять вместо ткани Найл ощутил прикосновение теплых нежных пальчиков. Они скользнули по подбородку, по губам, по шее.

— Надо же, а ведь совсем как человек!

Княжна рванула завязки его пояса, скинула на пол. Найл попытался схватить ее ладони, но девушка тут же холодно предупредила:

— Убери руки! Ты не имеешь права меня трогать, ты в этом поклялся. Я — посол!

И, воспользовавшись заминкой, она скинула с него тунику.

Найл растерялся — в тех общих сведениях, которые он получил от Белой Башни, правила действий в подобной дипломатической коллизии не освещались.

— Не смей меня трогать,— приговаривала Ямисса, лаская ему грудь, живот, бедра.— Даже и не думай. Иначе против тебя ополчится весь мир! Все правители ближних стран, все вольные дворяне и вассалы. Ты будешь смят и раздавлен, стерт в порошок, втоптан в грязь, развеян по ветру... Ах, какой крепенький малыш, какой красивый, как он рвется в бой. А ведь ничего ему сегодня, просто совершенно ничего не достанется...

Любое терпение имеет предел — Найл подхватил ее, кинул на постель, сорвал шаровары, и позволил «крепенькому малышу» сделать то, чего ему так сильно хотелось. Девушка закрыла глаза, раскинула руки и тихонько постанывала в такт, не переставая мять скомканный кружевной платочек в левой руке.

— Какой же ты бываешь дурной, если тебя немножко раззадорить,— прошептала Ямисса, когда выдохшийся, но удовлетворенный правитель вытянулся на постели рядом с ней. Княжна погладила ладонью его по щеке и добавила: — А на паука ты ничуть и не похож.

— Я не снаружи, я внутри паук,— тяжело отшутился Найл.

— Теперь это все равно,— наставительно сообщила она.— Слушай внимательно, Посланник Богини, и запоминай. Только что ты нарушил закон о личной неприкосновенности посла, надругался над беззащитной девушкой, оскорбил особу королевской крови. Поэтому ты немедленно расскажешь мне, что это еще за праздник единения, или я останусь тут лежать в таком виде, пока меня не увидят все на свете, и о твоем гнусном поступке не узнают все дворяне ойкумены.

— Вот значит как? — Найл поднялся, вышел в большую комнату, приоткрыл дверь в коридор: — Эй, кто-нибудь! Принесите кувшин с питьевой водой и еще одно одеяло. Княжна Ямисса отныне будет жить в мой спальне!

Найл, ожидая, пока приказание исполнят, вернулся и встал в дверях. Девушка, услышав громкие распоряжения, предпочла спрятаться под одеяло.

— Ты что задумал? — спросила она.

— Все очень просто. Кажется, ты хотела приручить меня с помощью постели? Так вот, теперь мы будем заниматься постелью до тех пор, пока ты не добьешься своей цели.

* * *

Посланник Богини сдержал свое слово, и ни клочка одежды княжна Ямисса не получила.

Она вставала с постели только для того, чтобы поесть или заглянуть на мягкие листья чашеобразной кроны падальщика. Сам Найл большинство вопросов решал у себя в покоях, в большой комнате. Отдавал распоряжения об отправке кораблей за новыми деревьями, о распределении подрастающих слуг и надсмотрщиц, о выделении нескольких судов пленным северянам для добычи и перевозки камня, а потом уходил в спальню и жадно впивался ртом в пахнущие свежими яблоками губы Ямиссы.

Угроза правителя о том, что добиваться своей цели пленница станет постелью, внезапно оказались пророческими. Прислушиваясь к разговорам за стеной, княжна все чаще начинала задавать вполне конкретные вопросы: где находится роща деревьев-падальщиков? Почему Найл берет на себя охрану жучих, если квартал бомбардиров не подчиняется его законам? Почему в войсках несут службу и мужчины, и женщины, а во всех других областях жизни власть и право на оружие принадлежит только слабому полу?

Иногда она давала советы, причем порою совершенно неожиданные. Например, выдавать лучшему работнику особую, красивую тунику с вышивкой. Благодаря подобному пустяку работа чесальщиков стала заметно производительнее, и правитель дал распоряжение ввести подобные туники во всех других производствах. Или о том, что братьям по плоти помимо отваги и силы, неплохо бы иметь еще и навыки фехтования.

На вопросы девушки Найл иногда отвечал, иногда молча улыбался и отрицательно качал головой. Тогда уже Ямисса тянула его к себе, покрывала тело поцелуями, разжигала огонь, а после очередной вспышки страсти повторяла вопросы сраженному блаженной истомой правителю. Иногда он сдавался, и отвечал.

Единственным, кому не нравилось сложившееся положение дел, оставался Тройлек.

— Эта женщина лишит вас головы, правитель,— предупреждал он.

— Перестань,— улыбался Найл.— Это просто девушка.

Однако вскоре опасения паука начали принимать вполне конкретные формы.

— Торговцы из посольства исчезли.

— Как исчезли?

— Двое ушли через ущелье, а третий просто пропал. Мои слуги последний раз видели его около Черной Башни.

Найл пригасил свои мысли. О памяти предков в глубоких подземельях Тройлеку по сей день не было известно ничего. Слишком большую ценность представляла эта тайна для смертоносцев Южных песков, чтобы поделиться ею с северянином, пусть даже добившимся звания советника. О том, что могло случиться в тамошних местах со слишком любопытным двуногим, правитель имел вполне ясное представление.

— Ты хоть договорился с купцами о продаже соли?

— Да. Цену, правда, они дали ниже, чем хотелось, но зато все хлопоты с перевозками и продажей взяли на себя.

— Тогда о чем ты волнуешься?

— Они сбежали, даже не поговорив о еще очень многих вопросах.

— Значит, другие темы их не интересовали.

— Нет, Посланник Богини, купца не может не интересовать тема, связанная с расходами или прибылью. Если они не договорили, значит произошло нечто важное.

— Что?

— Важнее золота для купца может быть только собственная жизнь. Во всем цивилизованном мире война начинается с того, что властители отрубают головы торговцам врага, оказавшимся в его владениях.

— Хорошо, иди.

Настроение Посланника стало не таким радужным. Из спальни выглянула княжна.

— Ну как, Найл? О чем рассказал тебе твой восьмилапый сенешаль?

— Ты осталась без посольства, Ямисса.

— Ну и что? — улыбнулась она.— Ведь посол-то остается здесь!

Однако Найл успел уловить огонек злорадства в ее мыслях.

Посланник Богини закрыл глаза и как можно более сильным импульсом вызвал Шабра.

— Я слышу тебя, Посланник,— немедленно отозвался паук.

— Все боевые пауки должны покинуть свои посты в городе и отправиться в Приозерье, оборонять ущелье от возможного вторжения. Отправь туда же детей братьев по плоти.

— Будет выполнено, Посланник.

— Что с тобой, Найл? — девушка тихонько толкнула его в плечо.

— Так, задумался.

— У тебя такое выражение лица, словно ты присутствуешь на похоронах.

— Пообещай мне одну вещь, Ямисса,— повернулся к девушке правитель.— Никогда не приближайся к Черной Башне. Обходи ее за полкилометра. А то может случиться так, что даже я ничем не смогу тебе помочь.

— Не буду,— тут же кивнула княжна.— И близко не подойду. Зачем ты так нервничаешь из-за того, чего никогда не случиться? Лучше иди ко мне.

Злорадства в ее мыслях больше не проявлялось, на некоторое время Найл успокоился. Но утром, убрав посуду после завтрака, слуга с поклоном передал просьбу советника Тройлека выйти в тронный зал для принятия дара от общины Приозерья. Правитель кивнул, надел парадную тунику, опоясался мечом, поцеловал свою пленницу и отправился исполнять долг властителя.

Рыбаки Серебряного озера преподнесли Посланнику Богини огромную корзину копченой рыбы. Никаких слов, кроме громкого выражения любви к милостивому властителю, при этом не говорилось, но Найл намек понял — рыцарь Синего флага сообщал про поставки улова пехотинцам князя Граничного.

— Про рыбу торговцы перед отъездом спрашивали? — поинтересовался правитель у Тройлека.

— Нет,— ответил смертоносец.— Но я получил сообщение, что вчера князь Граничный вызывал к себе вашу представительницу в столице, Райю.

— Продолжай,— похолодел Найл

— Он сказал, что собирается объявить вам войну, господин. Он дал ей сутки времени, чтобы закончить дела представительства, поскольку сегодня отрубит ей голову.

— Что с нею?!

— Сегодня днем она явилась к князю. Он был зол, сказал что слишком занят и прогнал.

— Ага,— облегченно перевел дух Посланник. Он тут же вспомнил, как прогнал Закия, вместо того, чтобы кинуть в огонь. Похоже, северянин решил ответить жестом на жест и дал надсмотрщице возможность сбежать. Вряд ли он мог предположить, что воспитанная смертоносцами в духе абсолютного повиновения женщина сама заявится на собственную казнь. Вот и пришлось растерявшемуся правителю разыгрывать вселенский гнев.

— А откуда ты все это знаешь? — запоздало поинтересовался Найл.

— Сегодня я, согласно нашему договору, отправил груз соли с уполномоченным купцами приказчиком, и сообщил им об этом. По нашей договоренности, частью «соленого» золота они обязаны оплачивать расходы вашей представительницы. Разумеется, им известно, что вокруг нее происходит.

— И что там сейчас творится?

— Князь выставил стражу у дома Райи и приютов на берегу, объявил все имущество конфискованным. Но надсмотрщицу пока не выселили и разрешают ей продолжать выкупать детей.

— А твои купцы дают ей золото?

— У нас договор.

— Несмотря на войну?

— На наших землях их приказчика никто не тронет,— спокойно объяснил Тройлек,— на землях князя тем более. Раз торговля идет, договора должны выполняться. Купцы просили вывезти груз за четыре дня. Через шесть суток ущелье должна перекрыть подошедшая союзническая армия князя и баронов.

— Вот как? Бароны подружились с князем?

— Вы нарушили право неприкосновенности посла, мой господин, основу основ отношений между странами. Обманом захватили дочь князя и надругались над ней.

— В прошлый раз ты сам советовал поступить именно так.

— В прошлый раз вы обладали вполне законным и общепринятым цивилизованными странами правом победителя. На этот раз все обычаи и законы цивилизованных стран вы поперли ногами. Теперь любой имеет возможность напасть на вашу страну, ничем не оправдывая своих действий. Вы — изгой.

— Да,— кивнул Найл,— можно подумать, раньше они задумывались о каких-то оправданиях.

— Теперь каждый желает принять участие в дележе твоего государства Посланник Богини, вот и собрались вместе.

— Ну, это мы еще посмотрим,— покачал головою Найл.— Прикажи поставить в мои покои самый огромный букет цветов, который сможете сделать. А мне прощаться некогда, я отправляюсь в Приозерье.

* * *

Найл долго вглядывался в уходящую ввысь белую стену из паутины, оценивая возможные действия врага. У северян в войсках много людей и всадников, но очень мало пауков. Братья по плоти насчитывали две тысячи смертоносцев и всего полсотни человек. Правитель понимал, что в ровном поле князь сможет раздавить его воинство за считанные минуты, как это однажды уже и произошло, но теперь до гладких барханов пустыни северянам еще требовалось дойти...

— Дравиг! Жуки-бомбардиры пусть займут место под прикрытием скал у самого выхода из ущелья. Если людям удастся прорвать паутину, жуки остановят их своим газом, а мы попытаемся путину восстановить. Нефтис! Всех жителей Приозерья отправь собирать камни. Совсем мелких не надо, а остальные — все, какие только смогут найти. Смертоносцы смогут сбрасывать эти камни со стен ущелья на наступающих. Арбалеты их на такой высоте не достанут, а пауков у северян мало, ничем они своей пехоте не помогут. Дравиг, отправь разведку в глубь ущелья на полдня пути, чтобы нас врасплох не застали. Если купцы не врут, у нас есть еще трое суток, успеем подготовиться.

* * *

Первыми на узкой горной дороге появились закованные в латы пехотинцы. Следом за ними на широких колесах ползли катапульты. Найла эти камнеметательные машины не очень пугали, пока разведчики не разглядели повозки со смоляными шарами. Так вот как боролись северяне с препятствиями из паутины! Они их просто-напросто жгли! Найл покосился на уже занявших позицию жуков и покачал головой. Ставь вонючую завесу или не ставь, а под огненным обстрелом восстановить паутину смертоносцам будет весьма непросто.

Машины остановились у подножия высокой старой башни, издавна охранявшей здешнюю дорогу. Пехотинцы попытались двинуться дальше, к самой паутине. Найл отдал мысленный приказ, и пауки, занявшие позицию на верхней грани склонов сбросили вниз со спин несколько камней. Люди, не дожидаясь точных попаданий, поспешили отступить. Потом подошла кавалерия. Найл вспомнил, как всадники на вертикальных склонах плато атаковали прикрытые ВУРом отряды смертоносцев и заскрежетал зубами. Вооруженные длинными копьями люди на спинах быстрых тараканов действительно могли нанести немалый урон восьмилапым. Разве только перевести жуков наверх, и прикрывать газом не паутину, а смертоносцев. Прицельно кидать камни в ущелье все равно не получиться, заваливать пехотинцев придется наугад, а вот удары парализующей волей вместе с падающими камнями и едкой вонью позволят основательно проредить отряды рыцарей. Падение с трехсотметровой скалы не пережить ни единому живому существу.

— Человек! — предупредили Найла.

От башни к паутине неспешно двигался высокий двуногий в сверкающих доспехах. За его спиной развевался длинный плащ.

— Это князь,— узнал Посланник.— Дравиг, на всякий случай, если со мной что случится, общий план действий ты знаешь. Начинай, не оглядываясь на мое состояние и не дожидаясь отдельных приказов. Пойду узнаю, чего он хочет.

Северянин остановился в двух шагах от паутины, и Найлу невольно пришлось выйти к нему по ту сторону белой стены.

— Ты нарушил все мыслимые и немыслимые законы и обычаи, Посланник Богини,— не здороваясь, начал князь.— Опозорил мою дочь и обманом захватил в заложники. Кара, ждущая тебя, неминуема. Не проливай лишней крови, сдайся на справедливый суд королевского совета. Тогда твои воины останутся живы, а земли не подвергнутся разорению. Их просто поделят благородные дворяне.

Найл явственно ощутил, что князь не верит ни единому собственному слову. В позор дочери и ее обман — тоже не верит. Но когда до правителя доходят подобные вести, он просто обязан реагировать только одним-единственным образом, если не желает покрыть себя вечным позором.

— Я не прячусь за спины заложников,— покачал головой Найл.— Ты в любой момент можешь получить свою дочь обратно.

— Теперь уже поздно, Посланник Богини. Ты опозорил ее и обязан за это ответить. Не проливай лишней крови. Сложи оружие, и отдай свои земли более достойным людям.

— Не они собирали эти земли, князь, не им на них и править. Здесь они могут только умереть.

— Тебе не устоять перед напором объединенной армии, Посланник Богини,— предупредил северянин.— Сюда пришло в пять раз больше воинов, чем в прошлый раз.

— Теперь и дорога до города пауков в пять раз дольше,— напомнил Найл.

— Мы все равно дойдем до города!

— Нет,— поправил Найл.— Кое-кому из вас, возможно, удастся дойти до города. Но ты ведь знаешь, в моих землях долго не живут даже победители.

— Тебе не кажется, что тысячи жизней — это слишком много за преступление одного человека?

— Согласен,— кивнул Найл.— Вы можете уйти и остаться жить.

— А ты останешься ненаказанным? Нет, давай решим наш спор, как дворянин с дворянином. Скрестим наши мечи. Если ты победишь, то вернешь мою дочь, выплатишь выкуп за ее позор, и соединенная армия уйдет. Если удача отвернется от тебя, то пусть твои воины сложат оружие, а земли твои будут поделены между союзниками.

— Я тоже не люблю крови, князь. И я согласен скрестить с тобой мечи. Если я погибну, то ты получишь назад свою дочь. Если мне удастся победить, то я отпущу твою дочь на все четыре стороны.

— Отлично,— князь расстегнул заколку на плече и отбросил плащ.

— Ты так просто отказываешься от добычи? — удивился Найл, обнажая клинок.

— От такой добычи одна головная боль,— князь размял руки.— Если проиграю, моя армия останется лежать в этих скалах, а княжество бароны разорвут в клочья. Если выиграю — все равно потеряю половину воинов, а из-за твоих земель начнется свара, дикие орды начнут носиться туда-сюда, громя все на своем пути. Опять же, по моим землям. Дорога к Южным пескам только одна. Извини друг, но не нужно мне такой победы. Хватит твоей головы. Покажу ее баронам и поведу назад. Пока битва не началась, я здесь самый сильный.

— А если здесь останется твоя голова?

— Не останется,— князь скинул перевязь, выдернул меч и отшвырнул ножны в сторону.— Ты ловок, храбр и вынослив, но совершенно не знаком с искусством боя на мечах. Как и твои воины. В свалке это неважно. Но сейчас мы один на один.

Князь взялся за рукоять двумя руками, расставил ноги на ширину плеч и слегка наклонился вперед. Найл, хотя и не владел воинским искусством, принял точно такую же позу. Потом вытянул меч вперед и слегка ударил острием по кончику клинка северянина:

— Начнем?

— Остановитесь!

Князь резко отскочил на пару шагов и выпрямился:

— Здравствуй, доченька.

— Я готова,— вскинула княжна подбородок,— я готова пожертвовать собой, лишь бы остановить кровопролитие. Я согласна выйти замуж за Посланника Богини.

— А-а,— кивнул князь и вопросительно приподнял брови,— значит, ты попала в покои правителя Южных песков не подвергаясь насилию, а желая постоянно находиться рядом с будущим мужем?

— Я не хотела расставаться с ним ни на минуту,— четко, словно юридическую формулировку, выпалила девушка.

— Ну что же вы, дети мои,— радостно развел руками северянин.— Могли бы хоть предупредить старого отца! А то ко мне пришли такие кошмарные вести! Обязательно посажу купца на кол.

Меча, кстати, князь Граничный убирать не торопился.

— Посланник Богини, друг мой, ты готов взять мою дочь, княжну Ямиссу в жены?

— Ну уж нет,— Найл погладил щекой свой меч,— хватит с меня сюрпризов от этой бестии! У нас есть договор: твоя дочь в обмен на поединок. Давай закончим это дело поскорее.

— Посланник Богини, друг мой,— северянин на всякий случай отступил еще на пару шагов.— Ты же мудрый правитель! Зачем тебе умирать и оставлять страну на потребу тараканьей своры? А если ты сразишь меня — думаешь, они повернут назад? Сейчас, уже почуяв запах добычи? Их могу остановить только я, или кровь и храбрость твоих воинов. Сколькими жизнями ты готов заплатить за свое плохое настроение? Подумай, друг мой. Сейчас мы можем стать союзниками на долгие годы, или погрузить наши страны в пучину разрухи навсегда. Ну же, правитель. Опусти меч и посмотри на нее. Клянусь семнадцатью богами, не такой уж страшный выбор. Посланник Богини, друг мой, во имя наших двух стран, ответь мне на один вопрос: ты согласен взять в жены дочь мою, княжну Ямиссу? Только не торопись! Подумай над ответом хотя бы пару минут!

Найл вздохнул, с явным сожалением еще раз погладил щекой широкий клинок и убрал его в ножны. Взглянул наверх, туда где в ожидании смертельной битвы замерли смертоносцы с тяжелыми камнями на спинах, потом взглянул на девушку, на князя и кивнул:

— Да.

— Дочь моя, а ты согласна выйти замуж за друга моего, правителя Южных песков и Серебряного озера?

— Нет.

На лице князя не дрогнул ни один мускул. Он посмотрел на свой меч, на княжну, и ласково спросил:

— Ямисса, кровинушка моя, ты сошла с ума?

— Этот дикарь отказывался от меня три раза! Теперь четыре,— скрипнув зубами, сообщила девушка,— а я от него только один. Теперь два.

— Знакомься, Посланник Богини, это моя дочь,— зачем-то предложил князь, вскинул меч и прикоснулся к клинку губами.

— Ямисса, я прошу тебя стать моей женой,— глядя на князя, произнес Найл.

— Нет.

— Ямисса, я прошу тебя выйти за меня замуж.

— Нет.

— Великая Богиня! Ямисса, я прошу тебя в последний раз: стань моей женой!

— Между прочим,— облегченно вздохнула княжна,— когда истинный рыцарь делает такое предложение, он дарит женщине кольцо.

Князь громко расхохотался.

— Дети мои, я подарю вам свой королевский шатер! И если от вашей любви обязательно должны содрогаться целые страны, то занимайтесь ею в пустыне!!!

Он повернулся, пробежал несколько шагов в сторону своего войска, потом остановился, оглянулся:

— Цепью бы вас сковать... Вы хоть не разговаривайте до моего возвращения, что ли? А то опять что-нибудь случится.— Князь махнул рукой и поторопился в глубь ущелья.

— Когда ты попросил у отца моей руки, а потом сам же отказался,— словно извиняясь, произнесла девушка,— я дала себе клятву, что отплачу тебе тем же.

— Никогда не думал, что верность слову может быть таким недостатком,— ответил Найл.

Со стороны башни донеслись приветственные крики. Кричали, видимо, пехотинцы князя — вряд ли известие о помолвке княжны могло вызвать восторг со стороны баронов.

Найл вдруг представил себя на их месте: вышли в поход пограбить все вместе близкого соседа, а предполагаемый враг вдруг оказывается зятем сильнейшего союзника, и они остаются нос к носу с двумя мощными, готовыми к бою армиями. Не хотел бы Найл оказаться в их шкуре.

— Вы это вместе придумали? — повернулся правитель к княжне.

— Что? — не поняла она.

Найл вгляделся в ее карие глаза и понял, что не было никаких хитроумных, далеко идущих планов. Никакого расчета. Просто девушке хотелось получить любовь с такой же силой, с какой и отомстить за давнее пренебрежение. Или наоборот.

— Ямисса, единственная моя,— негромко произнес Найл те самые слова, которые она хотела услышать.— Я люблю тебя и очень хочу, чтобы ты всегда была рядом. Стань моей женой, и если...

— Только без угроз,— положила она ему палец на губы.— Я согласна.

ЧАСТЬ 2. КОРОЛЕВА

Скромные возможности рыбацкой флотилии никак не могли обеспечить перевозку к порогам всех желающих попасть на торжество, а также подарки и припасы, которые должно было срочно отправить в город, поэтому братья по плоти, всадники и часть придворных дам отправились в столицу Южных песков через пустыню. Теперь это стало не так трудно, как раньше — в конце второго дня пути начиналась череда выстроенных пленными каменных колодцев, вокруг которых уже начинали обживаться драгоценные чашечки уару и неприхотливые шипастики.

Возле каждого колодца шумная праздничная толпа устраивала привал. Блестящие всадники начинали звонко рубиться на мечах, красуясь перед воительницами Найла, а дамы демонстрировали легкие летние платья, соблазняя братьев непривычными фасонами и манерами. Правитель так и не понял, то ли вся эта публика получила от властелина указание завязать с воинами Южных песков близкие дружеские отношения, то ли просто подобрались молодые и веселые спутники. Посланник Богини не вмешивался. Жизнь его людей была слишком суровой и короткой. Во имя очищения этих земель от захватчиков, он лишил их детства, ласки родителей и пауков-воспитателей, удобств обычной жизни. За полтора года, прошедшие с момента рождения, они постоянно только шли вперед, от привала к привалу, и сражались. И умирали — каждый второй отдал свою жизнь на этом пути.

Если сейчас жизнерадостные северяне научат их улыбаться, любить, радоваться этому миру — он будет только рад. Пусть даже прелестные северянки украдут всех его воинов — они все равно уже выполнили свой долг. Пусть теперь просто живут. Найл больше не видел врагов, против которых потребовалось бы направлять их клинки. К тому же, на острове детей сейчас постоянно царит оживленность и шумная суета. Теперь можно не бояться того, что город умрет. А раз город жив — он всегда найдет способ отстоять свое право на существование.

Королевский шатер князь приказал поставить только один раз, на первом привале. Его собирали часа три, а утром столько же разбирали. Самое обидное — эту ночь Найл и Ямисса, уставшие за день, так и не прикоснулись друг к другу. Последующие вечера они проводили вместе со всеми, просто сидели бок о бок и улыбались подшучиваниям окружающих.

Всеобщее веселье привело к тому, что темная тень на небе тоже не вызвала ни у кого тревоги.

— Смотрите, смотрите! Гора в воздухе!

Огромный коричневый диск около полукилометра в диаметре и пятнадцати метров толщиной, с крупными черными подпалинами с передней части разметал в клочья несколько встретившихся на его пути облаков, с низким утробным гулом промчался над веселой кавалькадой, после чего, постепенно теряя высоту, ушел куда-то в направлении Диры.

— Это такая страна, отец,— громко прокомментировала Ямисса.— Время тут течет по-разному для разных людей, справить свои надобности забираются на дерево, по ночам случаются шумные праздники мертвых, о которых не знает ни один человек, восьмилапые и двуногие считают себя одной расой, а скалы летают по воздуху. Наверное, именно поэтому все они и считают свою страну лучшей в мире.

— А ты? — спросил князь.

— Прости, отец, но я тоже.

Найл прикрыл глаза от солнца, наблюдая за посадкой разведчика.

— Что это там, друг мой? — окликнул его князь.

— Это гости прилетели,— Посланник почувствовал, как у него неожиданно вспотели ладони.— Думаю, мне нужно их встретить.

— Я с тобой, Найл,— тут же заявила княжна.

— Мы тоже! — крикнул кто-то из всадников.— Встретим гостей, прилетевших на свадьбу правителей!

— Нет,— покачал головой Посланник.— Это далеко. Пешком дня три пути. Смертоносцу и то день бега. Пустыне не прокормить большой армии, а припасов у нас с собой нет.

Найл повернулся за поддержкой к князю.

— Да,— признал северянин.— Не зная дороги, в барханы лучше не соваться. Но не пойдешь же ты один, Посланник Богини?

— Ты ведь знаешь, князь, я в пустыне не пропаду. И воды глоток найду, и еды достану.

— Найл! — Ямисса произнесла только имя, но сопровождающая эмоция была ясна и человеку.

— Извини, моя королева,— сжал ей руки Найл,— но я не могу их не встретить. Ты даже не представляешь, как долго они сюда добирались. Я возьму с собой Дравига и Торна. Идите в город, я скоро вас догоню.

* * *

Предусмотрительный Дравиг перед началом военных действий успел плотно подкрепиться, и теперь легко мчал вцепившегося в спину правителя в погоню за летающей скалой.

Низкие барханы проскакивали назад, как мелкие камешки, от стремительных взлетов на высокие дюны и спусков с них у Найла екало в груди. После нескольких часов такого бега песчаные горы внезапно выровнялись, словно кто-то уронил на пустыню гигантский мешок и поволок его за собой. Вдалеке показалось темное пятно. Еще через полчаса коготки смертоносца звонко зацокали по твердой глянцевой поверхности.

— След Демона Света,— удивился паук и снизил скорость. До летающей скалы оставалось всего несколько сотен шагов.

— Песок расплавился,— объяснил Найл, спрыгивая вниз.— Хорошо, они вдали от лесов и жилья сели, а то бы без пожаров не обошлось.

Они обошли глубоко просевший в мягкий грунт космический корабль и с обратной стороны обнаружили трех человек, одетых в серебристые облегающие комбинезоны. Мужчина рылся в песке, окруженный какими-то ящиками и приборами, а женщины любовались далекими вершинами Северного Хайбада.

Найл негромко покашлял и тут же услышал в ответ дикий визг — женщины отбежали метров на пятьдесят на вершину ближнего бархана и теперь с тоской смотрели оттуда на открытую дверь.

— Вот это да! — мужчина выпрямился, но убегать не стал.— Вот это паучок! А вы чего орете? Читали ведь данные о размерах здешних членистоногих.

— Читать это одно, а увидеть...

— Надо их пристрелить,— предложила одна из женщин,— и объявить, что отныне все люди свободны.

— А если это пастух со своими восьмилапыми козами? — спросил мужчина.— Как вы ему это объяснять будете?

— Белые Башни сообщали, что на Земле люди находятся в рабстве у пауков, ты же знаешь! Пристрелить и все! Остальные сразу людей уважать начнут.

— Ты посмотри: видишь, он в доспехах? Рабы в доспехах и при оружии не гуляют.

— Все равно нужно их пристрелить! Смотри, какие противные.

— Если мы хотим, чтобы на Земле возродилась цивилизация, чтобы сюда вернулось нормальное демократическое общество, восторжествовала свобода, сперва нужно разобраться, кто есть кто,— покачал головой мужчина.— Кого нужно уничтожить, кого можно использовать в качестве домашних животных. А вы готовы стрелять, даже не познакомившись. Подождите, сейчас я подключу дешифратор.

— Смотри, как этот дикарь на тебя смотрит,— толкнула одна женщина другую,— Можно хоть сейчас подавать в суд на сексуальное домогательство.

— Пристрелить нужно этих тварей,— ответила та.— Все равно никакой пользы от них быть не может. Уродство какое!

— Готово, подключил,— выпрямился мужчина.— Теперь нужно, чтобы он что-нибудь сказал.

«Дравиг, Торн,— мысленно предупредил Найл,— никогда, ни при каких обстоятельствах не выдавайте этим существам, что мы умеем заглядывать в их разум».

— Молчит. Точно, наверное, раб, а это его хозяева. Их нужно уничтожить, тогда он сможет обо всем рассказать без страха.

Найл прокашлялся, сделал шаг вперед, вскинул правую руку и торжественно заявил:

— Приветствую вас на Земле, братья со звезд!

— Всего лишь братья,— разочарованно протянула одна из женщин.— Я-то думала, нас признают богами...

СОДЕРЖАНИЕ

Литературно-художественное издание

Мир Пауков Колина Уилсона

Прикли Нэт

Пленница

Руководитель проекта Д. Ивахнов
Составитель М. Ахманов
Художественный редактор О. Адаскина
Компьютерный дизайн: А. Сергеев
Верстка: Л. Андреева
Технический редактор В. Успенский
Корректор С. Митина

Подписано в печать с готовых диапозитивов 18.10.2000.
Формат 84×108 1/32. Гарнитура «Школьная». Печать офсетная.
Усл. печ. л. 21,84. Тираж 7000 экз. Заказ 3231.

Налоговая льгота — общероссийский классификатор продукции
ОК-005-93, том 2; 953000 — книги, брошюры.

Гигиеническое заключение № 77.99.14.953.П.12850.7.00 от 14.07.2000 г.

ООО «Издательство АСТ» Лицензия ИД № 02694 от 30.08.2000 г.
674460, Читинская область, Агинский район,
п. Агинское, ул. Базара Ринчино, д. 84
Наши электронные адреса: WWW.AST.RU E-mail: astpub@aha.ru

Издательство «Северо-Запад Пресс»
Лицензия ИД № 00450 от 15.11.1999
Санкт-Петербург, ул. Казначейская, д. 4/16, лит. А
Для писем: 197022, Санкт-Петербург, а/я 125
sz-press@peterlink.ru

При участии ООО «Харвест». Лицензия ЛВ № 32 от 27.08.97.
220013, Минск, ул. Я. Коласа, 35 — 305.

Налоговая льгота — Общегосударственный классификатор
Республики Беларусь ОКРБ 007-98, ч. 1; 22.11.20.300.

Отпечатано с готовых диапозитивов заказчика
в типографии издательства «Белорусский Дом печати».
220013, Минск, пр. Ф. Скорины, 79.